心跳上海

Xin Tiao Shanghai
Quanmin Hanyu Keben

國民的中國語教本
ときめきの上海

相原茂 著
Aihara Shigeru

朝日出版社

まえがき

　２００１年度，２００２年度の２年間，NHKテレビ中国語会話を担当する機会にめぐまれた。

　語学番組ではよくスキットと称してドラマを放送する。このときのドラマが「ときめきの上海」であった。その名の通り，上海を舞台にしたドラマである。自分さがしの旅にでた日本人留学生の田村好恵さん，その愛くるしさが人気を博した。また発展いちじるしい上海の姿も新鮮だった。

　番組では私が古畑任三郎ばりの恰好で登場して字謎を出したり，生徒役に浅川稚広さん，翌年は北川えりさんという，スターや女優が語学番組に出演したことも話題をひろげた。これまでの外国語番組の常識をやぶり，楽しくて役に立つ，見始めたらやめられない，「教育＆エンターテイメント」と言われた。

　考えてみれば，ことばというのは発音であり，語彙であり，文法であり，文化的知識であり，その他，さまざまな情報の集合体だ。まんべんなく栄養が必要なところがある。幕の内弁当のようなものといったらよいだろうか。テレビはまた，そういういろいろな要素をうまく盛り付け，興味をひき，食欲をそそりながら，栄養をとらせる装置でもある。

　言葉がそういうものである以上，それを学ぶ書物も，総合的で，多様な要素が混じりあっていてもよいのではないか。この本は，テレビさながら，ぜいたくにさまざまな要素を盛り込んでみた。ご覧のように，かなりのボリュームになったが，「さまよえる中級者」も，これなら満足してくれるのではないか。

　「ときめきの上海」の執筆陣は，左思明，田禾，郭雲輝，李時珍のみなさんである。おおよそのストーリーは執筆者を含め，私やディレクターをまじえて何回か議論を重ねてそのアウトラインを描いた。

　番組というのは担当ディレクターの思いが色濃く反映する。スキット「ときめきの上海」を担当したのはNHK神部明世ディレクターであった。同行し

た上海でのドラマ撮影も忘れられない。2年間にわたる放送では，中原暉，田原靖士，堂満一成のディレクターによる智恵をしぼった番組作りがあった。

テレビではまた盧思さんの「単語6姉妹」も話題になった。本書についているCDのこの部分は特に盧思さんに発音していただいた。楽しみながら語彙を増やしていただきたい。陳涛さん，沈建軍さんとの「動動脳筋」も印象深い。その内容は「ここほれ中級」として掲載されている。

毎月のテレビテキストの原稿作成にあたってはお茶の水女子大院生，郭雲輝，田禾両氏のご協力を得た。本書の基礎をなすものであり，あらためて感謝したい。テキストの発行にあたっては，NHK出版の山﨑孝子編集長，竹村文子さんのお世話になった。綿密な校正，心地よいレイアウトなど，気持ちよく仕事をさせていただいた。

NHK放送技術研究所の開発した「声調2号」は中国語の声調を視覚化した点で画期的であった。「声調3号」はさらに模範的調型に修正した発音をするという点で視聴者を驚かせた。本書に収めた声調3号の調型図は貴重な教育資料となるだろう。NHK放送技術研究所・ヒューマンサイエンスの都木徹さんに感謝申し上げたい。

福井功さんはテレビ中国語会話のコーナー扉をデザインし，1920年代の上海ムードを番組の中に醸成していただいた。本書のそこかしこに登場する上海系美女やノスタルジックな写真はいずれも福井さんの感性に負うものである。それは表紙デザインはじめ本書全体の美的効果を高めた。

富田淳子さんには今回も編集の労をとっていただいた。いつもながらの期待に違わぬ仕事ぶりに感謝する。

本書が朝日出版社から上梓されるにあたっては，中西陸夫氏の御尽力があった。

いつものことながら，多くの人々の真摯な仕事に支えられて一つの作品ができあがる。本書の上梓に参加されたすべての皆さんに謝意を申し上げる。

２００３年初夏　　　相原　茂

本書の使い方

「ときめきの上海」のストーリーを追いながら，初級の方だけでなく，中級の方にも役に立つ情報がちりばめられています。

「ときめきの上海」

全44回のストーリー。音声はCDに収録されています。
文中にあるマークはそれぞれ後ろのコーナーに解説があります。

【マークの意味】
- ……Key sentence
- 文法……文法レッスン
- 道草……ことばの道草
- 中級……ここほれ中級

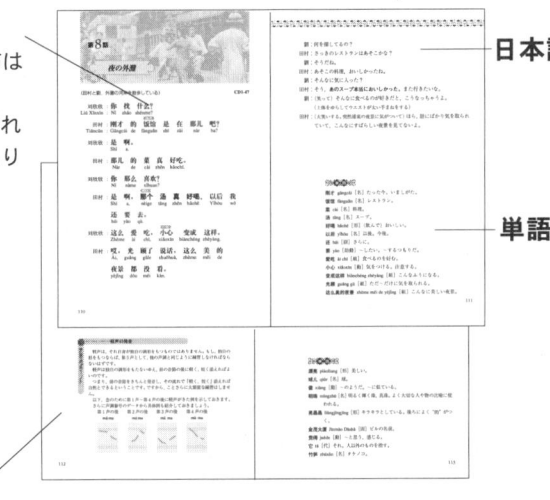

日本語訳

単語

発音のポイント
中国語の発音ポイントを解説します。

Key Sentence
毎回重要な表現を一つ取り上げ，解説します。

声調参号
テレビ放送で登場した声調マシーンによるKey Sentenceの実際の発音調型です。マシーンがとらえた波形について解説します。

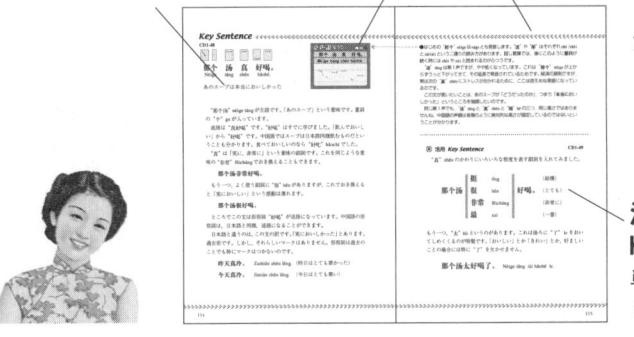

活用Key Sentence
単語を入れ替えて練習します。

文法レッスン

本文に出てきた文法事項を解説します。

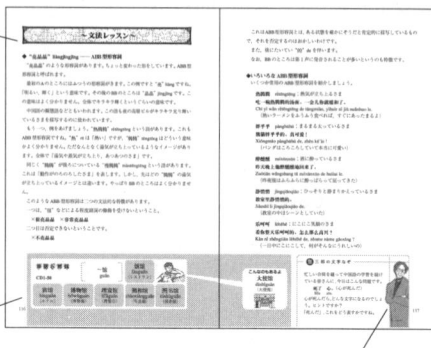

単語六姉妹

関連単語を覚えましょう。
CDに音声が収録されています。

您三郎の文字なぞ

勉強の息抜きに中国の「文字なぞ」に挑戦！ 答えは「ことばの道草」の下に。

ことばの道草

ストーリーにひそむ，興味深い話題を取り上げたエッセイです。

ここほれ中級

中級者向けのコーナー。初級から一歩進んだポイントを解説します。

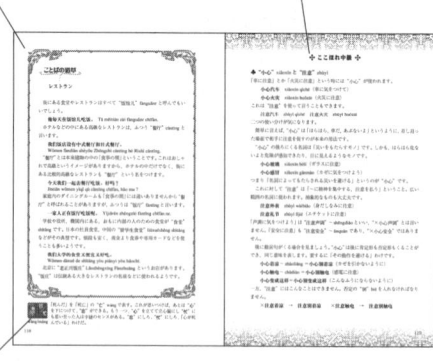

您三郎の文字なぞ・解答

目次
もくじ

- 10 ……………… 発音 1
- 16 ……………… 発音 2
- 22 ……………… 発音 3
- 28 ……………… 発音 4
- 34 ……………… 中国語基本音節表
- 36 ……………… あいさつ言葉 12
- 38 ……………… 第 1 話　上海到着
- 48 ……………… 第 2 話　留学生寮へ
- 58 ……………… 第 3 話　新しい友人
- 68 ……………… 第 4 話　出会い
- 78 ……………… 第 5 話　日本はどこ
- 90 ……………… 第 6 話　豫園にて
- 100 ……………… 第 7 話　衡山路のカフェ

- 110 ……………… 第 8 話　夜の外灘
- 120 ……………… 第 9 話　図書館にて
- 130 ……………… 第 10 話　新聞をとる
- 140 ……………… 第 11 話　道をきく
- 150 ……………… 第 12 話　書店にて
- 160 ……………… 第 13 話　上海の変化
- 170 ……………… 第 14 話　二人の友人
- 180 ……………… 第 15 話　見えない明日
- 190 ……………… 第 16 話　カラオケ
- 200 ……………… 第 17 話　高橋君
- 210 ……………… 第 18 話　上海蟹
- 220 ……………… 第 19 話　帰り道

230 ………………	第20話	知らないっ！
240 ………………	第21話	切符を買う
250 ………………	第22話	ホテル到着　〜杭州の旅1〜
260 ………………	第23話	西湖湖心亭　〜杭州の旅2〜
270 ………………	第24話	今どこ？　　〜杭州の旅3〜
280 ………………	第25話	龍井茶　　　〜杭州の旅4〜
290 ………………	第26話	旅の写真
300 ………………	第27話	仮病
310 ………………	第28話	コンサートと試験
320 ………………	第29話	待ち合わせ
330 ………………	第30話	おもてなし
340 ………………	第31話	正月の食卓
350 ………………	第32話	"朋友"の意味
360 ………………	第33話	映画のチケット
370 ………………	第34話	そわそわどぎまぎ
380 ………………	第35話	デート
390 ………………	第36話	南京路
400 ………………	第37話	バレンタインデー
410 ………………	第38話	江旭の秘密
420 ………………	第39話	こうしてはいられない
430 ………………	第40話	将来
440 ………………	第41話	もうすぐ帰国
450 ………………	第42話	いつもの3人
460 ………………	第43話	送別会
470 ………………	第44話	「再見！」
480 ………………	Key Sentence のおさらい	
489 ………………	コーナー別索引	

心跳上海
ときめきの上海

発　音

発音 1

fayin

CD1-1

中国語は日本人にもなじみ深い「漢字」で書き表されます。漢字は目で理解するにはよいのですが，肝心の音をはっきりと示してはくれません。音を表すために，表音文字のローマ字を使います。これをピンインと呼んでいます。

1 声調

これから学ぶ中国語の共通語には4つの声調（声の調子）があります。声調は一つ一つの音節についている，高低や上げ下げの調子です。

ā á ǎ à

第1声：高く平ら　　　mā ［妈］
第2声：急激に上昇　　má ［麻］
第3声：低くおさえる　mǎ ［马］
第4声：急激に下降　　mà ［骂］
軽　声：軽く短く　　　māma ［妈妈］

（声調記号は母音の上につけます。軽声には記号をつけません）

◆ こうして発声 ── 力の入れ所・抜き所

第1声　　第2声　　第3声　　第4声

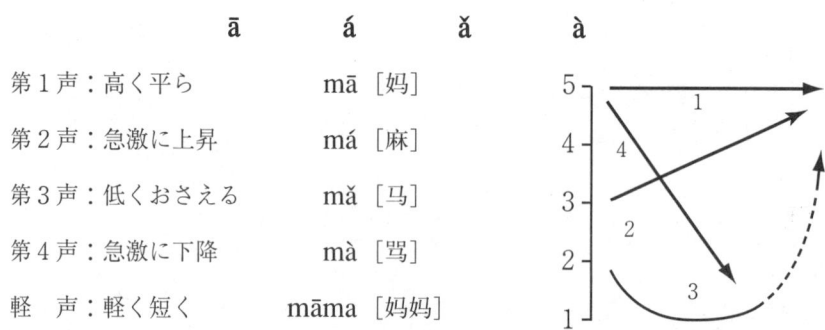

【練　習】　Māma　mà　mǎ.
　　　　　　妈妈　　骂　　马。
　　　　　　　S　　V　　O

2 単母音　CD1-2

6つの単母音と，erという「そり舌母音」を学びましょう。

  **a** 口を大きくあけて舌を下げ，明るく「アー」を出す。

  **o** 日本語の「オ」よりも唇をまるく突き出して発音する。

  **e** oの発音から唇のまるめをとり（舌の位置はそのままで），口をやや左右に開き，のどの奥で「ウ」と言うつもりで。

  **i** 子供が「イーッ！」と言う時の「イ」。唇を左右にひく。

  **u** 日本語の「ウ」よりも思いきって唇をまるくつきだし，口の奥から声を出す。

  **ü** 上のuをいう唇の形をして，「イ」を言う。横笛を吹く時の口の形。

  **er** aの口の形をして，上で学んだeを言い，同時に舌先をヒョイとそり上げる。「アル」と二つの音に分かれぬよう。

【練　習】　a —— ā　á　ǎ　à　　　i —— yī　yí　yǐ　yì

　　　　　　o —— ō　ó　ǒ　ò　　　u —— wū　wú　wǔ　wù

　　　　　　e —— ē　é　ě　è　　　ü —— yū　yú　yǔ　yù

　　　　　　er —— ēr　ér　ěr　èr

　　　　　　〈広い母音はそのまま〉　　　〈狭い母音は書き換え〉

3　複母音　　　　　　　　　　　　　　　　　　　　　　CD1-3

aiとかeiのように，母音が二つ以上組み合わさったものです。これには三つのタイプがありますが，いずれもなめらかに発音します。

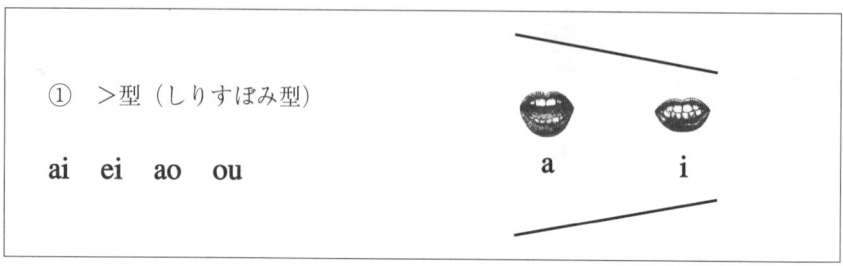

① ＞型（しりすぼみ型）

ai　ei　ao　ou

ai　「ア」に軽く「イ」を添えて「アィ」。

ei　eは後続するiに引かれ「エ」となる。
　　　軽く「イ」を添えて「エィ」。

ao　「ア」に軽く「オ」を添えて「アォ」。

ou　唇をまるくして「オ」を出し，軽く「ウ」を添えて「オゥ」。

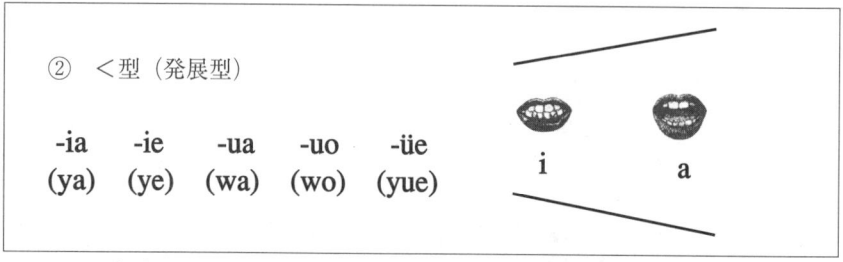

② ＜型（発展型）

-ia　-ie　-ua　-uo　-üe
(ya)　(ye)　(wa)　(wo)　(yue)

（　）内は前に子音がつかず，母音だけで音節をなす時のローマ字綴り。

ia　「イ」の構えから「ア」へなめらかにつなぎ「ィア」。

ie　eはiに引かれ日本語の「エ」に近くなる。
　　　「イ」の構えから「ィエ」

ua 唇をまるく突き出し「ウ」の構えから「ア」を発音し「ゥア」

uo 唇をまるく突き出し「ウ」、なめらかに o につなぎ「ゥオ」。

üe 唇をすぼめて「ユエ」。e は ü に引かれて「エ」になる。

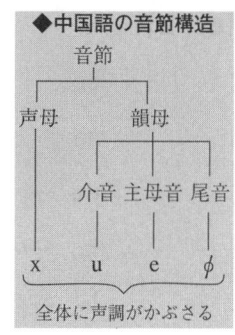

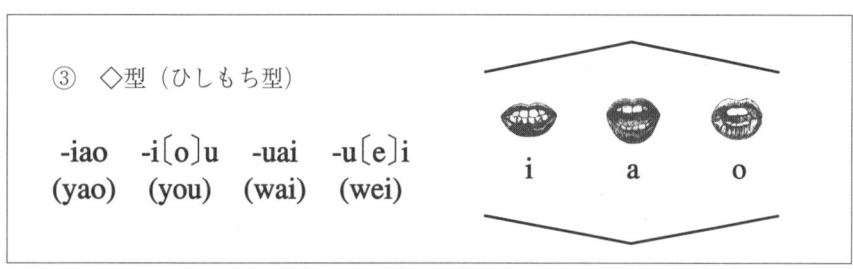

前に子音がつくと〔 〕内の母音は省略される。

iao 「イ」の構えから a をはっきりと出し、「イヤオ」となめらかに。

iou 第1声・第2声では主母音 o が弱くなり「イウ」のように、第3声・第4声では o が聞こえ「イオウ」のように発音する。子音と結びつくと o が省略されて綴られる。(例：j + iou → jiu)

uai 「ウ」の構えから a をはっきりと出し、「ゥワイ」となめらかに。

uei 「ウェイ」となめらかに。主母音の e がやや弱いため、子音と結びつくと e を省略して綴るが、むしろ e を意識して発音した方がよい。ただし第1声・第2声では微弱になる。(例：g + uei → gui)

【練習】　ai —— āi　　ái　　ǎi　　ài　　　　　　　　　CD1-4

　　　　　ei —— ēi　　éi　　ěi　　èi

　　　　　ao —— āo　　áo　　ǎo　　ào

　　　　　ou —— ōu　　óu　　ǒu　　òu

　　　　　ia —— yā　　yá　　yǎ　　yà　　↓ i, u, ü で
　　　　　　　　　　　　　　　　　　　　　　はじまる音節
　　　　　ie —— yē　　yé　　yě　　yè　　　は書きかえる

　　　　　iao —— yāo　yáo　yǎo　yào

　　　　　iou —— yōu　yóu　yǒu　yòu

　　　　　ua —— wā　　wá　　wǎ　　wà

　　　　　uo —— wō　　wó　　wǒ　　wò

　　　　　uai —— wāi　wái　wǎi　wài

　　　　　uei —— wēi　wéi　wěi　wèi

　　　　　üe —— yuē　yué　yuě　yuè

◆ もうこんなに言える —— 発音できる単語

　　　wǒ 我　　　　ài 愛　　　　yá 牙　　　　　我爱牙。

　+　　+　　=　

　　わたし　　　　愛する　　　　歯　　　　　私は歯を大事にする。

声調記号をどこにつけるか
1) a があればのがさずに,　　　　→ māo　guǎi
2) a がなければ, e か o をさがし,　→ xué　duō
3) i, u が並べば後ろにつけて,　　→ jiǔ　huì
4) 母音一つは迷わず。　　　　　　→ tì　lù
　なお, i につける時は上の点をとって yī, yí, yǐ, yì のように。

● だれが音を見たでしょう ●

　中国語は漢字で書き表します。学校は中国語でも"学校"と書き, 商店は"商店", 旅行は"旅行"です。私たちは一目見ればすぐ分かりますし, 書くこともできます。
　しかしこれらを中国語では「ガッコウ」「ショウテン」「リョコウ」とは発音しません。中国人がこれらを xuéxiào "学校", shāngdiàn "商店", lǚxíng "旅行" と中国語で言ったとしたら, 何を言われているのか私たちは皆目見当もつきません。
　言葉は音, 口から発せられるのは音だからです。そして音は目に見えません。

● 中国式ローマ字表記「ピンイン」 ●

　漢字で書き表される中国語, ところが漢字は肝心の音をはっきりとは示してくれません。
　私たち日本人も漢字を用います。しかし日本語は「ガッコウ」「ショウテン」のような, カナという音を表す手段を持っています。難しい漢字でもカナでルビを振ることができます。これにひきかえ中国語は漢字のみ, カナはありません。
　そこで中国語では漢字の読み方, 発音の仕方を表すものとして「ローマ字による表記法」を定めました。ローマ字によって漢字の音を表すのです。先ほどの xuéxiào というのがそうです。
　このローマ字のことを「ピンイン」と呼びます。私たちが小学校で, まずカナを習って漢字の読み方を覚えていくように, 中国の小学生も入学すると, まずこの表音ローマ字（ピンイン）を習います。
　しかし, これはあくまで中国式ローマ字表記です。私たちがふだん慣れている読み方とは少し違っているところがあります。
　まずはこの中国式ローマ字表記に慣れること, それが言葉としての中国語をつかまえる第一歩です。

発音 2

fayin

CD1-5

漢字は1字が1音節です。下の絵は中国語の音節怪獣「アクハシ」。頭の部分を「声母」といい、首から下を「韻母」といいます。この課では「声母」、すなわち音節のアタマにくる子音を学びましょう。

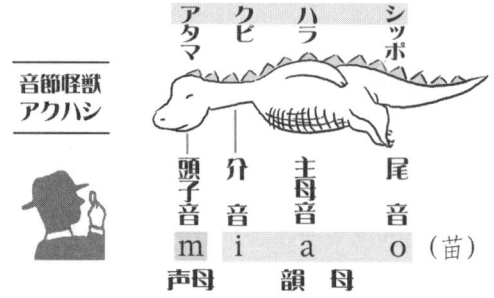

1 声母表

音節の頭につく子音は全部で21あります。このうち〈無気音〉と〈有気音〉の区別が大切です。

	〈無気音〉	〈有気音〉			
唇　　音	b(o)	p(o)	m(o)	f(o)	
舌 尖 音	d(e)	t(e)	n(e)		l(e)
舌 根 音	g(e)	k(e)		h(e)	
舌 面 音	j(i)	q(i)		x(i)	
そり舌音	zh(i)	ch(i)		sh(i)	r(i)
舌 歯 音	z(i)	c(i)		s(i)	

母音oでやぶる 〈無気音〉
息でやぶる 〈有気音〉

2 無気音と有気音

b	—	p	bo	po	ba	pa	bao	pao
d	—	t	de	te	da	ta	duo	tuo
g	—	k	ge	ke	gu	ku	gai	kai
j	—	q	ji	qi	ju	qu	jue	que
z	—	c	zi	ci	ze	ce	zao	cao

☞ üがj, q, xの直後に続く時は、üの上の¨をとってuにする。なお単独ではyuと書く。

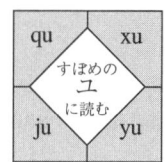

3 そり舌音

zh (i) —— ch (i)

舌先で上の歯茎をなぞり上げてみてください。硬いところの少し上に、やや深く落ちこんでいるところがあります。その境目辺りに舌先を突っかい棒をするようにあてがい、

zh は無気音、息を抑えるように「ヂ」
ch は有気音で、息を強く出して「チ」

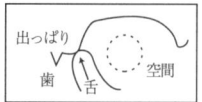

sh (i) —— r (i)

そり上げた舌を歯茎につけず、少しすき間を残し、そこから息を通します。その時、声帯（のど）を振動させなければsh「シ」、いきなり声を出して声帯をふるわせればr「り」。

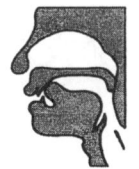 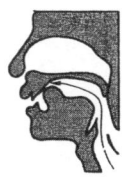 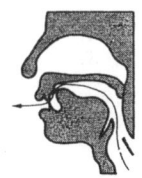 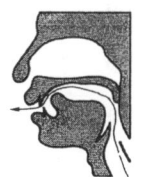 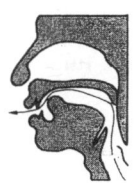

構えて → 息をため → 発音　無気 zh(i)／有気 ch(i)　　sh(i)　　r(i)

【練習Ⅰ】　　　　　　　　　　　　　　　　　　　　CD1-7

zhī　　zhí　　zhǐ　　zhì …… zhǐ［纸］紙
chī　　chí　　chǐ　　chì …… chī［吃］食べる
shī　　shí　　shǐ　　shì …… shì［是］〜である
rī　　　rí　　　rǐ　　　rì …… rì［日］日

【練習Ⅱ】

zá［杂］　zǐ［子］　cā［擦］　cǎo［草］　sū［苏］　lì［力］
zhá［闸］　zhǐ［纸］　chā［插］　chǎo［炒］　shū［书］　rì［日］

[4] 消えるoとe

複母音のiou, ueiが声母と結合して音節を作ると，iᵒu, uᵉiのように，まん中の母音が弱くなります（ただし，第3声の時はわりあい明瞭に聞こえます）。このため，次のようにoやeを省略して綴ります。

l＋iou→liu　　j＋iou→jiu〈消えるo〉
t＋uei→tui　　h＋uei→hui〈消えるe〉

【練　習】

liū　liú　liǔ　liù …… liù［六］六
jiū　jiú　jiǔ　jiù …… jiǔ［酒］酒
tuī　tuí　tuǐ　tuì …… tuǐ［腿］あし
huī　huí　huǐ　huì …… huì［会］できる

5 同じiでも違う音　　　　　　　　　　　　　　　　　　　　　CD1-8

ピンインでは同じiでも，音色が違います。

三つのi ｛
- ji　qi　xi　　………　[i]　するどいi
- zhi　chi　shi　ri　………　[ɿ]　こもったi
- zi　ci　si　　………　[ʅ]　平口のi

三つのi（愛）

◆ **中国語の音節構造**

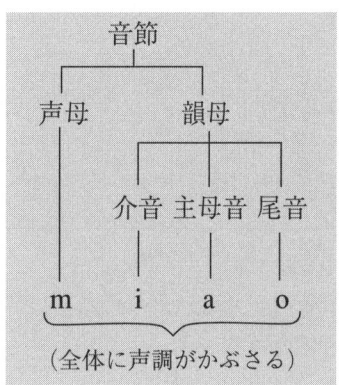

音節は大きく「声母」と「韻母」の二つに分けることができる。「声母」とは音節の頭についている子音。「韻母」は残りの，母音を含む部分。

「韻母」のところは少し複雑で，これを「介音」「主母音」「尾音」の三つに分けることができる。

左の図ではmiaoとすべての要素がそろっている。

しかし，常にすべての要素が揃うわけではない。下の表では，1は主母音のみ，2は声母と主母音のみ，3はそれに介音がついている。4は介音がなく尾音が加わっている。5に至ってはじめてすべての要素が揃っている。しかし，いずれの場合も主母音は欠かせない。

	声母（頭子音）	韻母			声調	音節	意味
		介音	主母音	尾音			
1			e		`	è〔饿〕	空腹だ
2	m		a		ˇ	mǎ〔马〕	うま
3	m	i	e		`	miè〔灭〕	消える
4	m		a	o	ˉ	māo〔猫〕	ねこ
5	m	i	a	o	´	miáo〔苗〕	なえ

6 bpmf 21音
<small>ボポ モフォ</small>

21の子音は何度も練習しましょう。外国語の発音をカタカナで表すことは感心しませんが，時には音を思い出すヒントになります。以下，ご参考までにカタカナで便宜的に表しておきます。なお，「モ」とあれば「モの子音」の意味です。

([ ]内は国際音声記号です)

b [p]：「シッポ」の「ポ」。
p [p']：閉じた両唇を蓄えた息で破り，「プゥオ」のような「ポ」。
m [m]：「モ」。両唇を少し内側へ吸いこむ気分で。
f [f]：「フォ」。英語のfに近い。
d [t]：「ヘッド」の「ド」。息を抑え，あまり濁らず。
t [t']：「とっとと出て行け」の頭の「ト」。息を強く出す。
n [n]：「ノ」の子音。
l [l]：「ロ」。舌先をきちんと上の歯茎につけて。
g [k]：「バッグ」の「グ」。息を抑え，あまり濁らず。
k [k']：「クックックッ」と笑う「ク」。息を激しく口の天井にぶつける。
h [x]：寒い時「ハァーッ」と手に息を吹きかける要領で。
j [tɕ]：「バッヂ」の「ヂ」。口を左右に十分に引く。
q [tɕ']：「チ」口を左右に十分引き，歯も上下軽くかみ合う。
x [ɕ]：同上の要領で「シ」を発音。
zh [tʂ]：舌先を立て，歯茎のやや上に突っかい棒のようにあて，「ヂ」と言う。
ch [tʂ']：同上で，息を強く出し閉鎖を破り「チ」。
sh [ʂ]：同上だが，少しすき間をあけておき「シ」。
r [ʐ]：shと同じだが，舌先を少し奥に引いて，いきなりのどから声を出し，濁った「リ」。
z [ts]：口を左右に引き，舌先が上歯の裏にくるようにし，「グッズ」の「ズ」。息を抑え，あまり濁らず。
c [ts']：同上で，息を強くし「ツ」。
s [s]：同上の形で，舌先は歯裏を離れて「ス」。

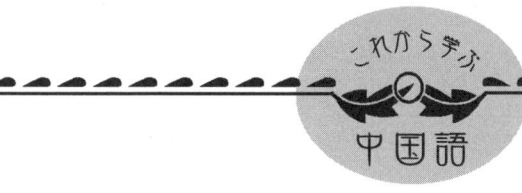

● 「共通語」を学ぶ ●

　中国は日本の26倍もの面積をもつ国。そこで話されている言葉も実にさまざまです。皆さんは北京語とか上海語，広東語，福建語などという言い方を耳にされたことがあるでしょう。これらはすべて中国の方言なのです。方言間の違いは大変なもので，「方言」という言葉から私たちが想像するような，関西弁と関東弁の違いどころではありません。互いに話が全く通じない外国語のようなものです。

　しかし，私たちがこれから学ぶものは，こういった方言ではなく「共通語」と呼ばれる，全国どこへ行っても通じる中国の標準語です。とくに最近はラジオ・テレビの普及により「共通語」が広くゆきわたっています。公共の場や学校教育などで使われているのも，もちろんこの共通語です。

● 漢字は「簡体字」 ●

　漢字で書き表される中国語ですが，その漢字は私たちがふだん使っている漢字とは形の異なるものがあります。（たとえば，「書」と"书"，「漢語」と"汉语"など）

　これは中国において簡略化された文字で，これを"简体字"jiǎntǐzì「簡体字」と言い，2200余りあります。これは決していわゆる略字や俗字などではなく，正式に使われる正規の文字です。"简"や"汉语"などが正式の文字なのです。

● どこが違う？ ●

　日本の漢字と中国の"简体字"では，形のはっきり違う「書」と"书"，「機」と"机"などのほかに，一見同じに見えるものや，よく似た形のものがあります。

日本：圧 団 差 浅 角 歩 骨 敢 免 収 牙 強 効 巻 鼻
中国：压 团 差 浅 角 步 骨 敢 免 收 牙 强 效 卷 鼻

発音 3

fayin

CD1-9

中国語の韻母には-nや-ngで終わるものがあります。例えば，xīnとxīngではまったく別の語です。日本語は，-nか-ngかを区別しませんが，例えば「アンナイ（案内）」ではnが，「アンガイ（案外）」ではngが実際の発音ではあらわれています。口の中の舌の位置に思いを馳せてみましょう。

新
xīn

星
xīng

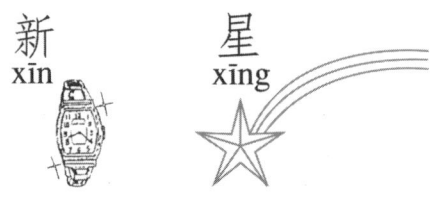

1 鼻音（-n，-ng）を伴う母音

an	**en**	**ang**	**eng**	**ong**
ian (yan)	**in** (yin)	**iang** (yang)	**ing** (ying)	**iong** (yong)
uan (wan)	**uen** (wen)	**uang** (wang)	**ueng** (weng)	
üan (yuan)	**ün** (yun)			

(　)内は前に子音がつかない時

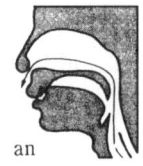

an
ang

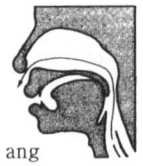

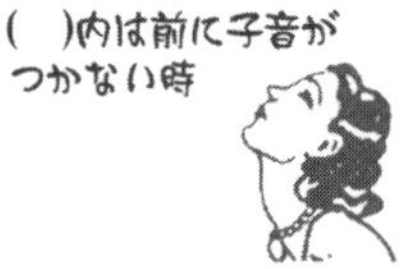

◆ a系列とe系列　　　　　　　　　　　　　　　　　　　　　　　　　CD1-10

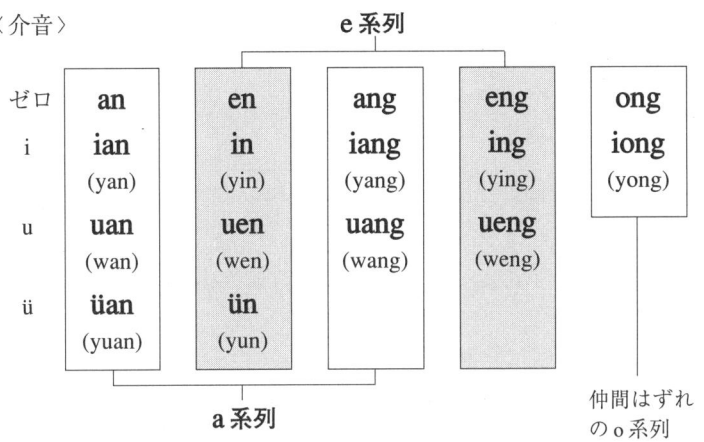

◇ a系列

- **an** ： aを発音し，舌先を上の歯茎に押し付けて「アヌ」。aを少し前寄りに発音するとよい。
- **ang** ： 口を大きく開け奥寄りのaを出して「アン」。最後まで口を大きく開けたままで，舌先はどこへもつけない。（anは短め，angは長め）

- **ian**（yan） ： 綴りと発音が一致しないので要注意。「イエヌ」という感じ。aはiとnにはさまれてエ［ɛ］となる。
- **iang**（yang） ： 最後は口を大きく開けたままで「ィアン」。単独だと「ヤン」に近い。

- **uan**（wan） ： 唇をまるく突き出したuからanへ「ゥアヌ」。
- **uang**（wang） ： 唇をまるめたuからangへ。最後は口を開けたまま「ゥアン」。

- **üan**（yuan） ： 唇をすぼめたüからanへ「ユアヌ」。このaもエのように聞こえることもあるが，これは対立するüangという音はないのでエでもアでもよい。

23

◇ e系列

- en ： このeはエともアともつかない，あいまいな [ə] で「エヌ」。
  最後の -n の抑えをしっかり。
- eng ： やはりあいまいな [ə] だが，やや口の奥のほうから「オン」のつもりで，「エン」にならぬよう注意。

- in ： 舌の先を上の歯茎にぴったりつけて「イヌ」。
  (yin)
- ing ： 息を十分鼻に通して「イン」。
  (ying)

- u[e]n ： 唇を丸めた u から en へ「ウェヌ」。前に子音がつくと e が略される。
  (wen) 〈消える e〉。
- ueng ： 子音が前につくことがなく，常に weng。「ウォン」。
  (weng)

- ün ： ü をはっきり出し，なめらかに n へ移る間にィを通過して「ユィヌ」。
  (yun)

◇ o系列

- ong ： 唇をまるめ，u を出す構えで「オン」と言う。前に子音がつく。
- iong ： 唇をすぼめ，ü を出す構えから ong へ「ユオン」。
  (yong)

◆ ふぞろいな e 系列の秘密

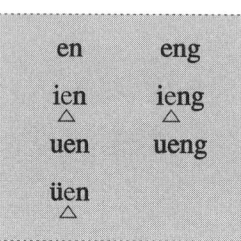

〈介音〉		
ゼロ	en	eng
i	ien △	ieng △
u	uen	ueng
ü	üen △	

e系列と言うのに，eの音が含まれていないものがあります。しかし本当はeがかくれているのです。

左のように考えると，きれいなeの体系ができました。これでa系列と対等です。

POINT
かくれている △印のe音を ちょっぴり出すと 発音がグッと うまく聞こえます

【練　習】　　　　　　　　　　　　　　　　　　　　CD1-11

1） an ── ang

　　bān［班］　　　bāng［帮］

　　fàn［饭］　　　fàng［放］

　　wán［完］　　　wáng［王］

2） en ── eng

　　mén［门］　　　méng［盟］

　　fēn［分］　　　fēng［风］

　　wēn［温］　　　wēng［翁］

2)の en-eng
4)の ian-iang は
きちんと発音
し分けましょう

3） in ── ing

　　yīn［因］　　　yīng［英］

　　mín［民］　　　míng［明］

　　xìn［信］　　　xìng［姓］

4） ian ── iang

　　yán［言］　　　yáng［羊］

　　qián［钱］　　　qiáng［强］

　　xiān［先］　　　xiāng［香］

yan は［言］なのに
（言えん）だなんて…
イエン

-n か -ng か？

　-n で終わるのか -ng で終わるのか迷うことがありますが、次のような対応関係を知っておくと便利です。

　　中国語で　-n　→　日本語漢字音で「-ン」で終わる
　　　　　　　例：山 shān ── サン　　前 qián ── ゼン
　　中国語で　-ng　→　日本語漢字音で「-ウ」または「-イ」で終わる
　　　　　　　例：送 sòng ── ソウ　　英 yīng ── エイ

2 またしても消える e　　　　　　　　　　　　CD1-12

uenが声母に続く場合，uᵉnのようにまん中の母音が弱くなります。このためローマ字綴りでは，次のように，eが消えます。

　　　k ＋ uen → kun　　　c ＋ uen → cun　〈消えるe〉

【練 習】

　　kūn　　kún　　kǔn　　kùn　……　困 kùn（ねむい）
　　cūn　　cún　　cǔn　　cùn　……　存 cún（たくわえる）

3 e のヴァリエーション

eは本来いいかげんであいまいな音，だれと相棒を組むかで音色が変わります。前寄りの n や i や ü と組むと，それに引きずられてハッキリ音「エ」に変わるのです。「母（音）と一緒だとハッキリ（音）」と覚えておきましょう。

		:			
e	1) e	: e	ge	le	…… [ɤ]
	2) eng	: peng	geng	feng	…… [ə]
	3) er	: er			…… [ə]
	4) 軽声 e	: le [了]	de [的]		…… [ə]
	5) en	: pen	gen	fen	…… [ə]
	6) ie	: ye	bie	jie	…… [ɛ]
	7) ue	: yue	jue	xue	…… [ɛ]
	8) ei	: bei	fei	mei	…… [e]

ぼんやり ↕ ハッキリ　　ここから下は「エ」に近く

-n と -ng では大違い

1) fàn 饭　　（ご飯）　　　　fàng 放　　（置く）
2) yànzi 燕子　（つばめ）　　　yàngzi 样子　（様子）
3) qián 钱　　（お金）　　　　qiáng 强　　（強い）
4) rénshēn 人参（朝鮮人参）　　rénshēng 人生（人生）

n, ng 人参と人生ほどの違いかな

● 簡体字 ●

　"马"という字や"対"などという，これまで見なれない字に出会いました。これは中国独特の「簡体字」と呼ばれるものです。いずれも日本の字より，筆画数が少なくなっていますね。日本と中国，共通する漢字も多いのですが，中にはこのように違うものもあります。

　中国語の簡体字は2200あまり。これが正式な文字です。台湾などで使用している昔ながらの漢字は繁体字と呼んでいます。

　　〈日本〉　〈簡体字〉　〈繁体字〉
　　　図　　　　图　　　　圖
　　　沢　　　　泽　　　　澤

　いろいろな簡略化によって，漢字が見やすく，書きやすく，覚えやすくなっています。どのような原理で簡略化されているのか，主なパターンを紹介しましょう。

1) もとの字形の一部分を残す。
　　虫（蟲）　录（錄）　妇（婦）　习（習）
2) もとの字形の特徴や輪郭を残す。
　　飞（飛）　齐（齊）　夺（奪）　齿（齒）
3) 草書体の楷書化。
　　长（長）　书（書）　为（爲）　乐（樂）
4) 複雑な偏旁(へんぼう)を単純な符号化する。
　　邓（鄧）　鸡（雞）　师（師）　归（歸）
5) 同音代替による。
　　丑（醜）　谷（穀）　迁（遷）　出（齣）
6) 会意文字の原理を利用する。
　　尘（塵）　泪（涙）　体（體）　灶（竈）

発音 4

fayin

Nǐ hǎo. 　　　　　　[你好]
こんにちは

Nǐmen hǎo. 　　　　[你们好]
みなさんこんにちは

Nǐ lái le. 　　　　　[你来了]
いらっしゃい

Qǐngwèn. 　　　　　[请问]
おうかがいしますが

Xièxie. 　　　　　　[谢谢]
ありがとう

Búxiè. 　　　　　　[不谢]
どういたしまして

Zàijiàn. 　　　　　　[再见]
さようなら

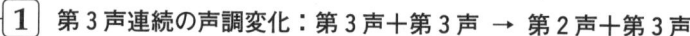

1 第3声連続の声調変化：第3声＋第3声 → 第2声＋第3声

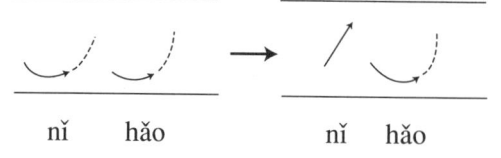

nǐ hǎo　　　　　nǐ hǎo

| nǐ hǎo |
| 你 好 |
| yǒuhǎo |
| 友好 |
| yǒnggǎn |
| 勇敢 |

⇒変調しても，声調記号はもとの3声のままにしておく

2 bù [不] の声調変化

否定を表すbù [不] は本来第4声であるが，後に第4声が来ると，bù は第2声に変化する。声調記号も変化した第2声のマークをつけるのがふつう。

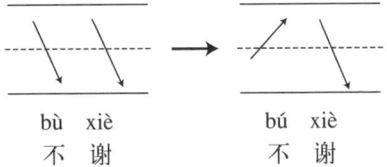

bù xiè　　　bú xiè
不 谢　　　不 谢

【練　習】

bù＋第1声：bù hē　　［不喝］飲まない　　⎫
bù＋第2声：bù lái　　［不来］来ない　　　⎬ 変化しない
bù＋第3声：bù mǎi　　［不买］買わない　　⎭
bù＋第4声：bú pà　　　［不怕］こわくない　→第2声に変化

3 yī [一] の声調変化

yī [一] は本来第1声 yī であるが，後のように声調変化を起こす。

yī＋第1声：yìqiān　　［一千］⎫
yī＋第2声：yì nián　　［一年］⎬ → yì（第4声に）
yī＋第3声：yìbǎi　　　［一百］⎭

このように4声となる。ところが後ろに同じ4声がくると，

yī＋第4声：yíwàn　　　［一万］　→ yí（第2声に）

序数を表す時は本来の声調 yī が普通：yīyuè ［一月］
後に何も続かぬ時も本来の声調 yī：tǒngyī ［统一］

4 軽声　　　　　　　　　　　　　　　　　　　　　　　CD1-15

軽声はそれ自体に決まった高さがなく，前の音節に続けて軽くそえる。

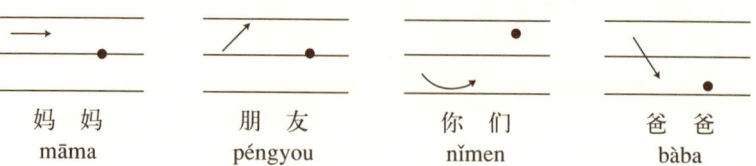

妈妈	朋友	你们	爸爸
māma	péngyou	nǐmen	bàba

5 声調の組合せ

二つの音節が合わさると，その声調パターンは全部で20通り。

	1	2	3	4	0
1	māmā	māmá	māmǎ	māmà	māma
2	mámā	mámá	mámǎ	mámà	máma
3	mǎmā	mǎmá	mǎmǎ	mǎmà	mǎma
4	màmā	màmá	màmǎ	màmà	màma

●自分の声調

声調は，各自がふだん話をしている，その自分の声の範囲内で，高い音低い音を出せばよく，一人一人違う高さでかまわない。「力の入れ所・抜き所」を意識して，声調パターンが身につくよう何度も練習する。

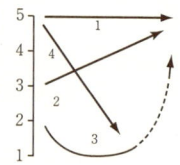

第1声　子供が「イーダ」………　→
第2声　「エェッ」と聞き返す……　↗
第3声　感心して「へえー」………　⌣
第4声　からすが「カァ」…………　↘

【練　習】地名で声調パターンを練習しよう。　　　　　　　　　　CD1-16

	1	2	3	4	0
1	Dōngjīng 东京	Zhōngguó 中国	Xiānggǎng 香港	Gānsù 甘肃	māma 妈妈
2	Hángzhōu 杭州	Yúnnán 云南	Héběi 河北	Fújiàn 福建	yéye 爷爷
3	Běijīng 北京	Měiguó 美国	Měnggǔ 蒙古	Wǔhàn 武汉	nǎinai 奶奶
4	Sìchuān 四川	Guìlín 桂林	Rìběn 日本	Yìndù 印度	bàba 爸爸

甘肃＝甘肅
云南＝雲南
爷爷＝父方の祖父
美国＝アメリカ
武汉＝武漢
奶奶＝父方の祖母
爸爸＝お父さん

6　r 化　　　　　　　　　　　　　　　　　　　　　　　　　　CD1-17

音節の末尾で舌をすばやくそり上げます。

	huàr	táor	chàng gēr	
①	画儿	桃儿	唱歌儿	（変化なし）

	wánr	guǎiwānr	yìdiǎnr	
②	玩儿	拐弯儿	一点儿	（-n 脱落）

	xiǎoháir	gàir	wèir	
③	小孩儿	盖儿	味儿	（複母音の -i 脱落）

	yǒu kòngr	xìnfēngr	diànyǐngr	
④	有空儿	信封儿	电影儿	（鼻音化）

7　ピンイン綴りの規則

1）**i, u, ü** が単独で音節をなす時は yi, wu, yu と綴る。

2）**i-, u-, ü-** ではじまる韻母が単独で音節をなす時は，次のように綴る。

　　i- → y　　例：ia → ya　　ie → ye　　iao → yao
　　　　　　　　　　（ただし，in → yin　　ing → ying）
　　u- → w　　例：ua → wa　　uo → wo　　uai → wai
　　ü- → yu　　例：üe → yue　　üan → yuan

3）消える **o** と **e**　　iou や uei, uen が子音と結びつくと，それぞれまん中の母音 o, e が消える。

　　l ＋ iou → liu　　j ＋ iou → jiu〈消える o〉
　　h ＋ uei → hui　　t ＋ uei → tui〈消える e〉
　　c ＋ uen → cun　　ch ＋ uen → chun〈またしても消える e〉

4）**i** は三つの音価を表す

　　［i］　yi　　ji　　qi　　xi　　——するどく明るい i
　　［ɿ］　zhi　chi　shi　ri　　——そり舌のこもった i
　　［ʅ］　zi　　ci　　si　　　　——口を引いた i「ウ」

三つの i (愛)

5）**u** は二つの音価を表す

　　［u］　wu　　gu　　ku　　hu　　　　　——突き出しのウ
　　［y］　yu　　ju　　qu　　xu (nü lü)　——すぼめのユ

6）**i** と **n** の間の **a**

　　yan　qian　xian　——「エ」に近い
　　yang　qiang　xiang　——「ア」のまま

i, n にはさまれ何も言えぬ a よ（言）

● 中国語　漢語　普通話　北京語 ●

　私たちがふつうに「中国語，中国語」と言っている言葉，これを中国の人たちは「漢語」と自称します。"汉语"と書き，Hànyǔ と発音します。これは漢民族の言語のことです。

　漢民族の言葉ですから，これを文字通りとれば，ここには北京語も上海語も広東語も，さらには福建語も入ります。なぜなら，これらの地域に住み，これらの言語を話しているのはまさに漢民族の人々だからです。つまり各地の漢民族の方言すべてを包括する広い意味での「漢語」です。

　しかし，方言のほかに全国共通の標準語のようなものがなければ，人と人とのコミュニケーションに支障をきたします。

　そこで普(あまね)く通(つう)じる話(ことば)という意味の「普通話」"普通话" pǔtōnghuà なるものが定められました。簡単に言えば共通語です。この全国共通語＝普通話の中核をなす言語が，首都の言葉「北京語」です。一国の首都の言葉が，その国の共通語になるというのは自然なことでしょう。

　ところで，北京語を若干標準化したこの"普通话"のことも，彼らは"汉语"と呼んでいます。これが狭い意味の「漢語」です。日本で言う「中国語」とはこれです。

　大雑把に言えば，北京語と共通語の関係は，「日本の東京方言と標準語」の関係のようなものです。あるいは，北京語から横町で話されている庶民のべらんめえ調をとり去って，品をよくしたもの，それが共通語だと言ってもよいでしょう。

　また，中国大陸で「漢語」と呼ばれている標準化された北京語（すなわち普通話）は，台湾では"国语" Guóyǔ と呼ばれ，シンガポールやマレーシアでは"华语" Huáyǔ と言われています。

　皆さんは普通話＝共通語を学ぶわけですが，これを習得すれば，香港や台湾はもちろん，東南アジアの中国語圏でもコミュニケーションに不自由しないはずです。

中国語基本音節表

「ゼロ」とは前に声母(頭子音)がつかないこと

	韻母 声母	介音なし													介音 i				
		a	o	e	-i[ı]	-i[ɪ]	er	ai	ei	ao	ou	an	en	ang	eng	-ong	i[i]	ia	iao	ie	iou
0	ゼロ	a	o	e			er	ai	ei	ao	ou	an	en	ang	eng		yi	ya	yao	ye	you
1	b	ba	bo					bai	bei	bao		ban	ben	bang	beng		bi		biao	bie	
2	p	pa	po					pai	pei	pao	pou	pan	pen	pang	peng		pi		piao	pie	
3	m	ma	mo	me				mai	mei	mao	mou	man	men	mang	meng		mi		miao	mie	miu
4	f	fa	fo						fei		fou	fan	fen	fang	feng						
5	d	da		de				dai	dei	dao	dou	dan	den	dang	deng	dong	di		diao	die	diu
6	t	ta		te				tai		tao	tou	tan		tang	teng	tong	ti		tiao	tie	
7	n	na		ne				nai	nei	nao	nou	nan	nen	nang	neng	nong	ni		niao	nie	niu
8	l	la		le				lai	lei	lao	lou	lan		lang	leng	long	li	lia	liao	lie	liu
9	g	ga		ge				gai	gei	gao	gou	gan	gen	gang	geng	gong					
10	k	ka		ke				kai	kei	kao	kou	kan	ken	kang	keng	kong					
11	h	ha		he				hai	hei	hao	hou	han	hen	hang	heng	hong					
12	j																ji	jia	jiao	jie	jiu
13	q																qi	qia	qiao	qie	qiu
14	x																xi	xia	xiao	xie	xiu
15	zh	zha		zhe	zhi			zhai	zhei	zhao	zhou	zhan	zhen	zhang	zheng	zhong					
16	ch	cha		che	chi			chai		chao	chou	chan	chen	chang	cheng	chong					
17	sh	sha		she	shi			shai	shei	shao	shou	shan	shen	shang	sheng						
18	r			re	ri					rao	rou	ran	ren	rang	reng	rong					
19	z	za		ze		zi		zai	zei	zao	zou	zan	zen	zang	zeng	zong					
20	c	ca		ce		ci		cai		cao	cou	can	cen	cang	ceng	cong					
21	s	sa		se		si		sai		sao	sou	san	sen	sang	seng	song					

↑ 区別して発音　　↑ 消える 0

—3つのi—

34

i, u, ü ではじまる音は前に声母がつかない時は下の段のように書きかえる

介音 i					介音 u									介音 ü			
ian	in	iang	ing	iong	u	ua	uo	uai	uei	uan	uen	uang	ueng	ü	üe	üan	ün
yan	yin	yang	ying	yong	wu	wa	wo	wai	wei	wan	wen	wang	weng	yu	yue	yuan	yun
bian	bin		bing		bu												
pian	pin		ping		pu												
mian	min		ming		mu												
					fu												
dian			ding		du		duo		dui	duan	dun						
tian			ting		tu		tuo		tui	tuan	tun						
nian	nin	niang	ning		nu		nuo			nuan				nü	nüe		
lian	lin	liang	ling		lu		luo			luan	lun			lü	lüe		
					gu	gua	guo	guai	gui	guan	gun	guang					
					ku	kua	kuo	kuai	kui	kuan	kun	kuang					
					hu	hua	huo	huai	hui	huan	hun	huang					
jian	jin	jiang	jing	jiong										ju	jue	juan	jun
qian	qin	qiang	qing	qiong										qu	que	quan	qun
xian	xin	xiang	xing	xiong										xu	xue	xuan	xun
					zhu	zhua	zhuo	zhuai	zhui	zhuan	zhun	zhuang					
					chu	chua	chuo	chuai	chui	chuan	chun	chuang					
					shu	shua	shuo	shuai	shui	shuan	shun	shuang					
					ru	rua	ruo		rui	ruan	run						
					zu		zuo		zui	zuan	zun						
					cu		cuo		cui	cuan	cun						
					su		suo		sui	suan	sun						

↑ aの発音注意 　　↑ 消える e 　　↑ 消える e 　　jqxyの後で消えるüの点

上と下の段はまったく同じ音

◆ あいさつ言葉12　　　　　　　　　　　　　　　　　CD1-18

Nǐ hǎo.	你好。	こんにちは。（3声連続）
Qǐngwèn.	请问。	おうかがいしますが。
Xièxie.	谢谢。	ありがとう。
Búxiè.	不谢。	どういたしまして。
Duìbuqǐ.	对不起。	すみません。（duì は〈消える e〉）
Méi guānxi.	没关系。	なんでもありません。
Qǐng jìn.	请进。	どうぞお入りください。
Qǐng zuò.	请坐。	どうぞおかけください。
Qǐng hē chá.	请喝茶。	お茶をどうぞ。
Nǐ shēntǐ hǎo ma?	你身体好吗？	お元気ですか。（3声連続あり）
Chīfàn le ma?	吃饭了吗？	食事はすみましたか。
Zàijiàn.	再见。	さようなら。 （jian は i と n にはさまれて…）

心跳上海
ときめきの上海

人 物 紹 介

劉欣欣
22歳。復旦大学新聞学科の学生。王老師の紹介で，田村の面倒を見るようになる。

江 旭
22歳。劉と同じ学科で友人同士。クールだが親切な一面も。盛り場には神出鬼没。いつも帽子をかぶっている訳は……。

高橋
田村の大学時代の同級生。商社勤務。田村を中国出張の折りに訪ねてくる。

田村好恵
23歳。日本人留学生。明るく振る舞う一方で，将来に不安を感じている。留学をとおして人間的な成長を遂げる。

王老師
留学生受け入れ担当の先生。

大爺（管理人）
留学生寮の管理人。学生たちの動向に気を配る。みんなのよき相談相手。

第1話 上海到着

●田村好恵さんは，大学卒業後の自分の将来を決めかねている。中国留学の道を選ぶが，胸の中はもやもやしたままである。自分探しの心の旅の始まり……上海浦東国際空港に降り立った。

(空港のロビー。田村は入国手続きを済ませ荷物を持って外に出るが，パスポートを落としてしまう。後ろにいた中国人，江旭がパスポートを拾い上げる)

CD1-19

江旭　：喂，小姐，护照！
Jiāng Xù : Wèi, xiǎojie, hùzhào!

　　　　田村　好惠！
　　　　Tiáncūn Hǎohuì!

田村　：是　我，我　是　田村　好惠。
Tiáncūn : Shì wǒ, wǒ shì Tiáncūn Hǎohuì.

田村　：哎呀，是　我　的。谢谢！谢谢！
　　　　Āiyā, shì wǒ de. Xièxie! Xièxie!

江旭　：不　客气。
　　　　Bú kèqi.

田村　：谢谢！再见！
　　　　Xièxie! Zàijiàn!

江旭：もしもし，お嬢さん，パスポート！
　　　（パスポートの名前を見て）田村好恵！
田村：私だ，**私は田村好恵です。**
江旭：（パスポートをわたす）
田村：あ，私のだ。ありがとう，ありがとうございます！
江旭：どういたしまして。（立ち去る）
田村：ありがとう！
江旭：（手を振る）
田村：さよなら！

単語

喂　wèi［感］もしもし。呼びかけの言葉。辞書ではwèiと第4声だが，実際の発音はよく第2声（wéi）のようになる。

小姐　xiǎojie［名］むすめさん，お嬢さん。呼びかけに使える。発音注意。"姐"が本来第3声のため"小"は第2声に変化する。

护照　hùzhào［名］パスポート。

田村好恵　Tiáncūn Hǎohuì［組］日本人の名前。姓も名も中国語音で読まれる。

是　shì［動］～である。話し手の判断を表す。

我　wǒ［代］わたし。第1人称を表す。

哎呀　āiyā［感］あれ，まあ。驚きを表す。

我的　wǒ de［組］私の。

谢谢　xièxie［動］ありがとう。お礼の言葉。

不客气　bú kèqi［組］どういたしまして。本来「遠慮なく」という意味。打ち消しの語"不"bùは後に第4声がくると声調変化を起こし，第2声になる。bú kèqiと発音。

再见　zàijiàn［動］さようなら。

Key Sentence

CD1-20

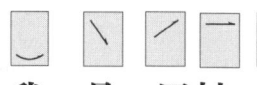

| ˇ | \ | / | ‾ | ⌣ |

我　是　田村　好恵。
Wǒ　shì　Tiáncūn　Hǎohuì.

私は田村好恵です

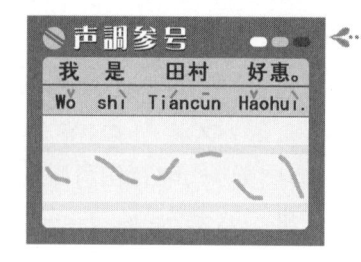

　　"我"は「わたし」という意味。第1人称の代詞です。
　　老若男女をとわず，「わたし」と言う時は"我"の一語で大丈夫です。"是"は「～である」という意味の動詞。働きは英語の *be* 動詞と似たところもあります。
　　最後の"田村好恵"Tiáncūn Hǎohuì はもちろん人の名前です。固有名詞も中国語読みされますから，はじめて自分の名前を中国語で呼ばれた時はショックを受ける人もいます。
　　中国語を勉強した人は，親になった時，子には中国語で呼ばれてもおかしくない名前をつける傾向があるそうです。
　　"是"のかわりに"叫"jiào という動詞を使うこともできます。

　　　我　叫　田村　好恵。
　　　Wǒ　jiào　Tiáncūn　Hǎohuì.

　　"叫"は「～という」の意味で，後に名前が続きます。「私は田村好恵といいます」という意味になります。

- "我" wǒ は第3声，低く低くおさえます。
"是" shì は第4声，急に下げます。
　その後は "田村好恵" Tiáncūn Hǎohuì という姓＋名です。ここははっきりと発音します。
　"田村" Tiáncūn で一つの単位，"好恵" Hǎohuì でまた一つの単位になります。中国語は一字一字，はっきりと発音するのが原則ですが，それでも2字でひとまとまり，3字でひとまとまりという単位はあります。そういう単位は一気に続けて発音します。
　個々の字をしっかり発音すること，そしてそれを時にはなめらかにつないで大きな単位として発音すること。
　中国語の点と線の感覚にもいずれ慣れていただきます。

❖ 活用 *Key Sentence*　　　　　　　　　　　　　　　　　　　CD1-21

　この文型を使っていろいろな名前を言ってみましょう。
　自分の名前が中国語ではどんな響きになるのか。自分でも言えるように，また人から呼ばれたら，それが自分だと分かるようにしておきましょう。

我　是 ｜ 相原　茂。
Wǒ　shì ｜ Xiāngyuán　Mào.

次は中国人の名前です。"他" tā は「彼」です。姓は1字のものが多いです。

他　是 ｜ 沈　建军。
Tā　shì ｜ Shěn　Jiànjūn.

「彼女」と言うときは "她" tā を使います。

她　是 ｜ 卢　思。
Tā　shì ｜ Lú　Sī.

「北川」さんの名は「えり」。中国語名はこちらです。漢字に変えます。

我　是 ｜ 北川　惠梨。
Wǒ　shì ｜ Běichuān　Huìlí.

〜文法レッスン〜

1. 固有名詞が見知らぬ音に

　私たちは自分の名前は世界中どこにいっても同じ音で呼ばれると思っています。それは英語風になったり，ドイツ語風に発音されることはあるでしょうが，例えば「好恵」さんは常に「yo shi e」だと思っています。
　ところが中国語では，自分の名前もこれまで聞いたこともないような響きになってしまいます。

　　田村好恵　Tiáncūn Hǎohuì
　　中野良子　Zhōngyě Liángzǐ　　　曙　shǔ

人の名前だけではありません。地名もそうです。

　　東京　Dōngjīng
　　青森　Qīngsēn
　　広島　Guǎngdǎo
　　渋谷　Sègǔ

さらに時代の名前や書名なども変わります。

　　江戸時代　Jiānghù Shídài
　　鎌倉時代　Liáncāng Shídài
　　万葉集　　Wànyèjí
　　源氏物語　Yuánshì Wùyǔ

つまり「見れば極楽，聞いたら地獄」現象が起こるのです。

2. 漢字は目で見るエスペラント

　日中の漢字は「1，2，3，4」という数字のようなものと考えてみましょ

単語6姉妹
CD1-22

〜场 chǎng

机场 jīchǎng（飛行場，空港）
广场 guǎngchǎng（広場）
剧场 jùchǎng（劇場）
商场 shāngchǎng（マーケット，デパート）
球场 qiúchǎng（球技場）
操场 cāochǎng（学校の運動場，グランド）

う。アラビア数字は世界共通に使われています。でも、その読み方は言語によってさまざまです。

  日本：いち　に　さん
  中国：　yī　èr　sān
  英語：　one　two　three

フランス語では，ドイツ語では，スペイン語ではと，それぞれ異なる読み方をするわけです。表記は同じ，しかしその概念を表す発音は全く別です。

 同じことを漢字で考えてみましょう。日本語，北京語，広東語などでも"一，二，三"という数字を使っています。その発音は

  日本語：いち　に　さん
  北京語：　yī　èr　sān
  広東語：　yāt　yih　sāam

のように異なります。これが数字だけでなく，あらゆる漢字についてあてはまるわけです。

3．nǐ wǒ tā〔你 我 他〕──人称代詞

 まず「あなた，私，彼」という単語を覚えましょう。中国語はこの順で"你，我，他"nǐ, wǒ, tāと言います。「わたしたち」という複数は"们"menをつけてつくります。次のページの表をご覧ください。

こんなのもあるよ
停车场
tíngchēchǎng
（駐輪場）

悠 三郎の文字なぞ

漢字は意味を持っている。例えば，中国の人は「福島」と聞けば，周りを海に囲まれている，そう考える。福島は"岛"dǎoだからです。広島なら「広い，大きな島」だ。そこで問題です。日本で勉強する人が一番多い県は，さてどこでしょう？

	単　数	複　数
1人称	wǒ　我	wǒmen　我们
2人称	nǐ　你 nín　您	nǐmen　你们
3人称	tā　他（她）	tāmen　他（她）们
疑　問	shéi　谁	

　"您" nín は「あなた」を丁寧に言うときに使います，初対面の人や目上の人に敬意を込めて言います。

　「彼」は "他" tā ですが，「彼女」は "她" tā です。漢字が違いますが発音は tā で同じです。

4．"是" shì「～である」——話し手の判断を表す

　否定は "不是" búshì（～でない）となります。

　　我是日本人。　　Wǒ shì Rìběnrén.　　（私は日本人です）
　　她是谁？　　　 Tā shì shéi?　　　　 （彼女は誰ですか）
　　我不是学生。　　Wǒ bú shì xuésheng.　（私は学生ではありません）

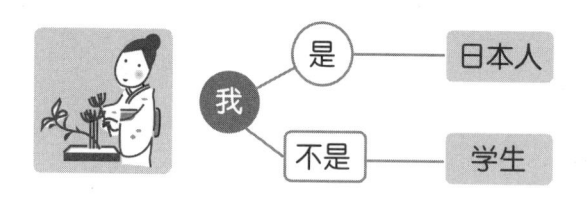

これから学ぶ中国語

● 日中同形語 ●

　日本と中国，同じ漢字を使っているため，見た目はまったく同じ単語があります。例えば「がっこう」は日中ともに"学校"です。「とうふ」も"豆腐"なら，「しゃかい」も"社会"です。発音はもちろん違いますが，表記上は同じ，しかも意味も同じです。こういうのは記憶するにも楽です。

　ところで，いつもこう話がうまくゆくわけではありません。形は同じでも，意味はまったく違っていたり，あるいは微妙にズレているものも少なくありません。

　よく話題になりますが，中国語の"手纸"shǒuzhǐはトイレットペーパーのことですし，"猪"zhū はイノシシにあらずブタです。"娘"niáng は娘かと思えば，これが何とお母さんのことですから油断がなりません。

　このような日中同形異義語のいくつか，例をあげておきましょう。

大家	dàjiā	みんな。
告诉	gàosu	告げる。教える。
怪我	guài wǒ	私を責める。
工夫	gōngfu	時間。ひま。
老婆	lǎopo	女房。妻。
料理	liàolǐ	処理する。
勉强	miǎnqiǎng	いやいやながらする。
汽车	qìchē	自動車。
亲友	qīnyǒu	親戚友人。
人间	rénjiān	世間。人の世。
闻	wén	においをかぐ。
小心	xiǎoxīn	気をつける。
新闻	xīnwén	ニュース。
野菜	yěcài	野生の食用植物。

ことばの道草

はじめの台詞

このドラマの一番最初の台詞が

　　　喂，小姐，护照！

です。一番最初の台詞の，そのまた一番はじめが"喂"です。見知らぬ人に声をかけるのは難しいものですが，日本語の「もしもし」に相当する中国語が"喂"です。

　辞書には第4声になっていますが，実際に話されるのを聞いてみますと，wéiと第2声ぎみに発声されることが少なくありません。

　「ちょっと」「もしもし」「すみません」と人に声をかける時に使いますが，後ろから声をかけるときや，相手がこちらに気がついてない時に言うわけです。

　目と目が合っているような場合は使いません。こういう時は"对不起"duìbuqǐや"请问"qǐngwènがふさわしいでしょう。

　また電話での「もしもし」もこれを使います。日本語は「もしもし」と2回繰り返しますが，中国語では1回がふつうです。

　ところで，この文の全体をご覧ください。

　　喂，　　　小姐，　　　护照！
　　もしもし，　お嬢さん，　パスポート！

　そのまま単語を訳せば，立派な日本語になっています。

　日本語と中国語は，意外に近く，また遠い，不思議な関係にあります。

愛知県
Àizhīxiàn
　　知を愛する県。

♣ ここほれ中級 ♣

♣国字

　漢字は中国語のなかでは中国語風に発音されます。日本人の名前も現在のところ，中国語音で読まれます。田村さんは Tiáncūn に，山本さんは Shānběn になります。

　自分の名前がこれまで聞いたことのない響きに変貌するのですから違和感もあるでしょう。でも，私たちも魯迅のことを「ロジン」と言っています。本当は Lǔ Xùn です。お互い様ですね。

　そこでよく問題になるのが，中国語にはない漢字，すなわち「国字」です。国字とは漢字の構成にならい日本で作られた漢字です。基本的には中国語にはありませんから，当然その読み方もありません。

　これを読む時には，旁(つくり)のほうを声符に見立てて発音します。

　　駒込　　Jūrù　（入 rù で読む）　　辻　　Shí　（十 shí で読む）
　　榊原　　Shényuán　（神 shén で読む）　　笹原　　Shìyuán　（世 shì で読む）

♣ひらがなの名前

　ひらがなの名前は適当に漢字に直して読みます。

「松たか子，宮沢りえ，ともさかりえ」などはそれぞれ次のようになります。

　　松　隆子　　Sōng Lóngzǐ
　　宮沢理恵　　Gōngzé Lǐhuì
　　友坂理恵　　Yǒubǎn Lǐhuì

「北川えり」さんは迷ったあげく"惠梨"にしました。

　　北川惠梨　　Běichuān Huìlí

宮沢りえさんと同じく，一つの名前に第1声から第4声まで全部入っています。

第2話 留学生寮へ

（留学生寮の入り口。田村は学校の地図を手にあちこちきょろきょろ見ている。おじさんが歩いてくる）

CD1-23

大爷：**你 是 新来 的 吧？要 去 哪儿 啊？**
dàye： Nǐ shì xīnlái de ba? Yào qù nǎr a?

田村：**对。您 好。我 想 去 3 号 楼。**
Tiáncūn： Duì. Nín hǎo. Wǒ xiǎng qù sān hào lóu.

大爷：**我 姓 张，我 是 这儿 的 管理员。**
Wǒ xìng Zhāng, wǒ shì zhèr de guǎnlǐyuán.

田村：**张 大爷，我 姓 田村。请 多 关照。**
Zhāng dàye, wǒ xìng Tiáncūn. Qǐng duō guānzhào.

大爷：**哪儿 的 话。一 个 人 这么 远 来**
Nǎr de huà. Yí ge rén zhème yuǎn lái

学习，不 容易。
xuéxí, bù róngyì.

田村：**对不起，我 没 听懂。**
Duìbuqǐ, wǒ méi tīngdǒng.

大爷：**没 关系 没 关系，慢慢儿 来。哦，**
Méi guānxi méi guānxi, mànmānr lái. Ò,

3 号 楼 就 在 那儿。
sān hào lóu jiù zài nàr.

田村：**谢谢！**
Xièxie!

おじさん：あなた新しく来た人でしょう？　どこへ行きたいんだい？

田村：そうです。こんにちは。3号館に行きたいんです。

おじさん：私の名前は張，（手まねで）ここの管理人だよ。

田村：張おじさん，田村です。どうぞよろしくお願いします。

おじさん：どういたしまして。ひとりでこんなところまで勉強しに来るなんて，大変だね。

田村：（申しわけなさそうに）**すみません，**私聞き取れなかったんですが……

おじさん：大丈夫大丈夫，あせらずやろう。ああ，3号館ならあそこだよ。

田村：ありがとう！

単語

新来的 xīnlái de ［組］新しくやって来た。後に"学生"が省略されている。

吧 ba ［助］断定はできないが，おそらくそうでしょうという推測を表す。

要 yào ［助動］〜するつもりだ。

哪儿 nǎr ［疑］どこ。疑問詞

啊 a ［助］文末につく語気助詞。

对 duì ［形］正しい。そうです。あなたの言うとおり。

您好 nín hǎo ［組］こんにちは。初対面の人や目上の人へのていねいな挨拶。"您"は"你"の尊敬体。

3号楼 sān hào lóu ［名］3号棟。3号館。

姓 xìng ［動］〜を姓とする。

这儿 zhèr ［代］ここ。場所を示す。

管理员 guǎnlǐyuán ［名］管理人。

请多关照 qǐng duō guānzhào ［組］よろしくお願いします。

哪儿的话 nǎr de huà ［組］どういたしまして。

一个人 yí ge rén ［組］ひとり。"个"はよく使われる量詞。

这么远 zhème yuǎn ［組］こんなに遠い。

学习 xuéxí ［動］学ぶ。学習する。

不容易 bù róngyì ［組］容易でない。難しい。

对不起 duìbuqǐ ［動］すみません。おわびの言葉。

没听懂 méi tīngdǒng ［組］聞き取れなかった。聞いて分からなかった。"没"は否定辞。

没关系 méi guānxi ［組］関係ない。大丈夫。

慢慢儿来 mànmānr lái ［組］ゆっくりとやる。"来"は「何かをする」

哦 ò ［感］おお。感嘆詞。

就在那儿 jiù zài nàr ［組］（ほかでもなく）あそこにある。"在"zài は「存在する」，"那儿"nàr は「あそこ」。

谢谢 xièxie ［動］ありがとう。

Key Sentence

CD1-24

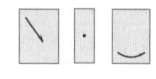

对不起。
Duìbuqǐ.

すみません

人にあやまる時に使います。具体的には次のような場合です。
① 私のせいで，あなたの時間や精力を使わせて申し訳ない。

对不起，北京站怎么走？
Duìbuqǐ, Běijīngzhàn zěnme zǒu?
（すみません，北京駅にはどう行きますか）

② 本来，あなたの要求や希望に応える立場にいるが，それができなくて申し訳ない。

对不起，已经卖完了。
Duìbuqǐ, yǐjing màiwán le.
（すみません，もう売り切れです）

③ 最後は，足を踏んだとか，ミルクをかけてしまったとか，ともかく直接的な迷惑をかけた時です。

对不起，没事儿吗？
Duìbuqǐ, méi shìr ma?
（すみません，大丈夫ですか）

●よく使うあいさつ言葉の"对不起" duìbuqǐ です。一つの単語として一気に発音します。はじめはCDの発音をよく聞き、まねるようにしてください。

すると"对"はむしろdueiのようにちょっとeの音が入っていることに気がつかれると思います。ここでは聞こえたとおりにまねをしてください。

次の"不" buは軽声です。軽く、短く発音します。注意すべきはuです、簡単そうに思えて「日本人の苦手な音」の一つです。唇をまるめて突き出すことを意識してください。

最後の"起" qǐは第3声。ここをしっかりと発音します。実際、グラフを見ればお分かりのように、"对不"ときて、ちょっと間があって、"起"を言います。グラフの"对不"と"起"の間が少し離れているのはそういうことです。

◆ 活用 *Key Sentence*　　　　　　　　　　　　　　　CD1-25

日本語ではいろいろな時に「すみません」を使います。しかし、中国語にすると必ずしも"对不起" duìbuqǐ を使うとは限りません。

電車で席を譲ってもらった時の「すみません」。

谢谢。　Xièxie.

子どもを助け起こしてもらった時の「すみません」。

谢谢。　Xièxie.

道をたずねる時の「すみません」。

对不起。　Duìbuqǐ.

请问，……。（おうかがいしますが……）
Qǐngwèn, ……

ものの値段をたずねる時の「すみません、これいくらですか」。

请问，　这个　多少　钱？
Qǐngwèn, zhèige duōshao qián?

何かをすすめられて、
「すみません、いりません」。

谢谢，　不　要。
Xièxie, bú yào.

～文法レッスン～

1．"这"zhè と"那"nà

中国語の指示詞は近くを指す"这"と遠くを指す"那"の二つです。
日本語は「こそあ」の三つです。対応関係は次のようになります。

近　称	遠　称	疑問
こ	そ　　あ	ど
这 zhè	那 nà	哪 nǎ
这儿 zhèr	那儿 nàr	哪儿 nǎr

◆「目には目を，歯には歯を」

日本語では
「これは何？」
「それは辞書です。」
のような会話が自然です。つまり「これ」に対して「それ」で答えています。
しかし，中国語では

　　这是什么？　Zhè shì shénme？

に対して，次のようにやはり"这"を使って答えるのがふつうです。

　　这是辞典。　Zhè shì cídiǎn.

日本的な感覚で

　　那是辞典。　Nà shì cídiǎn.

とすると少し不自然な場合があります。要するに，中国語では
「"这"には"这"を，"那"には"那"を」
というのが原則です。これは会話とは同じスペース内で行うもの。二人が同一

単語6姉妹
CD1-26

～楼
lóu

教学楼
jiàoxuélóu
(教室棟)

大楼
dàlóu
(ビル)

百货大楼
bǎihuò dàlóu
(デパート)

办公楼
bàngōnglóu
(オフィスビル)

城楼
chénglóu
(城壁の門の上にある物見やぐら)

二楼
èrlóu
(2階)

会話圏内で行えば，"这"と"那"の二つしかない中国語では，同じスペースに属する二人にとって，"这"で指されるものはもう一方にとっても"这"ですし，"那"で指されるものはもう一方にとっても"那"だということです。

2．"姓" xìng は動詞

"姓"は動詞です。こういう時は名詞ではありません。

　　　你姓什么？　Nǐ xìng shénme ?

　　　（あなたは何を姓とするか？→あなたは何という姓ですか）

この場合"什么"は，動詞"姓"の目的語です。上の訳から分かりますね。"姓"は動詞ですから，否定することもできます。

　　　她不姓张。　Tā bú xìng Zhāng.

　　　（彼女は張という姓ではない）

"姓"の後にくる目的語は"张"Zhāng とか"李"Lǐ のような姓，つまり名字に限られます。名前がくることはありません。

　　　×她姓田村好惠。　Tā xìng Tiáncūn Hǎohuì.

　　　她姓田村。　Tā xìng Tiáncūn .

　姓は結婚しても変わりません。中国人にとって自分の祖先から受け継いだ"姓"はとても大事です。こんな表現もあるくらいです。

　　　要是骗你，我就不姓张。　Yàoshi piàn nǐ, wǒ jiù bú xìng Zhāng.

　　　（嘘をついたらおれは張という姓をやめる→誓いの言葉）

もう一つ，"叫"jiào という動詞がありました。これは後に名前の方がきます。次のページをご覧ください。

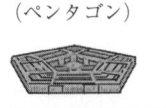

これは何？
五角大楼
Wǔjiǎodàlóu
（ペンタゴン）

您 三郎の文字なぞ

中国には文字を当てるクイズがあります。"字謎" zìmí と言います。例えばですね，

　八十八

これで，ある文字を当てるのです。
"八十八"を縦に書いてみてください。
"米"という字ができます。さて問題です。

　九十九

これである文字を当ててください。

她叫好惠。　Tā jiào Hǎohuì.
　　她叫田村好惠。　Tā jiào Tiáncūn Hǎohuì.

3．"听懂" tīngdǒng ──「聞ク・ワカル」

"听" tīng（聞く），その結果"懂" dǒng（分かる）ということになった。これを中国語ではひとつにして"听懂" tīngdǒng と言います。

うしろに「そういうことになった」ということを表す"了" le をよくつけます。

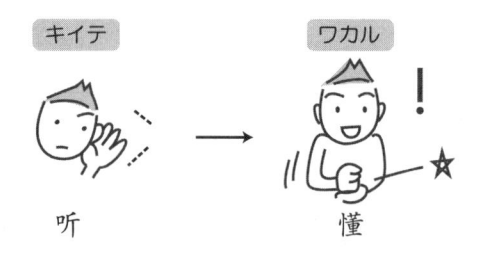

キイテ　　　　ワカル

听　　　　懂

その否定には"没" méi を使います。この時，"了" le が消えます。

　　来晚了　　láiwǎn le　　←→　　没来晚　　méi láiwǎn
　　（来るのが遅れた）

　　看懂了　　kàndǒng le　　←→　　没看懂　　méi kàndǒng
　　（見て分かった）

　　买到了　　mǎidào le　　←→　　没买到　　méi mǎidào
　　（買って手に入れた）

もう一つ本文で"没关系" méi guānxi という言い方が出てきました。これは「ある・ない」の方の"没（有）"で，うしろに名詞がきます。

　　没 ＋ 关系　　　（関係ない）
　　没有 ＋ 钱　　　（お金がない）

これから学ぶ中国語

● 日本語と中国語——くらべてみれば ●

中国にはこんな早口言葉があります。

> Māma qí mǎ,
> 妈妈 骑 马,　　お母さんが馬に乗ったら,
> mǎ màn,
> 马 慢,　　　　　馬がのろいので,
> māma mà mǎ.
> 妈妈 骂 马。　　お母さんは馬をしかった。

これを材料に日本語と中国語の違いを眺めてみましょう。

第一に，まず語順が違います。中国語はSVOです。

〈主語〉　〈動詞〉　〈目的語〉
Māma　　qí　　　mǎ.
妈妈　　骑　　　马。
Māma　　mà　　　mǎ.
妈妈　　骂　　　马。

第二に,「が」や「は」「に」「を」などの助詞が中国語にはありません。

ハハ　　ノル　　ウマ,

ウマ　　ノロイ,

ハハ　　シカル　　ウマ。

まるで中国人が習いたての日本語を話しているようです。

最後に,「つなぎの語に乏しい」という点に気がつきましたか。

　　お母さんが馬に乗っ<u>たら</u>,

　　馬がのろい<u>ので</u>,

　　おかあさんは馬をしかった。

上のように「たら」とか「ので」という接続の語にあたるものが中国語にはありません。

ほかにも，例えば漢字が違います。中国語は簡体字，日本語とはところどころ違いますね。「乗る」は"骑"という字を書きます。「騎馬」の「騎」です。日中，いろいろな違いを発見できます。

ことばの道草

便利な"来"lái

田村さんが管理人のおじさんの話す中国語が聞き取れず，ごめんなさいとあやまる場面がありますね。
おじさんはそれに対してやさしくこう言います。

没关系没关系，慢慢儿来。

"没关系"とは「関係ない→大丈夫，気にするな」ということです。その後に"慢慢儿来"と続きます。「ゆっくりやろうよ」という意味ですが，この"来"の使い方を押さえておきましょう。

これは「来る」という意味ではありません。ある具体的な動作のかわりに使われています。ここでは「(ゆっくり)学習しよう」ということです。このように，"来"がどういう動作を表しているかは文脈でわかります。例えば，

唱得真好，再来一个。 Chàngde zhēn hǎo, zài lái yí ge.
（歌がうまいねえ，アンコール）

これは"唱"chàng（歌う）という動詞のかわりです。

来一盘棋。 Lái yì pán qí.（将棋を一番さす）

これは"下"xià（将棋などをさす）という動詞のかわりです。
文字上は何を指すのか分からない時もあります。

我累了，你来吧。 Wǒ lèi le, nǐ lái ba.
（私は疲れたから，あなたどうぞ）

これはどういう場面か分かりませんが，具体的に何を指すかは会話をしている当事者には明らかなわけです。

この"来"はまた品物や食べ物を注文する時によく使われます。

来一杯酒。 Lái yì bēi jiǔ.（お酒を一杯ください）
来两碗面。 Lái liǎng wǎn miàn.（そばを二つください）

こういう"来"は後ろに必ず数量詞がつくのが特徴です。

白 bái　九十九とは百より一少ない。そこで，百から一を取る。日本でも九十九歳のことを白寿と言いますね。

♣ ここほれ中級 ♣

♣ "儿" って何

漢字のうしろについている "儿" って何でしょう。

これは舌をひょいとたてる発音を表します。

ピンインでは -r と書かれ，一つの独立した音節をなしません。前の音節の最後で「舌をたてる」ようにするだけです。この現象を "儿化" érhuà と言います。

　　这儿　ここ　　zhèr
　　那儿　あそこ　nàr
　　哪儿　どこ　　nǎr

この三つはいずれも "儿" がついています。"儿" のついていない形とくらべてみます。

　　这　これ　zhè
　　那　あれ　nà
　　哪　どれ　nǎ

このように "儿" がつくかつかないかで，意味が大きく変わっています。これらはまったく別の単語として区別して覚えましょう。

しかし，"儿" がついてもつかなくても，これほど変化がない時もあります。

　　猫　māo　　猫儿　māor　（どちらも「ネコ」）
　　花　huā　　花儿　huār　（どちらも「花」）
　　鸟　niǎo　　鸟儿　niǎor　（どちらも「鳥」）

"儿" がついた方は「小さくて，かわいい」というニュアンスがでるぐらいです。

第3話 新しい友人

（事務室の中。王先生と劉欣欣が待っている，田村がドアをノックする） **CD1-27**

王老师 ：**请 进。**
Wáng lǎoshī : Qǐng jìn.

田村 ：**请问， 王 老师 在 吗？**
Tiáncūn : Qǐngwèn, Wáng lǎoshī zài ma?

王老师 ：**田村， 你 来 了！ 进来 进来。**
Tiáncūn, nǐ lái le! Jìnlai jìnlai.

田村 ：**您 好！**
Nín hǎo!

王老师 ：**我 来 介绍 一下， 这 是 田村 好惠，**
Wǒ lái jièshào yíxià, zhè shì Tiáncūn Hǎohuì,

这 是 刘 欣欣。
zhè shì Liú Xīnxīn.

田村 ：**刘 欣欣， 你 的 名字 真 好听。**
Liú Xīnxīn, nǐ de míngzi zhēn hǎotīng.

刘欣欣 ：**谢谢， 你 以后 就 叫 我 "欣欣" 吧。**
Liú Xīnxīn : Xièxie, nǐ yǐhòu jiù jiào wǒ "Xīnxīn" ba.

田村 ：**对不起，我 的 汉语 不 好，请 慢 点儿 说。**
Duìbuqǐ, wǒ de Hànyǔ bù hǎo, qǐng màn diǎnr shuō.

刘欣欣 ：**哦， 对不起， 以后 就 叫 我 "欣欣" 吧。**
Ò, duìbuqǐ, yǐhòu jiù jiào wǒ "Xīnxīn" ba.

田村 ：**好 哇！ "欣欣"！ 你 以后 就 叫 我 "好惠"**
Hǎo wa! "Xīnxīn"! Nǐ yǐhòu jiù jiào wǒ "Hǎohuì"

吧。
ba.

刘欣欣 ：**好！ "好惠"！**
Hǎo! "Hǎohuì"!

王先生：どうぞ。

田村：すみません，王先生いらっしゃいますか？

王先生：田村さん，**いらっしゃい！** 中に入って入って。

田村：こんにちは！

王先生：紹介しよう，こちらは田村好恵さん，こちらは劉欣欣さん。

田村：劉欣欣，あなたのお名前とてもきれいな響きですね。

劉欣欣：ありがとう，これから私のことを「欣欣」と呼んでください。

田村：ごめんなさい，私中国語が下手なので，ゆっくり話してください。

劉欣欣：ああ，ごめんなさい，（一文字ずつ言う）これから私のことを「欣欣」と呼んでください。

田村：はい！「欣欣」！（劉の言い方をまねて）これから私のことを「好恵」と呼んでください。

劉欣欣：はい！「好恵」！（一同笑う）

単語

请进 qǐng jìn ［動］お入りください。

请问 qǐngwèn ［動］おうかがいしますが。

王老师 Wáng lǎoshī ［名］王先生。

在 zài ［動］存在する。ある。いる。

吗 ma ［助］〜か。疑問を表す文末の語気詞。

你来了 nǐ lái le ［組］いらっしゃい。

进来 jìnlai ［動］入って来る。

来介绍一下 lái jièshào yíxià ［組］さあ紹介しよう。"来"は積極的に，すすんで何かをやる気持ちを表す。"一下"は動詞の後におき，「ちょっと〜する」。

名字 míngzi ［名］名前。

真 zhēn ［副］まったく。

好听 hǎotīng ［形］耳にここちよい。音楽などが美しい。

以后 yǐhòu ［名］これから。

叫我"欣欣" jiào wǒ "Xīnxīn" ［組］私を"欣欣"と呼ぶ。AをBと呼ぶ。

汉语 Hànyǔ ［名］中国語。

不好 bù hǎo ［組］よくない。

慢点儿说 màn diǎnr shuō ［組］ゆっくりと話す。

好哇 hǎo wa ［組］いいですよ。"哇"は"啊"a が音変化したもの。

Key Sentence

CD1-28

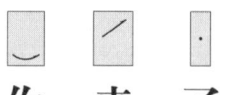

˘ ／ ・

你 来 了！
Nǐ lái le！

いらっしゃい

声調参号
你 来 了！
Nǐ láile！

"你" nǐ は「あなた」です。"来" lái は「来る」です。そして文末の "了" le はある動作が実現や完了したことを表します。ここでは文末にあって，「あなたが来る」ということが今や実現しました，と言っているのです。つまり「あなたは来た→いらっしゃい」という意味になります。

　　你 来 了！
　　あなた 来る タ

相手がやってきた，それをそのまま表現しただけですが，相手の登場を認めたことになり，これが一つのあいさつになります。

中国語ではこういう風に「あなたの存在を私は認めていますよ」と口に出すことが立派なあいさつ言葉になります。

たとえば，王先生が向こうからやって来ました。もちろん，"您好！" Nín hǎo！とか "您早！" Nín zǎo！と言ってもよいのですが，単に "王老师！" Wáng lǎoshī！と名前を呼ぶだけでいいのです。これでれっきとしたあいさつです。

"刘欣欣" Liú Xīnxīn さんがやって来たらやはり "刘欣欣！" とその名前を呼びます。呼んだからと言ってとくに用事があるわけではありません。これはあいさつです。

●"你" nǐ は第3声，低く低くおさえます。ここでは次の"来" lái が低く始まる第2声ですから，そこをめざしてゆっくり降下していくのが分かります。

"来" lái は急に上昇しています。上昇しきったところで最後の"了" le を言います。

"了" le は軽声です。軽く，短くですが，さらに音そのものもぼけます。le とありますが e はゆるんで，ラに近い発音になります。

◆ 活用 Key Sentence

CD1-29

「あなたは来た→いらっしゃい」。さて，その後に何と言いましょうか。

さあさあ中に。

进来　进来。
Jìnlai　jìnlai.

どうぞお入りください。

请　进。
Qǐng　jìn.

どうぞおかけください。

请　坐。
Qǐng　zuò.

お茶をどうぞ。

请　喝　茶。
Qǐng　hē　chá.

61

～文法レッスン～

1．目的語を二つとる動詞

出会った二人がより親しくなるためには，相手をどう呼ぶかという，名前の呼び方が大切です。テキストにはこんな言い方が出てきました。

以后 就 叫 我 "欣欣" 吧。
Yǐhòu jiù jiào wǒ "Xīnxīn" ba.
（これから私のことを「欣欣」と呼んでください）

動詞の"叫"jiào にご注目ください。これは後ろに二つの目的語をとっています。二重目的語と言います。

はじめの人を表すものは「間接目的語」と呼ばれ，後ろのモノを表すほうは「直接目的語」と呼ばれます。

二重目的語をとる動詞は何種類かあります。代表的なものは"给"gěi（与える）の類です。

我给你一本词典。 Wǒ gěi nǐ yì běn cídiǎn.
（私はあなたに辞書を一冊あげましょう）

他以前教过我钢琴。 Tā yǐqián jiāoguo wǒ gāngqín.
（彼は昔私にピアノを教えてくれたことがある）

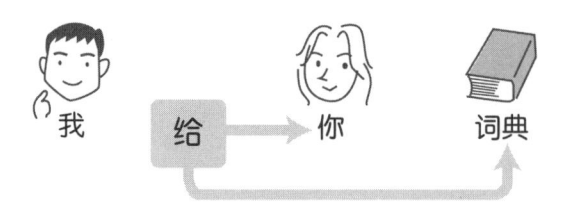

単語6姉妹 CD1-30	学校にいる人	老师 lǎoshī (先生)	
管理员 guǎnlǐyuán (管理人)	校长 xiàozhǎng (学長，校長)	医生(大夫) yīshēng(dàifu) (医者)	司机 sījī (運転手)	同学 tóngxué (クラスメート)

さらに「取得する」という意味の動詞（ちょうど「与える」と反対の意味です）も二重目的語をとることができます。

会计收了我五十块钱。
Kuàiji shōule wǒ wǔshí kuài qián.
（会計は私から50元を徴収した）

罚了他十块钱。 Fále tā shí kuài qián.
（彼から10元罰金をとった）

このほかに"叫"のような「～という，～と称する」という意味タイプが存在するわけです。

大家都叫他先生。 Dàjiā dōu jiào tā xiānsheng.
（みんなは彼のことを「先生」と呼ぶ）

我们都称他老板。 Wǒmen dōu chēng tā lǎobǎn.
（私たちは彼のことを「社長」と呼んでいる）

２．"好"hǎoをつかって単語をふやそう

"好"は常用語です。意味もたくさんあります。本文では「耳にここちよい，音が美しい」という意味の"好听"hǎotīngが出てきました。みなさんがよく知っているのはこれでしょう。

好吃 hǎochī

これは「食べておいしい」という意味です。

これはだれ？
同屋
tóngwū
（ルームメート）

😊 三郎の文字なぞ

前回お出しした字謎"九十九"は，"百"から"一"を引いて，"白"が答。やさしかったでしょう。さて，今回はこんな問題です。

九十八

これである文字を当ててください。まさか，"百"から"二"を引こうとしてないでしょうね。

「飲んでおいしい」なら

  好喝 hǎohē

と言います。動詞が"听""吃""喝"と交代しています。「においがおいしい」つまり「いいにおい」なら

  好闻 hǎowén

です。「目で見てここちよい」つまり「きれい」なら

  好看 hǎokàn

と言います。

 いずれも「聞く，食べる，飲む，嗅ぐ，見る」といった感覚にここちよいことを表す形容詞です。

 これらの反対の言い方は，前に"不"bù を加えればできあがりです。

  不好吃 bù hǎochī **不好喝** bù hǎohē
  不好闻 bù hǎowén **不好看** bù hǎokàn **不好听** bù hǎotīng

 もっとズバリ「口にできないぐらいまずい」とか「聞くに耐えん」という時は"不"による否定ではなく，"好"を"难"nán に変えた次のような表現もあります。

  难吃 nánchī **难喝** nánhē
  难闻 nánwén **难看** nánkàn **难听** nántīng

これから学ぶ中国語

● 訓読と中国語 ●

　漢文訓読というのは，古典中国語を日本語として読むというユニークな技法です。

　訓読のどこが変わっているといって，書いてある順に読まずに，後ろのほうを先に読むというところがすごいですね。例えば"観月"は「月ヲ観ル」，"読書"は「書ヲ読ム」といった具合です。これはもちろん，中国語は目的語が動詞の後にあり，日本語とは逆なためです。

　私たちが現代中国語を読む時はこんなことはしません。"看月亮"は kàn yuèliang，"读书"なら dú shū，後ろの"月亮"や"书"から読むことはありません。書かれてある順に読む，これが大原則です。

　ところが例外もあります。例えば"25％"，これを中国語で言うと"百分之二十五"bǎifēnzhī èrshiwǔ となり，％のところを先に"百分之"と言ってしまいます。

　ついでですが，こういう記号の呼び方は実は意外に知られていません。○を何と言うかご存じですか。"圆圈儿"yuánquānr です。＝は"等于"děngyú。＊は"星号"xīnghào，（ ）なら"括号"kuòhào。

　さらにスペード♠やダイヤ♦，ハート♥にクラブ♣などなど，中国語で何と言うのでしょう。よく使うものなのに，辞書でもちょっと調べにくい盲点です。

♠	黑桃	hēitáo	□	方框	fāngkuāng
♦	方块	fāngkuài	◎	双圈儿	shuāngquānr
♥	红桃	hóngtáo	→	箭头	jiàntóu
♣	梅花	méihuā	＆	和	hé

ことばの道草

中国でキャンパスライフ

　好恵さんは劉欣欣さんを紹介してもらいました。
　中国では"辅导"fǔdǎo といって，勉強など，分からないところを課外に教えてくれる制度があります。
　劉さんは好恵さんと歳も近いので，友達としてもうまくゆきそうです。きっと中国や，中国の大学生活について教えてくれるでしょう。
　私も昔中国の大学に滞在したとき，私専属といってもよい教員を一人つけていただきました。生活全般にわたり彼には本当にお世話になりました。日本では，外国から教員を呼んでも，そこまで周到な世話はできません。「接待」ということの基本的な考えが日中では違うのでしょうね。
　中国の大学生活は快適です。キャンパスが広々としているので，学生はほとんどが自転車をもっています。スキットでも江旭はさっそうとマイ自転車で登場しました。
　グランドではいつも球技をしている人たちがいました。留学生仲間もよくバレーボールやバスケットをしています。そこはまた早朝には太極拳をする人たちでいっぱいになります。
　グランドを取り囲むようにして，ベンチがおかれています。本を開いて読みふける者や，親しげに話す恋人たちを見かけたものです。
　学内には商店もあれば銀行も本屋さんも郵便局もありますから，たいていのことはキャンパス内で用が足せます。勉強するにはもってこいの環境です。想像してみてください。先生もここに住んでいるし，友人もいます。もちろん図書館もあります。余計なエネルギーを使わず勉強に専念できます。
　ここから外へ出て，映画館に行くとか繁華街に行くというのは，いかにも"上街"shàng jiē（街へ行く）という感じで，一大行事になります。

杂 zá 　「雜」の簡体字です。九十八を縦に足していけばできます。簡体字を知っていることがポイント。

♣ ここほれ中級 ♣

♣ "请"を使った表現

"请" qǐng は大変よく使われます。

请问，……	Qǐngwèn, ……	(おうかがいしますが，……)
请进。	Qǐng jìn.	(どうぞお入りください)
请坐。	Qǐng zuò.	(どうぞおかけください)
请喝茶。	Qǐng hē chá.	(お茶をどうぞ)
请抽烟。	Qǐng chōuyān.	(タバコをどうぞ)

しかし，この中で一つだけ仲間はずれがあります。それが"请问"です。"请问"だけは辞書に出ています。しかもピンイン表記でもqǐngwènのように連写されています。ほかはみんな離れていますね。

これは"请"の後の動作をする人がすべて聞き手であるのに，"请问"の"问"だけは話者の動作であるためです。たとえば"请坐"は「どうぞおかけください」。だれが坐するのかと言えば，相手つまり聞き手です。"请进"も"请喝茶"もみんな相手が「中に入り」「お茶を飲む」のです。ところが"问"のみは話者が「たずねる」わけです。"请问"とは「私に質問させてください」といった意味です。

また"请问"のみは後がカンマで文がさらに続きます。ほかの表現はそれだけで言い切りになります。

動詞によって表される動作をするのはだれか，に意識的になってみましょう。

第4話

出会い

（田村と劉は歩きながら話している。近くにベンチがある）　　　CD1-31

刘欣欣：我们 去 那儿 坐 会儿 吧。
Liú Xīnxīn：Wǒmen qù nàr zuò huìr ba.

田村：好。
Tiáncūn：Hǎo.

刘欣欣：这 是 谁 的 书？
　　　　Zhè shì shéi de shū?

田村：江……
　　　Jiāng……

刘欣欣："旭" xù。噢，是 江 旭 的 书。
　　　　"Xù". Ò, shì Jiāng Xù de shū.

田村：你 认识 他 吗？
　　　Nǐ rènshi tā ma?

刘欣欣：嗯，他 是 我们 班 的。
　　　　Ng, tā shì wǒmen bān de.

江旭：欣欣，是 你 呀。我 把 书 忘在 这儿
Jiāng Xù：Xīnxīn, shì nǐ ya. Wǒ bǎ shū wàngzai zhèr

　　　了，你 看到 了 吗？
　　　le, nǐ kàndao le ma?

刘欣欣：这 本 书 吧？给！
　　　　Zhèi běn shū ba? Gěi!

江旭、田村：啊，是 你！
　　　　　　Á, shì nǐ!

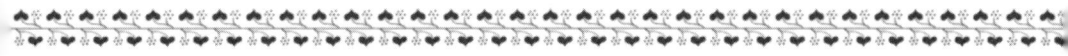

劉欣欣：あそこに行ってちょっと座ろうよ。
　田村：いいね。
（二人は歩いて行く，座ろうとして田村がベンチの上に1冊の本を見つける）
劉欣欣：**これはだれの本？**（表紙に「江旭の文字」）
　田村：江……
劉欣欣：「旭」xù。ああ，江旭の本だ。
　田村：知ってる人？
劉欣欣：うん，私たちのクラスの人。（江が遠くから駆けて来る）
　江旭：やあ，欣欣か。僕ここに本を忘れたんだけど，見かけなかった？
劉欣欣：これでしょ，はい。（劉は彼に本をわたす，そのとき江と田村の目が合う）
　江旭
　田村：（同時に）あ！　あなた！

単語

我们 wǒmen［組］私たち。"我" wǒ に"们" men をつけると複数形になる。

去那儿 qù nàr［組］あそこに行く。"去"は「どこか目的地めざして行く」。

坐会儿吧 zuò huìr ba［組］しばらく座りましょう。"会儿"は"一会儿"yíhuìr ということで，「しばらくの間」。"吧"は「～しましょう」，命令の語気をやわらげる。

谁 shéi［代］だれ。疑問代詞。

书 shū［名］本。量詞は"本"を使う。

认识 rènshi［動］見知っている。

我们班的 wǒmen bān de［組］私たちのクラスの(人)。"班"はクラス。

我把书忘在这儿了 wǒ bǎ shū wàngzai zhèr le［組］私は本をここに忘れてしまった。"把"の目的語"书"をどう処置したかを表す構文。

看到 kàndao［動］見かける。目にする。

这本书 zhèi běn shū［組］この本。"这"と"书"の間に量詞"本" běn があることに注意。

给 gěi［動］与える。ここでは「はい，どうぞ」と本を与える動作。

Key Sentence

CD1-32

＼	＼	／	・	一
这	是	谁	的	书？
Zhè	shì	shéi	de	shū？

これはだれの本？

> 声調参号
> 这是谁的书?
> Zhè shì shéi de shū?

"这" zhèは「これ」,近くのものを指して言います。遠くのものを指して言う時は"那" nàです。中国語は"这"と"那"の二つです。

"是"は「～である」。話し手の判断を示します。

その後に「～である」の「～」に相当するものがきます。ここでは"谁的书"(だれの本) ですね。

"谁"は疑問代詞です。

"的"は日本語の「の」にあたる助詞です。"书"は見なれない字ですが,「書」の簡体字で「本」という意味です。

これ全体で疑問文になっています。一般に文中に疑問詞が含まれていると,それだけで疑問文になることができます。

●はじめは"这"zhèです。舌をたてて捲舌音です。

　この語は常用語です。しかも第4声ですので，高いところから始まります。さらに文頭にくることが多いので，エネルギーたっぷりで発音されます。その結果，zhèと無気音なのですが，やや「チョ」のように澄んだ音色になっています。

　次の"是"shì も捲舌音です。これはたいてい軽く発音されます。グラフを見ると分かるように，"这"と"是"はともに第4声ですが，なめらかにつながっていますね。＼＼といちいち高いところから始まるのではないわけです。

　"谁"shéi も捲舌音です。さらに"的"de を介して，最後の"书"shū も捲舌音です。このフレーズはまるで捲舌音の練習用です。

　最後は第1声ですので，高さを最後までキープする努力が必要です。

活用 Key Sentence　　　　　　　　　　　　　　　　CD1-33

"书"のところに，いろいろな名詞を入れて練習しましょう。

这 是 谁 的 词典？
Zhè shì shéi de cídiǎn?
これはだれの辞書ですか。

―这 是 他 的 词典。
Zhè shì tā de cídiǎn.
これは彼の辞書です。

这 是 谁 的 护照？
Zhè shì shéi de hùzhào?
これはだれのパスポートですか。

―这 是 我 的 护照。
Zhè shì wǒ de hùzhào.
これは私のパスポートです。

～文法レッスン～

1．"的" de の話

"的" de は日本語の「の」とよく似ています。もちろん違いもありますが，今日は似ている点を眺めましょう。

　　这是谁的书？

に対して，次のように答えることができます。

　　这是我的。Zhè shì wǒ de.（これは私の（本）です）

"书" shū を省略して言わないわけです。
また，「赤いのが欲しい」という言い方なら，

　　我要红的。Wǒ yào hóng de.

です。これは"红" hóng という形容詞プラス"的" de です。

　　大的　　dà de（大きいの）
　　旧的　　jiù de（古いの）

よく似ているでしょう。

2．"这本书" zhèi běn shū

中国語にはよく量詞がでてきます。「1冊の本」とか「1枚の切手」という時の「冊」や「枚」です。日本語にもありますし，日本語では助数詞と呼ばれています。

ただ，中国語では量詞の登場する回数といいましょうか，頻度がとても多いのです。日本語ではつけないようなところにも，ちゃっかり登場します。

単語 6 姉妹
CD1-34

[大学にある施設]

校园 xiàoyuán（キャンパス）

| 留学生宿舍 liúxuéshēng sùshè（留学生寮） | 图书馆 túshūguǎn（図書館） | 食堂 shítáng（食堂） | 教学楼 jiàoxuélóu（教室棟） | 操场 cāochǎng（グランド） |

おまえに辞書をあげよう。

　给你一本词典。　Gěi nǐ yì běn cídiǎn.

前から人がやって来た。

　前边来了一个人。　Qiánbian láile yí ge rén.

ともかく，いろいろな場面で活躍する量詞には要注意ということです。

一	个	人	yí ge rén	1人の人
两	把	椅子	liǎng bǎ yǐzi	2脚の椅子
三	枝	铅笔	sān zhī qiānbǐ	3本の鉛筆
四	只	猫	sì zhī māo	4匹のネコ
五	张	纸	wǔ zhāng zhǐ	5枚の紙
六	封	信	liù fēng xìn	6通の手紙
七	件	衣服	qī jiàn yīfu	7枚の服
八	棵	树	bā kē shù	8本の木

3．"我把书忘在这儿了"――"把" bǎ 構文

前置詞 "把" bǎ は「～を」という意味を表します。後に目的語をとり，その目的語を「どう処置するか／したか」を表す "把" 構文をつくります。

1）**我把衣服洗完了。** Wǒ bǎ yīfu xǐwán le.

　　（私は服を洗いおわりました）

2）**我要把汉语学好。** Wǒ yào bǎ Hànyǔ xuéhǎo.

　　（私は中国語をマスターするつもりです）

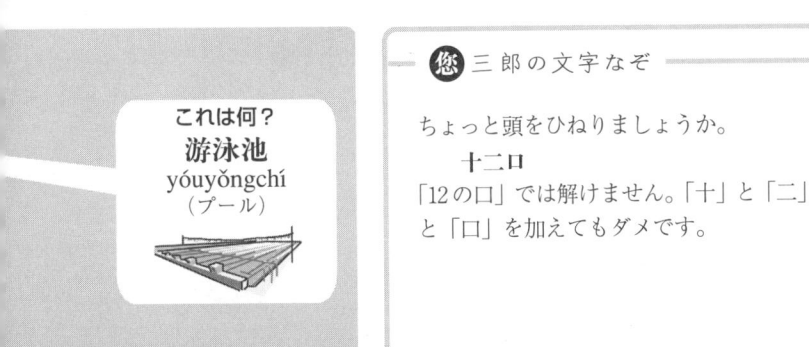

これは何？
游泳池
yóuyǒngchí
（プール）

悠 三郎の文字なぞ

ちょっと頭をひねりましょうか。
　　十二口
「12の口」では解けません。「十」と「二」と「口」を加えてもダメです。

3) **快把茶喝了**。 Kuài bǎ chá hē le.

　　（はやくお茶をのんでしまいなさい）

"把"構文はいろいろ制約の多い構文です。

　"把"の目的語は話し手にとっては，普通それと特定できるものです。

　動詞は裸ではだめで，対象をどう処置するのか，処置した結果どうなったかを示す成分が必要です。例えば1）は結果補語"完"wánがあり，2）も結果補語"好"hǎoがあります。3）も"了"leがついています。

とくに本文に現れた「僕ここに本を忘れちゃった」というような文ではほぼ義務的に"把"構文をつかいます。

　　我把书忘在这儿了。
　　Wǒ bǎ shū wàngzài zhèr le.

　すなわち「あるモノ"书"（本）が，ある動作"忘"（忘れる）の作用を受け，その結果どこかへ位置づけされる」という意味内容をもつ場合です。同じような例です。

　　请把书放在书架上。 Qǐng bǎ shū fàngzài shūjià shang.
　　（本を本棚に置いてください）

　　她把钱存在银行里了。 Tā bǎ qián cúnzài yínháng li le.
　　（彼女はお金を銀行にあずけた）

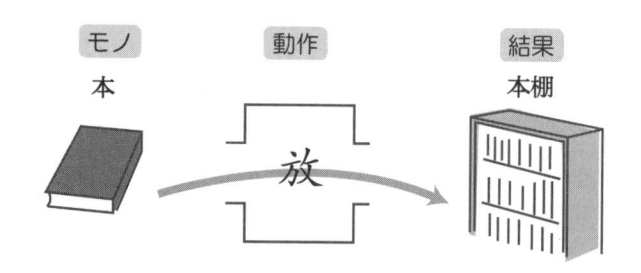

これから学ぶ中国語

● 品詞一覧表 ●

品詞			例語
実詞	1. 名詞	人あるいは具体的事物を表す	工人　山
		抽象的事物を表す	教育　友谊
		場所を表す〈場所詞〉	北京　那儿
		時間を表す〈時間詞〉	秋天　晚上
		方位を表す〈方位詞〉	上　前面
	2. 動詞	動作・行為を表す	走　打
		心理活動を表す	爱　喜欢
		使役を表す	叫　让
		趨向(すうこう)を表す	来　去
		判断を表す	是
	3. 助動詞	可能・願望を表す	能　会　可以
	4. 形容詞	性質や状態を表す	好　快
	5. 数詞	数を表す	一　二
	6. 量詞	物量を表す〈名量詞〉	个　本
		動量を表す〈動量詞〉	次　遍
	7. 代詞	人称代詞	我　你　他
		疑問代詞	谁　什么
		指示代詞	这　那
虚詞	8. 副詞		很　都　不
	9. 介詞（前置詞）		在　向　朝
	10. 接続詞		和　同
	11. 助詞	構造助詞	的　地　得
		アスペクト助詞	了　着　过
		語気助詞	的　了　吗
	12. 感嘆詞		啊　喂
	13. 擬音語		砰　咚

＊単語解説で［組］とあるのは「語と語の組合せ」ということで，「フレーズ」「句」のことです。これは品詞より大きな単位です。

ことばの道草

「知らない人」を指す

キャンパスを散歩していると，二人はベンチにおいてある本を見つけました。

  劉欣欣：“旭"xù。噢，是江旭的书。
  田村：你认识他吗？

さて，この二人のやりとり，どう日本語に訳せばよいでしょうか。特に，田村さんの台詞に注意してください。

  田村：A　彼を知っているの？
     B　知ってる人なの？

ここでは正しいのはBですね。つまり，自分の知らない人について，中国語ではいきなり"他"tāを使うことができますが，日本語では「彼」「彼女」のような三人称代名詞を導入することはできません。上のBのようにするか，「その人を知っているの？」などとします。

次も同じような例です。

  甲：你知道陈英吗？　　　Nǐ zhīdao Chén Yīng ma？
  乙：不知道，她做什么的？　Bù zhīdào, tā zuò shénme de？

  甲：陳英さんって知っている？
  乙：A　×知らない。彼女は何をしているの？
    B　○知らない。その人何をしているの？

未知の人物をどう指示するかで，日本語と中国語では三人称代名詞の使い方に差があるということです。

固 gù　「十」と「2つの口」です。「口」は大きいのと，小さいのがあります。

✣ ここほれ中級 ✣

♣ "的" de が省略できる時

「私たちのクラス」は本文にもありましたように"我们班"wǒmen bānのように言います。ここで「私たちの」の「の」にあたる"的"de が省略されていることに気がつきましたか。どんな時に省略されるのでしょうか。

まず最初に人称代詞、つまり"我, 你, 他, 她"やその複数形"我们, 你们, 他们"などがきて、その後に名詞が続く時です。

人称代詞＋名詞：**我们学校　我们班　我妈妈**　……"的"はなくてもよい
　　　　　　　　我的书　他的词典　你的衣服……"的"がいる

後ろの名詞が次のような場合、"的"は省略可能です。

1）人間関係を表す名詞。とくに親族呼称。

　　爸爸　妈妈　哥哥　弟弟
　　爱人　老师　校长　朋友

2）人間が所属する集団を表す名詞。

　　学校　国家　公司　班　家　大学

要するに、我々がその一員として所属する集団、団体、機関など。そしてその内部の人間関係を表す名詞。それが後にくる時"的"が省略できるのです。

♣ "的"は「お金」のようなもの

逆に言えば、これらの関係はすべてお金で売り買いできるものではありません。お金で買えぬものには"的"もいらない。友達や親はお金では買えません。

それに対してデパートで売っているようなものには"的"がいります。

　　我的房子　✕我房子　　我的家　○我家

ハウスはお金で買うもの、だから"的"を省けません。しかし、ファミリー、家族はお金で買えません。だから"的"を省けます。

第5話 日本はどこ

（田村と劉，東方明珠テレビ塔の上で四方を見渡している）　　CD1-35

田村：**外滩　在　哪儿？　怎么　找不到？**
Tiáncūn：Wàitān　zài　nǎr？　Zěnme　zhǎobudào？

刘欣欣：**来，往　这儿　看。外滩　在　我们　的**
Liú Xīnxīn：Lái, wǎng　zhèr　kàn。Wàitān　zài　wǒmen　de

　　　　脚下　呢。
　　　　jiǎoxià　ne。

田村：**玻璃　上　有　字儿。北京，１０８０**
　　　Bōli　shang　yǒu　zìr。Běijīng,　yìqiānlíngbāshí

　　　公里。日本　在　哪儿　呢？
　　　gōnglǐ。Rìběn　zài　nǎr　ne？

刘欣欣：**走，去　看看。**（看一看）
　　　　Zǒu,　qù　kànkan。

田村：**"东"，那边　就　是　日本　了。**
　　　"Dōng", nèibiān　jiù　shì　Rìběn　le。

刘欣欣：**怎么，想　家　啦？**
　　　　Zěnme, xiǎng　jiā　la？

田村：外灘(ワイタン)はどこ？　どうして見つからないのかな？

劉：来て，こっちを見て。外灘は私たちの足の下よ。

田村：ガラスに文字が書いてある。北京，1080キロ。日本はどこ？

劉：あっちへ見に行きましょう。

田村：「東」，あっちが日本なんだ。

　　　（少し沈黙する）

劉：どうしたの，ホームシックにかかった？

> tīng dǒng le ma?
> tīng bù dǒng

zěnme bàn ne? (hao)
zěnme chī hao ne?
shuō hao ne?
晓

単語

外灘　Wàitān［固］バンド。黄浦江の西岸に続く，長さ約1.5kmの緑地帯。

怎么　zěnme［代］どうして。いぶかりの気持ちを表す疑問詞。

找不到　zhǎobudào［動］探せない。見つけることができない。（找到 ↔）

往这儿看　wǎng zhèr kàn［組］こっちの方を見る。"往"は介詞。

脚下　jiǎoxià［名］足もと。

呢　ne［助］文末の語気助詞。相手に何かを教えてあげる時によく使われる。

玻璃上　bōli shang［組］ガラスに。

有字儿　yǒu zìr［組］字が書いてある。文字がある。

公里　gōnglǐ［量］キロメートル。

走　zǒu［動］歩く。この場を離れてどこかへ行く。

去看看　qù kànkan［組］行って見てみる。

那边　nèibiān［名］あちら。あっち。

就是　jiù shì［組］つまり。ほかでもなく。

想家　xiǎng jiā［組］家をなつかしむ。家が恋しい。ホームシックになる。

啦　la［助］"了" le と "啊" a の合音。

田村：不。我 在 想 几 天 前 我 还 在
　　　Bù. Wǒ zài xiǎng jǐ tiān qián wǒ hái zài

　　　日本 呢。
　　　Rìběn ne.

劉欣欣：是 呀。好惠，别 想 了。我们 去
　　　Shì ya. Hǎohuì, bié xiǎng le. Wǒmen qù

　　　那儿 看。
　　　nàr kàn.

田村：好。
　　　Hǎo.

　　　　　　　　＊　＊　＊

田村：欣欣。
　　　Xīnxīn.

劉欣欣：嗯？
　　　Ńg?

田村：厕所 在 哪儿？
　　　Cèsuǒ zài nǎr?

劉欣欣：在 那儿。
　　　Zài nàr.

無気音と有気音と声調

息をおさえる無気音か，息で破る有気音かの対立があります。これは声調の違いと同様に大切な区別です。

無気	↔	有気	↔	声調
bà [爸] 父		pà [怕] こわい		pá [爬] はいあがる
jī [鸡] 鶏		qī [七] 7		qǐ [起] 起きる
gē [哥] 兄		kē [科] 科		kě [渴] のどが渇いている
zhǐ [纸] 紙		chǐ [尺] 物差し		chī [吃] 食べる

ここは無気，有気の違い　　ここは声調の違い

田村：ちがう。数日前はまだ日本にいたんだなって考えてたの。
　劉：そうだね。（少し間をおいて）好恵，考えるのやめな。あっちを見に行こう。
田村：うん。

（2人は別の方へ行って見る）
田村：欣欣。
　劉：え？
田村：（声を低くして）**トイレはどこ？**
　劉：（笑って）あそこ。（田村を連れて行く）

単語

不 bù ［副］ いいえ。違う。副詞だがこれのみで言い切りになる。

在想 zài xiǎng ［組］ 考えている。"在"は後に動詞（フレーズ）がきて「～している」という進行を表す。

几天前 jǐ tiān qián ［組］ 数日前。

还在日本呢 hái zài Rìběn ne ［組］ まだ日本にいた。"还"は「まだ」。

别想了 bié xiǎng le ［組］ 考えるのをやめなさい。"别"は禁止命令を表す。

厕所 cèsuǒ ［名］ トイレ。

Key Sentence

CD1-36

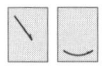

厕所 在 哪儿？
Cèsuǒ zài nǎr?

トイレはどこですか

これはよく使う表現です。

　　A 在 B（A は B にある）

という文型です。"在" の後にくる B は名詞で，かつ場所を表します。

　　他　在　日本。（彼は日本にいます）
　　Tā　zài　Rìběn.

Key Sentence は疑問文です。"哪儿" nǎr があるためです。"哪儿" は「どこ」と場所をたずねる疑問詞です。

　中国語は文中に疑問詞があれば，ふつう，それだけで疑問文になることができます。

　疑問文への答え方も簡単です。たずねられた疑問詞のところを適当な言葉で言い換えればよいのです。

　　厕所　在　哪儿？
　　　　　↓
　　厕所　在　那儿。
　　Cèsuǒ zài　nàr.
　　　（トイレはあそこにあります）

●これは4音節からなるフレーズです。文字数は五つですが，最後はr化です。つまり独立した音節をなしません。

四つともそれぞれの声調がきれいに出ています。

はじめの"厕所"cèsuǒはcèの発音，とくにeは日本人のにがてな音なので気をつけてください。

後半の"在哪儿"zài nǎrも明確に発音されます。なお，中国語は疑問詞のあるこのような疑問文では，文全体の音調が尻上がりということはありません。あくまで声調の型通りに読まれます。

❖ 活用 Key Sentence　　　　　　　　　　　　　　　　　CD1-37

トイレの場所だけでなく，いろいろな場所をたずねてみましょう。

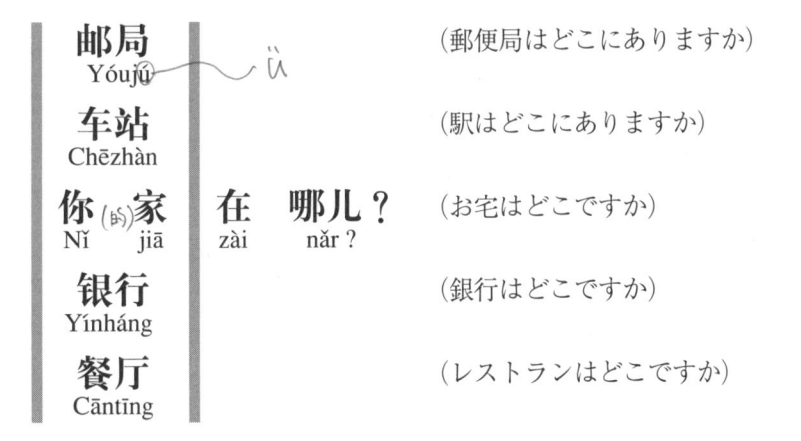

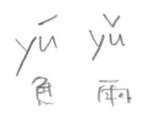

邮局 Yóujú		（郵便局はどこにありますか）
车站 Chēzhàn		（駅はどこにありますか）
你(的)家 Nǐ (de) jiā	在 哪儿？ zài nǎr?	（お宅はどこですか）
银行 Yínháng		（銀行はどこですか）
餐厅 Cāntīng		（レストランはどこですか）

～文法レッスン～

1. 三つの"在"zài

本文には，"在"がいくつか出てきました。Key Sentenceの文もそうですが，それ以外にも同じ文型のものが二つもあります。

  厕所在哪儿？ Cèsuǒ zài nǎr?
  外滩在哪儿？ Wàitān zài nǎr?
  日本在哪儿？ Rìběn zài nǎr?

これらは「～にある，存在する」という意味の動詞で，この文の述語になっています。

ここから派生したものとして，「～で」という意味の，場所を表す介詞用法の"在"もあります。介詞ですから，主要な述語ではありません。

  他在那儿看电视呢。 Tā zài nàr kàn diànshì ne.
         （彼はあそこでテレビを見ています）
  他在家休息。Tā zài jiā xiūxi. （彼は家で休んでいます）

以上の二つはいずれも"在"の後に名詞がくるものです。

もう一つ，本文に"在"が出てきました。これは"在"の後に，動詞や動詞句がくるもので，上の二つとは大きく異なります。「～している」という進行を表す用法です。品詞から言えば副詞です。

  我在想几天前我还在日本呢。 Wǒ zài xiǎng jǐ tiān qián wǒ hái zài Rìběn ne.

前によく"正"がつき，また後ろには"呢"がつきます。

  我正在想这件事呢。 Wǒ zhèngzài xiǎng zhèi jiàn shì ne.
  （私はちょうどその事を考えているところだ）

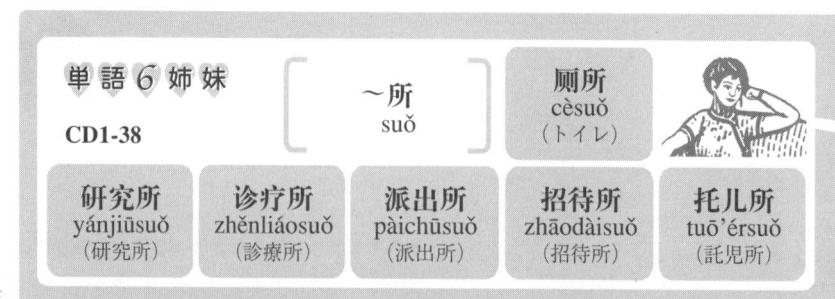

単語6姉妹
CD1-38

[～所 suǒ]

厕所 cèsuǒ （トイレ）

研究所 yánjiūsuǒ （研究所）	诊疗所 zhěnliáosuǒ （診療所）	派出所 pàichūsuǒ （派出所）	招待所 zhāodàisuǒ （招待所）	托儿所 tuō'érsuǒ （託児所）

2．"公里" gōnglǐ はキロメートル

長さの言い方を見ましょう。基本の基本は押さえましょう。

まず"公里" gōnglǐ とは「キロメートル」のことです。ついでに「メートル」「センチメートル」も覚えます。

"公里"	gōnglǐ	キロメートル
"公尺"	gōngchǐ	メートル
"公分"	gōngfēn	センチメートル

すべて前に"公" gōng がついています。これはメートル法ということです。正式には次のように言います。

	<正式>	<通称>
キロメートル	**千米** qiānmǐ	**公里**
メートル	**米** mǐ	**公尺**
センチメートル	**厘米** límǐ	**公分**

"公"をつけると、世界に通用する、世界標準の、といった感覚があります。そういえば"公元" gōngyuán といえば西暦紀元ということですね。

"公"の反対が"市" shì です。"市"とは市民、市中から連想されるような、いかにも庶民に親しまれている単位という感じがあります。これらは中国古来の尺貫法です。「市制」と言います。

たとえば"里"に"市"をつけると"市里"となります。

1市里（shìlǐ）＝500メートル

です。つまり"公里"の半分です。

"里"の下の単位として"尺" chǐ があり、"寸" cùn があります。次のページをご覧ください。

こんなのもあるよ
处所
chùsuǒ
（ところ，場所）

您三郎の文字なぞ

ここから本格的な字謎です。

转过　身，　变成　人。
Zhuǎnguò shēn, biànchéng rén.

身をひるがえせば人になる。これである文字を当ててください。"转过身"とは、くるりと180度向きを変えることです。

	＜正式＞	＜通称＞	＜市制＞
キロメートル	千米	公里	1里は500メートル
メートル	米	公尺	1尺は33.3センチメートル
センチメートル	厘米	公分	1寸は3.33センチメートル

正式には"市里"shìlǐ，"市尺"shìchǐ，"市寸"shìcùnと言うのですが，日常生活では"市"を省略してしまいます。

　もう一つ，日常生活でよく使われるものに「重さ」の単位があります。

	＜正式＞	＜通称＞
キログラム	千克 qiānkè	公斤 gōngjīn
グラム	克 kè	（克 kè）

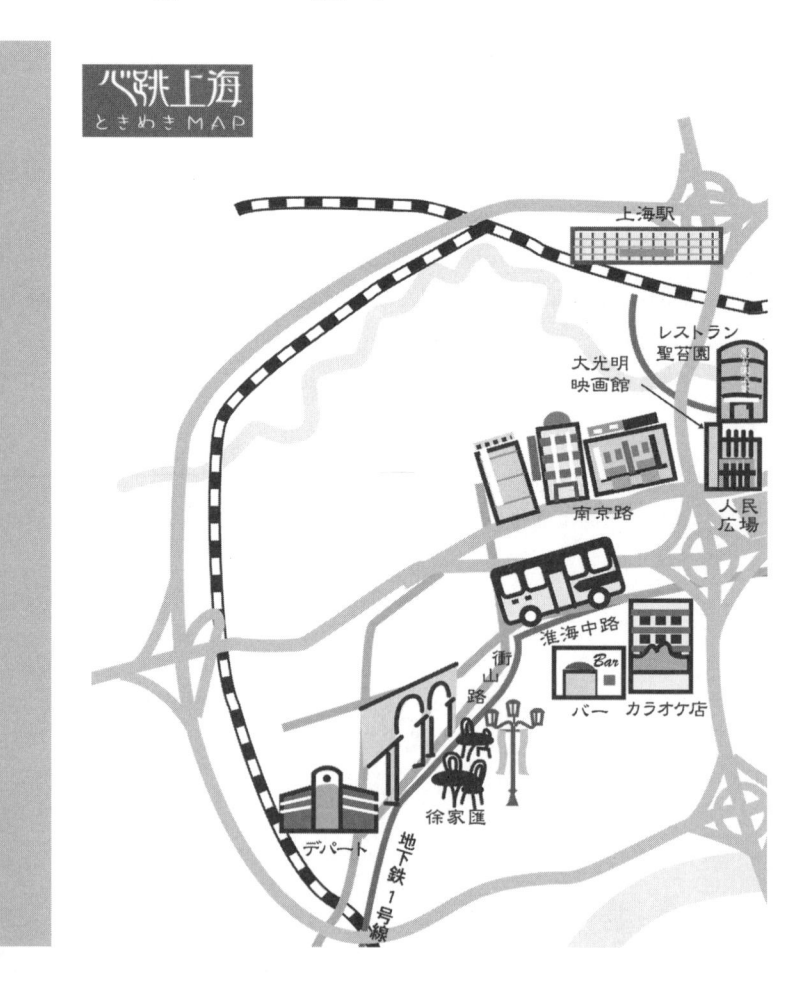

「グラム」は正式も通称も同じく"克"kèを使います。これにも「市制」があります。メートル法の半分で

 1市斤（shìjīn） ＝500グラム
 1市两（shìliǎng）＝50グラム

です。で，これも"市"を省いて言うのがふつうです。

 给我来五斤。 Gěi wǒ lái wǔ jīn.（5"斤"ください）

こう言えば，2.5キロということです。もし，"5公斤"wǔ gōngjīnと言えば，これは「5キロ」ということになります。

 重さの単位は，買い物でよく使いますから大事です。

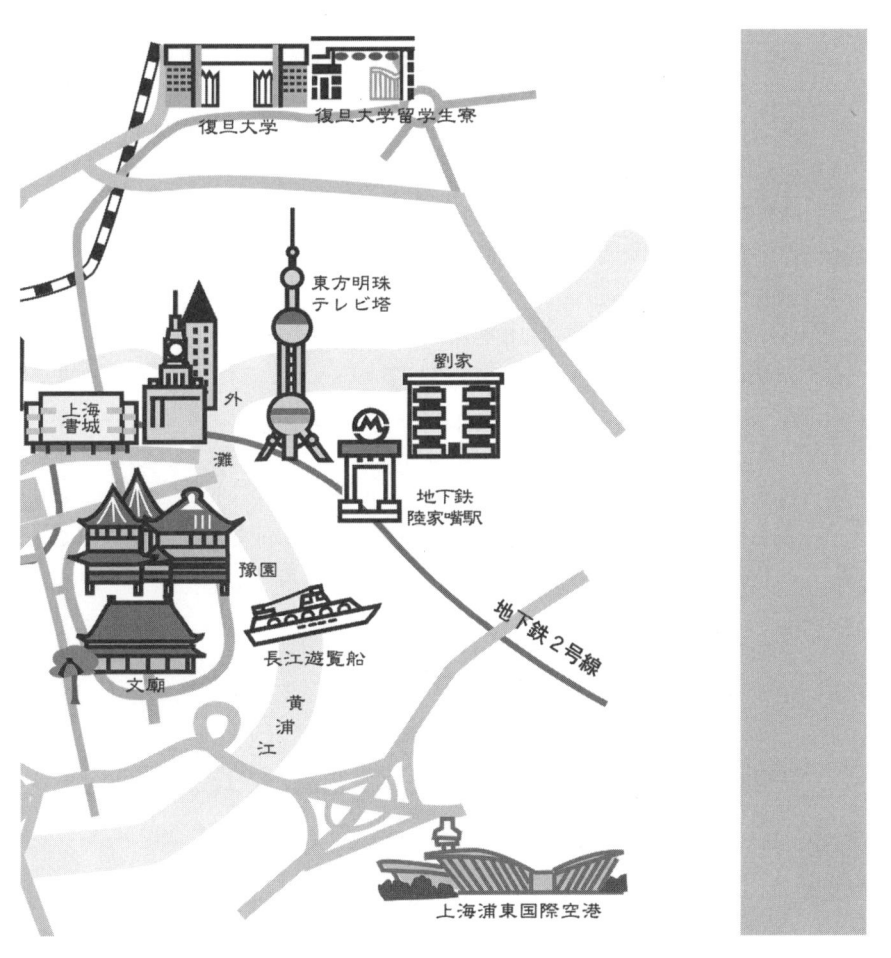

ことばの道草

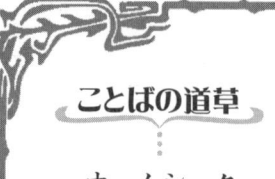

ホームシック

　ホームシックにかかったことがありますか。
　私は高校は会津若松市ですごしました。中学まで暮らした田舎の小さな町から急に一人親元を離れ，寮生活をはじめたのです。まだ15,6歳です。
　その時，夕方などに胸がきゅーんとしめつけられるような，なんとも寂しく切ない気持ちを味わいました。ホームシックです。
　ホームシック，中国語で言えば"想家"xiǎng jiā です。「家を想う」ということです。
　"想"xiǎng は「こころを込めて想う」つまり「愛しく想う」。家が恋しくて恋しくてたまらないのです。
　目的語が"家"だからホームシックですが，これが"你"nǐ なら「あなたを愛しく想う」となります。愛の告白です。

　　我想你。Wǒ xiǎng nǐ.

　さらに"很"hěn を入れて"**我很想你。**"Wǒ hěn xiǎng nǐ. などとも言います。「あなたをとても愛しく想っています」ということです。ただ，この"想"は"爱"ài とか"喜欢"xǐhuan とはひと味違います。よく日本に来ている留学生が国元に手紙を書きます。当然，ホームシックにもなり，家や親を恋しく想います。

　　我在日本，很想爸爸、妈妈。　Wǒ zài Rìběn, hěn xiǎng bàba、māma.
　　（いま日本で，両親のことをとても想っております）

などと使います。
　なかなか日本人はここまで素直に感情を表出しません。気持ちの表し方は，どうでしょう，中国の人のほうが率直のような気がしますが。

入 rù　　身を翻(ひるがえ)せば"人"になるのだから，そんな字は"入"しかない。逆に"入"をぐるりと180度身を翻させると"人"になる。

✥ ここほれ中級 ✥

「トイレ」というなら，やはり"厕所"cèsuǒ です。家庭のそれから，学校や機関のそれ，ホテルのトイレでも，ともかく"厕所"と言うことができます。

图书馆的厕所很干净。 Túshūguǎn de cèsuǒ hěn gānjìng.
　　（図書館のトイレはとてもきれいだ）

しかし日本でも「トイレ」にはいろいろな言い方があるように，中国語にもいくつかあります。

ホテルなどのような，ちょっと高級感のあるところでは"洗手间"xǐshǒujiān がよく使われます。直訳すれば「手を洗うルーム」ということ。「ルーム，間」ですから，やはりホテルとかデパートのような建物の中のひと間を指すわけです。"厕所"と言うより品がいいので，公共の機関のトイレはこう呼ばれることが多いようです。さらに優雅にと言いましょうか，私には厳めしいとしか思えませんが，"盥洗室"guànxǐshì というプレートをかけているところもあるようで，これは書面語です。

しかし，個人の家のトイレはさすがに"洗手间"とは言いません。これを上品に言うなら"卫生间"wèishēngjiān です。

你家的卫生间真大。
Nǐ jiā de wèishēngjiān zhēn dà.
　　（お宅のお手洗いは広いですね）

「トイレに行く」ことを相手に知らせるには，いろいろな言い方があります。"厕所"とか"洗手间"，"卫生间"という名詞を使わない言い方も覚えておきましょう。男性向きはこちらです。動詞"方便"fāngbiàn を使います。

我想去方便一下。 Wǒ xiǎng qù fāngbiàn yíxià.

女性の方は，次のように言うことがあります。ただし，くだけた表現ですから，親しい友人の間で使えばよいでしょう。

我想去一号。 Wǒ xiǎng qù yīhào.

第6話

豫園にて

(田村と劉は，豫園商場にいる)

田村：**什么 是 这儿 的 特产 呢？**
Tiáncūn : Shénme shì zhèr de tèchǎn ne?

刘欣欣：**最 有名 的 是 五香豆。**
Liú Xīnxīn : Zuì yǒumíng de shì wǔxiāngdòu.

田村：**五香豆？**
Wǔxiāngdòu?

刘欣欣：**对。**
Duì.

田村：**在 哪儿 呢？**
Zài nǎr ne?

刘欣欣：**那边。**
Nèibiān.

田村：**为 什么 叫 五香豆 呢？**
Wèi shénme jiào wǔxiāngdòu ne?

刘欣欣：**大概 有 五 种 不 同 的 味道 吧，又**
Dàgài yǒu wǔ zhǒng bù tóng de wèidao ba, yòu

甜，又 咸，又 带 点儿 奶油 味儿……
tián, yòu xián, yòu dài diǎnr nǎiyóu wèir……

田村：何がここの特産なの？

　劉：一番有名なのは五香豆。

田村：五香豆？

　劉：そう。

田村：どこにあるの？

　劉：あっち。

（劉，田村を連れて探し，見つける）

田村：どうして五香豆って言うの？

　劉：たぶん五つの違う味がするからでしょ。甘くって，しょっぱくって，ちょっぴりバターの風味があって……

単語

什么 shénme ［代］何。疑問詞。

特产 tèchǎn ［名］特産。名物。

最有名的 zuì yǒumíng de ［組］最も有名なもの。"的"がついて全体が体言化。

五香豆 wǔxiāngdòu ［名］上海の豫園名物の豆菓子。

对 duì ［形］そうです。そのとおり。

为什么 wèi shénme ［組］どうして。なぜ。

大概 dàgài ［副］たぶん。おそらく。

不同的味道 bù tóng de wèidao ［組］異なる味。

又 yòu ［副］また。"又～又～"で「～でもあるし，～でもある」。

甜 tián ［形］甘い。

咸 xián ［形］塩辛い。

带点儿奶油味儿 dài diǎnr nǎiyóu wèir ［組］バターの味も少しする。"带"は「帯びる」，"奶油"は「バター」。

营业员：小姐，要买五香豆吗？
yíngyèyuán : Xiǎojie, yào mǎi wǔxiāngdòu ma?

田村：我……
Wǒ ......

营业员：这位小姐不是上海人吧？
Zhèi wèi xiǎojie bú shì Shànghǎirén ba?

你先尝尝吧。
Nǐ xiān chángchang ba.

怎么样？
Zěnmeyàng?

田村：欸，味道真特别。
Éi, wèidao zhēn tèbié.

好，我要一袋。
Hǎo, wǒ yào yí dài.

营业员：还要别的吗？
Hái yào bié de ma?

田村：谢谢，不用了。
Xièxie, búyòng le.

発音のポイント ……………日本人の苦手な母音3つ

1）e oを発音する時と舌の位置は同じ。まずoを発音、口の中の舌の位置はそのままにして、唇のまるめをとる。背中にブスリとナイフを突き立てられた時に、のどの奥から出るような「ウ」。

2）u 日本語の「ウ」ではない。思い切り唇をまるめて突き出し、かつ口の奥から。〈突き出しのウ〉

3）ü 上のuを言う唇の形をつくり、「イ」を発音。ちょっと気どってストローを吸うような口の形。〈すぼめのユ〉

店員：お嬢さん，五香豆さしあげますか？

田村：私……

店員：こちらのお嬢さんは上海の人じゃありませんね？
　　　とりあえず食べてみてください。（五香豆を取って田村と劉にくれる）いかがですか？

田村：（五香豆を食べ，劉に）あら，味がとても変わってる。
　　　（店員に）いいわ，1袋買います。

店員：**ほかにも何か要りますか？**

田村：ありがとう，結構です。

（田村はお金を取り出して五香豆を買う）

単語

营业员 yíngyèyuán ［名］販売員。店員。売り子さん。

买 mǎi ［動］買う。反対の「売る」は"卖"mài。

这位小姐 zhèi wèi xiǎojie ［組］こちらのお嬢さん。"位"は人をていねいに数える時に使う。

尝尝 chángchang ［動］味わってみる。動詞"尝"の重ね型。

怎么样 zěnmeyàng ［代］どうであるか。いかがですか。疑問詞。

味道真特别 wèidao zhēn tèbié ［組］味が実に独特だ。

要一袋 yào yí dài ［組］1袋ください。

还要别的吗? hái yào bié de ma？［組］ほかにも何か要りますか。

不用了 búyòng le ［組］もうけっこうです。もう要らない。

Key Sentence

/	\	/	・	・

还 要 别 的 吗？
Hái yào bié de ma ?

ほかにも何か要りますか

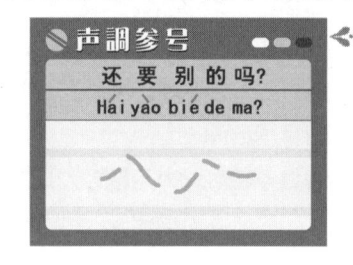

```
声調参号
还 要 别 的 吗?
Hái yào bié de ma?
```

　これはお店の人が言うセリフです。
　注文が一通りすんだところで，以上ですか，ほかに何か買うものはありませんかという意味です。
　"还" hái は「さらに，その上」という副詞です。
　"要" yào は動詞で「必要である，要る」という意味。後ろに目的語 "别的" bié de がきています。
　"别的" bié de は「別の（もの）」です。"的" de は「の」でした。"的" をつけることによって，全体が体言化します。
例えば "红" hóng は形容詞で「赤い」ですが，"的" をつけると

　　红的　hóng de　（赤いの）

となるのも同じです。
　最後に "吗" ma がついて，疑問文になっています。
　さて「ほかに何かご入用ですか」と聞かれて，もうそれで買い物が終わりなら，本文のように "不用了" Bú yòng le. あるいは

　　不要了。　Bú yào le.（結構です）

と答えます。おしまいの "了" le を忘れぬように。

●"还" hái と "要" yào は続けて，わりと早く言います。"还" は第2声ですが，最後まで上がり切らないうちに "要" が発音される感じです。

"别的" bié de もこれで一まとまりです。"别" の第2声は最後がきちんと上昇しています。

"的" de や "吗" ma は軽声ですが，第2声の "别" の後ですから，いずれもその勢いで高い位置にあります。

これは店員さんのセリフでした。決まり文句ですので，流暢に速く言われます。こちらの発音もそれなりにスピーディに言えるように練習しましょう。

✦ 活用 *Key Sentence*　　　　　　　　　　　　　　　　CD1-41

この文型を利用して，お店の人に「ほかにもありますか」とたずねることができます。ほかの品物を見せてもらう時に使います。

还　有　别　的　吗？　（ほかにもありますか）
Hái　yǒu　bié　de　ma?

「ほかの色」「ほかの型」と聞くこともできます。

还　有　别　的　颜色　的　吗？
Hái　yǒu　bié　de　yánsè　de　ma?
　（ほかの色のがありますか）

还　有　别　的　样子　的　吗？
Hái　yǒu　bié　de　yàngzi　de　ma?
　（ほかの型のがありますか）

～文法レッスン～

1．文末の"了" le

本文で

 还要别的吗？ Hái yào bié de ma ?

と聞かれて，好恵さんは

 不用了。 Bú yòng le.

と答えています。ここは

 不要了。 Bú yào le.

と答えても同じです。ともに「結構です。要りません」という意味です。

　文末に"了"があることに気をつけてください。これは今までいくらか買い物をして，「以上で結構です。もうこれ以上は要りません」と言う時に使います。

 您还要别的吗？ Nín hái yào bié de ma ?

 ——不要了。 Bú yào le.

 ——不用了。 Bú yòng le.

買い物に限りません，「お茶，もう一杯いかが」などと言う時もそうです。

 再来点儿茶吧？ Zài lái diǎnr chá ba ?

 ——不要了。 Bú yào le.

これに対して，まだ何も買っていない時，まだ何も注文していない時に「要らない」という場合は文末の"了"をつけません。

 要啤酒吗？ Yào píjiǔ ma ?

 ——不要。 Bú yào.

なお，"不要"は「要らない」，"不用"は「そうするには及ばない，その必要はない」というようなニュアンスの違いがあります。

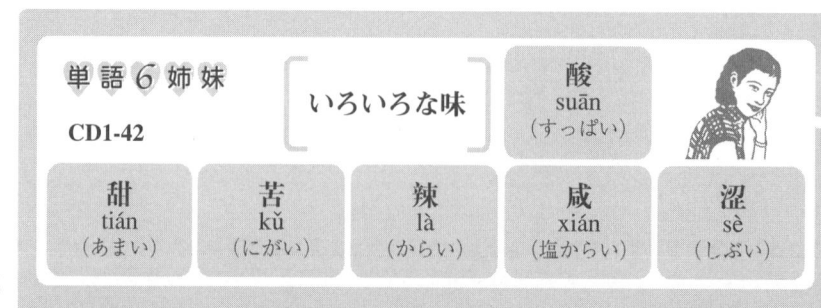

単語 6 姉妹　CD1-42

［いろいろな味］

酸 suān （すっぱい）				
甜 tián （あまい）	苦 kǔ （にがい）	辣 là （からい）	咸 xián （塩からい）	涩 sè （しぶい）

2. "五香豆" wǔxiāngdòu ── 五つの味

"五香豆"の名前の由来を聞かれて，劉欣欣さんが五つの味の説明をしますが，本当のところはどんな"五香"なのか，詳しくは知りません。
ただ，一般に"五味"wǔwèi と呼ばれるものは次のようなものです。

酸　甜　苦　辣　咸
suān tián kǔ là xián

食べ物の五つの味ですね。おもしろいのは，このように順番も決まっていることです。

また，"五金"wǔjīn といえば，5種類の金属のことで，

金　银　铜　铁　锡
jīn yín tóng tiě xī

です。これもこの順序で言います。これで金属一般も指します。

中国語には"五味"，"五金"のように名数表現と言いましょうか，数でくくった言い方が多いのです。

"五粮液"wǔliángyè といえば中国の名酒。五つの穀物から作られます。

共通語にある四つの声調，"四声"sìshēng もそうですね。

漢字の成り立ちを説明する"六书"liùshū, 孫文の唱えた"三民主义"sānmín zhǔyì, 中国が世界に誇る"四大发明"sìdà fāmíng などなど例はたくさんあります。

このほかにも"四库全书"Sìkù Quánshū や"二十四史"Èrshísìshǐ など，その具体的内容はとっさにわからなくても，聞いたことのある言葉でしょう。

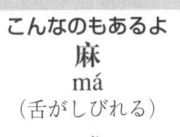

こんなのもあるよ
麻
má
（舌がしびれる）

三郎の文字なぞ

こんなタイプの問題もあります。
好　姑娘　都　有　它。
Hǎo gūniang dōu yǒu tā.
（よい娘たちはみんなそれを持っている）
「よい娘」たちがみんな持っているもの，とても気になりますね。

ことばの道草

知っておきたい最近の名数表現

名数表現は常に新しいものが作られています。最近の中国社会を理解するうえで知っておきたいいくつかを紹介しましょう。

【一国両制】 yì guó liǎng zhì
一つの国家で，二つの制度を認める。香港の中国返還に際して鄧小平氏がうちだした考え。

【三資企業】 sānzī qǐyè
3種類の外資系企業のこと。"中外合资"zhōngwài hézī（合弁），"中外合作"zhōngwài hézuò（提携），"外商独资"wàishāng dúzī（完全外資）。

【三通】 sāntōng
中国と台湾の間の，"通邮"tōngyóu（郵便のやり取り），"通商"tōngshāng（通商），"通航"tōngháng（渡航）の三つ。

【三陪小姐】 sānpéi xiǎojie
バーやカラオケなどで接待をする若い女性。"陪酒"péijiǔ（酒の相手をする），"陪唱"péichàng（歌を一緒に歌う），"陪舞"péiwǔ（ダンスを共にする）の三つのサービスをすることから。

【四二一综合症】 sì'èryī zōnghézhèng
甘やかされてわがままに育つ一人っ子症候群。4はおじいちゃんとおばあちゃんで，父方母方あわせて4人。2は両親。1は一人っ子を表す。

女 nǚ　"好姑娘"を「よい娘」と考えては解けない。"好""姑""娘"を三つの文字として形体的に見る。すると3文字すべてに共通なものは"女"だ。類題を一つ。"运动会上都有它。"Yùndònghuì shang dōu yǒu tā.〔運動会にはいつもある〕答："云"yún〔雲〕。

ここほれ中級

♣ どう並べるか？

「前」と「後ろ」を並べて「前後」という熟語ができます。「上」と「下」なら「上下」です。どちらも，この逆にはなりません。

並列関係にある熟語は，どちらを前にしてもよさそうなものですが，たいてい順序はきまっています。中国語でも同じです。

  父母 fùmǔ 男女 nánnǚ 老少 lǎoshào 上下 shàngxià
  左右 zuǒyòu 前后 qiánhòu

これらは二つを並べたものですが，三つ並べると，ちょっと日本語からは想像もつかないものがあります。例えば，第1人称から第3人称まで並べましょう。

  你我他 nǐ wǒ tā

"我你他"とはなりません。ニワトリとガチョウとカモをならべると，なぜか"鸡鸭鹅" jī yā é です。

料理には"色香味" sè xiāng wèi の三要素が欠かせません。

  这个菜色香味俱佳。Zhèige cài sè xiāng wèi jù jiā.
   （この料理は味，香り，見た目と三拍子そろっている）

4字をならべたものには

  东南西北 dōng nán xī běi
  春夏秋冬 chūn xià qiū dōng
  甲乙丙丁 jiā yǐ bǐng dīng

といったお馴染みのものから，プロでないと分からない

  老弱病残 lǎo ruò bìng cán （老人，弱者，病人，身体障害者）
  赵钱孙李 Zhào Qián Sūn Lǐ （『百家姓』冒頭の四つの姓）
  锅碗瓢盆 guō wǎn piáo pén （鍋や碗などの炊事用具）

などがあります。最後の"锅碗瓢盆"はこんなふうにも使います。

  生活里就是些锅碗瓢盆的琐事。
  Shēnghuó li jiù shì xiē guō wǎn piáo pén de suǒshì.
   （生活というのはこういった瑣末なことの連続だ）

最後は5字以上のもの。

  酸甜苦辣咸 suān tián kǔ là xián （五つの味）
  柴米油盐酱醋茶 chái mǐ yóu yán jiàng cù chá （毎日お世話になる七つのもの）

第7話 衡山路のカフェ

（田村と劉，衡山路のとある喫茶店で） CD1-43

田村：要 糖 吗？
Tiáncūn : Yào táng ma?

刘欣欣：我 不 要， 谢谢。
Liú Xīnxīn : Wǒ bú yào, xièxie.

田村：你 喜欢 喝 咖啡 吗？
Nǐ xǐhuan hē kāfēi ma?

刘欣欣：喜欢。 咖啡， 茶 我 都 喜欢。
Xǐhuan. Kāfēi, chá wǒ dōu xǐhuan.

田村：你 还 喜欢 什么？
Nǐ hái xǐhuan shénme?

刘欣欣：很 多。
Hěn duō.

我 喜欢 看 电影、 唱 歌、 听 音乐。
Wǒ xǐhuan kàn diànyǐng, chàng gē, tīng yīnyuè.

你 呢？
Nǐ ne?

田村：我 也 一样。 哎， 我 还 喜欢 看 足球
Wǒ yě yíyàng. Ái, wǒ hái xǐhuan kàn zúqiú

比赛。
bǐsài.

田村：(砂糖を持って) 砂糖要る？
　劉：要らない，ありがとう。
田村：**あなたはコーヒー好き？**
　劉：好き。コーヒーもお茶も好き。
田村：あと何が好き？
　劉：(笑って) たくさん。
　　　映画を見たり，歌を歌ったり，音楽を聴いたりするのが好き。
　　　(少しして) あなたは？
田村：私も同じ。そうそう，私サッカーの試合を見るのも好き。

単語

糖 táng ［名］砂糖。"砂糖"ともいう。
喜欢喝咖啡 xǐhuan hē kāfēi ［組］コーヒーを飲むのが好きだ。動詞"喝"
　　　を入れることに注意。
茶 chá ［名］お茶。
都 dōu ［副］すべて。みんな。
很多 hěn duō ［組］とても多い。
看电影 kàn diànyǐng ［組］映画を見る。
唱歌 chàng gē ［動］歌を歌う。
听音乐 tīng yīnyuè ［組］音楽を聴く。
你呢? nǐ ne? ［組］あなたは？"呢"は名詞（句）の後におき「～は？」
　　　という疑問文をつくる。
我也一样 wǒ yě yíyàng ［組］私も同じです。"也"は「も」。
足球比赛 zúqiú bǐsài ［組］サッカーの試合。

刘欣欣：**我 也 喜欢 看 足球 比赛。**
　　　　Wǒ yě xǐhuan kàn zúqiú bǐsài.

田村：**这么 说，我们……**
　　　Zhème shuō, wǒmen……

江旭：**两 位 小姐，你们 好 啊！**
Jiāng Xù： Liǎng wèi xiǎojie, nǐmen hǎo a!

田村、刘欣欣：**江 旭？**
　　　　　　　Jiāng Xù?

刘欣欣：**你 怎么 在 这里？**
　　　　Nǐ zěnme zài zhèlǐ?

江旭：**就 许 你们 来，不 许 我 来 吗？**
　　　Jiù xǔ nǐmen lái, bù xǔ wǒ lái ma?

田村：**欢迎，欢迎，请 坐。**
　　　Huānyíng, huānyíng, qǐng zuò.

江旭：**谢谢！那边 有 我 的 几 个 朋友。**
　　　Xièxie! Nèibiān yǒu wǒ de jǐ ge péngyou.
　　　下 次 吧。
　　　Xià cì ba.

発音のポイント ············ 第3声の連続──3音節以上の時

第3声が三つ続いたらどうしましょう。基本は「二つに分けよ！」です。例えば"展览馆"（展覧館）は"[展览]馆"という構造をしています。まず[展览] zhǎnlǎn の中で変調が起き，zhánlǎn となります。さらに zhánlǎn + guǎn で後ろが第3声の連続ですから，結局 zhánlánguǎn となるわけです。

　　[展览] 馆　　zhǎnlǎnguǎn → zhánlǎnguǎn → zhánlánguǎn

ところが，"李厂长"（李工場長）の場合は"李[厂长]"という構造です。まず[厂长] chǎngzhǎng の中で変調が起き，chángzhǎng となります。それで，Lǐ + chángzhǎng となり第3声連続はありませんから，これでおしまいです。

　　李 [厂长]　　Lǐ chǎngzhǎng → Lǐ chángzhǎng

要するに，単語としてまとまりをなしているものは，そこの音形が先に決まります。例えば"勇敢"は yǒnggǎn → yónggǎn ですし，"雨伞"は yǔsǎn → yúsǎn です。したがって，その前の"很"や"买"は変調しません。

　　很 勇敢　　hěn yǒnggǎn → hěn yónggǎn
　　买 雨伞　　mǎi yǔsǎn → mǎi yúsǎn

劉：（うれしそうに）私もサッカーを観戦するのが好き。
田村：こうしてみると私たち……

江：（江が現れる，身をかがめて小さな声で）おふたりさん，こんにちは！
田村・劉：江旭？
劉：どうしてここに？
江：君たちが来て，僕が来ちゃいけない？
田村：ようこそ，ようこそ，座ってください。
江：ありがとう！　あっちに友達がいるんだ。こんどね。

単語

这么说 zhème shuō ［組］こうしてみると。これまでの話から考えると。
就许你们来 jiù xǔ nǐmen lái ［組］あなたたちだけが来るのを許される。
欢迎 huānyíng ［動］歓迎する。
朋友 péngyou ［名］友達。
下次 xià cì ［組］次回。次。反対は"上次"（前回）。

Key Sentence

CD1-44

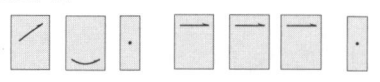

你 喜欢 喝 咖啡 吗？
Nǐ xǐhuan hē kāfēi ma?

あなたはコーヒーが好きですか

"喜欢"xǐhuan は「～が好きだ」という動詞です。後ろに目的語をとります。その目的語のところが，動詞句であるのにご注目ください。

你 喜欢 ［喝咖啡］ 吗？

日本語では「コーヒーが好き」と言いますが，中国語では「コーヒーを**飲む**のが好き」と，わざわざ動詞"喝"hē を入れます。

例えば「パンが好きですか」と聞くのなら，「パンを**食べる**のが好きですか」と考えて，

你 喜欢 吃 面包 吗？
Nǐ xǐhuan chī miànbāo ma?

とします。日本語の発想から，中国語の発想へと頭を切り換えます。

もちろん，名詞を目的語にとることもできます。

你喜欢 | 中国　　Zhōngguó
　　　 | 王老师　Wáng lǎoshī | 吗？
　　　 | 夏天　　xiàtiān

中国とか，人間とか，夏とか，ある全体をまるごと好きという時には，このように名詞そのものが目的語になります。

●はじめの"你"nǐにご注目ください。これは本来は"你"nǐと第3声ですが，ここでは第2声に変わっています。声調変化です。

これは"你"の直後に"喜欢"xǐhuanがきているためです。つまり，「第3声＋第3声」は「第2声＋第3声」に変化するという声調変化が起きているのです。

"喜欢"xǐhuanの"欢"huanは軽声です。"喜"xǐが第3声であるため，軽声の"欢"huanがかなり高い位置にあります。

"喝咖啡"hē kāfēiはいずれも第1声です。きちんと高さをキープしています。日本人の発音では最後のほうが下がりぎみになることが多いので，ここも要注意です。

文末の"吗"maは自然な位置に落ち着いています。疑問文ですが，とくに尻上がりにする必要はないことが分かります。

◆ 活用 Key Sentence　　　　　　　　　　　　　　　CD1-45

これは便利な文型です。まず食べ物の好き嫌いを聞いてみましょう。

你喜欢｜喝　牛奶　　hē niúnǎi　　｜吗？（牛乳を飲むのが〜）
　　　｜喝　茶　　　hē chá　　　　｜　　（お茶を飲むのが〜）
　　　｜吃　面条　　chī miàntiáo　｜　　（麺を食べるのが〜）

自分の趣味などを言うこともできます。

我喜欢｜看　电影。　kàn diànyǐng.　（映画を見るのが〜）
　　　｜听　音乐。　tīng yīnyuè.　　（音楽を聴くのが〜）
　　　｜踢　足球。　tī zúqiú.　　　 （サッカーをするのが〜）

～文法レッスン～

1. 便利な"～呢？" ～ne?

　　おしゃれな喫茶店で好恵さんと欣欣さんがおしゃべりを楽しんでいます。
　　　　我喜欢看电影、唱歌、听音乐。
　　　　　Wǒ xǐhuan kàn diànyǐng、chànggē、tīng yīnyuè.
こう言ってから，ややおいて，
　　　　你呢？　Nǐ ne？
と言います。「ところで，あなたは？」という台詞です。この"呢"ne はぜひ我がものにして利用したい一語です。
　　用法は簡単，名詞や名詞句の後ろにそっと添えるだけ。
　　　　他呢？　Tā ne？　（彼は？）
意味は日本語の「～は？」に相当します。
　　欣欣さんの台詞："你呢？"は「あなたは？　あなたはほかに何が好きなの？」という意味ですね。具体的にどういう意味かは文脈から判断できます。
　　　　明天呢？　Míngtiān ne？　（明日は？→明日は都合どう？）
　　文脈がない時，つまり，いきなり"名詞＋呢"が出てきたら，それは「所在，どこにあるか・いるか」を聞いているのです。
　　　　你爸爸呢？　　Nǐ bàba ne？　　　　（お父さんはどこ？）
　　　　你的护照呢？　Nǐ de hùzhào ne？　（あなたのパスポートはどこ？）

単語6姉妹　CD1-46

飲み物

| 咖啡 kāfēi（コーヒー） |
| 红茶 hóngchá（紅茶） | 牛奶 niúnǎi（ミルク） | 可乐 kělè（コーラ） | 绿茶 lǜchá（緑茶） | 乌龙茶 wūlóngchá（ウーロン茶） |

2．"我也喜欢" wǒ yě xǐhuan の読み方——第3声の連続（その2）

音節の数は三つ，単語の数も三つという場合はやや複雑です。これも二つに分けます。

　　我｜**等你**　wǒ｜děng nǐ → wǒ｜déng nǐ　（私は君を待つ）
　　我｜**打你**　wǒ｜dǎ nǐ → wǒ｜dá nǐ　（私は君を打つ）
　　我｜**买笔**　wǒ｜mǎi bǐ → wǒ｜mái bǐ　（私はペンを買う）

これらは原則として主語の"我"や"你"は第3声のまま読まれます。
なぜなら，上のように「主語」＋「動詞＋目的語」というふうに二つに分割されるのがふつうだからです。

ただし，例えば最後の例でも，これが"谁买笔？"（だれがペンを買うのか）に対する返事では，主語の"我"に強調ストレスがかかりますから，この場合は変調します。

　　谁买笔？　　　Shéi mǎi bǐ？
　　——**我买笔。**　Wǒ mǎi bǐ. → Wó mái bǐ.

また，副詞"也"が現れた場合も主語が変調するのがふつうです。

　　我也买　wǒ yě mǎi → wó yé mǎi

これも「私も買います」ですから，主語の"我"が"也"によって強調されているわけです。したがって，"我也喜欢"もこうなります。

　　我也喜欢　wǒ yě xǐhuan → wó yé xǐhuan

4音節では，適当に意味のまとまりを考えて変調させます。

　　我也｜**很好**　　wǒ yě｜hěn hǎo → wó yě｜hén hǎo
　　　（私もとても元気です）
　　你买｜**几本？**　nǐ mǎi｜jǐ běn → ní mǎi｜jí běn
　　　（あなたは何冊買いますか）

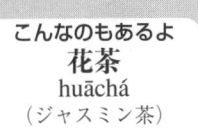

こんなのもあるよ
花茶
huāchá
（ジャスミン茶）

您 三郎の文字なぞ

中国を旅行されたことはありますか。今日の字謎は，中国の地名を当てるもの。

　　金　银　铜　铁。（金銀銅鉄）
　　　Jīn　yín　tóng　tiě.

これで2文字の地名を当ててください。
中国人が"金银铜铁"と言えば，これに続いてもう一つ口をついて出てくる字があります。それが無いわけです。

ことばの道草

"上" shàng と "下" xià

"上" と "下" は空間的な「うえ」「した」を表します。
それが時間にも転用されます。つまり空間→時間という転位があるわけです。

　　　上一次 shàng yí cì　　这一次 zhèi yí cì　　下一次 xià yí cì
　　　（前回）　　　　　　（今回）　　　　　　（次回）

「今回」は中国語では "这" を使います。次も同じような意味です。

　　　上回 shàng huí　　　这回 zhèi huí　　　　下回 xià huí
　　　（前回）　　　　　　（今回）　　　　　　（次回）

「午前，お昼，午後」と言う時も，この体系を使います。

　　　上午 shàngwǔ　　　　中午 zhōngwǔ　　　　下午 xiàwǔ

「上中下」という空間指示語が，時間に転用されていることが見て取れます。ほかにも，"星期" xīngqī（週）や，"月" yuè（月）にも使います。

　　　上个星期 shàng ge xīngqī　　这个星期 zhèige xīngqī
　　　下个星期 xià ge xīngqī

　　　上个月 shàng ge yuè　　　这个月 zhèige yuè
　　　下个月 xià ge yuè

このような「空間→時間」転用という現象は "上"，"下" に限りません。"前" や "后" でも見られます。

　　　前天 qiántiān　　昨天 zuótiān　　今天 jīntiān
　　　（おととい）　　（昨日）　　　（今日）

　　　明天 míngtiān　　后天 hòutiān
　　　（あす）　　　　（あさって）

无锡 Wúxī　無錫（むしゃく）。五つの金属を表す言葉に "金银铜铁锡" がある。これは常にこの順序で言われる。問題文では最後の "锡" が無い。つまり "无锡" が答え。

ここほれ中級

♣ "喝" hē と "吃" chī

　コーヒーやお茶，お酒や紅茶は "喝" hē（飲む）ものと決まっていますね。これは日本語も中国語も同じです。

　　喝咖啡　hē kāfēi　　喝茶　hē chá　　喝酒　hē jiǔ

ところが日中でちょっと違うものもあります。「薬を飲む」は中国語では

　　吃药　chī yào

のほうが一般的です。もちろん水薬などを "喝药" hē yào と言ってもかまいませんが，「食後，薬を飲むのを忘れないように」と言う場合には

　　饭后别忘了吃药。　Fàn hòu bié wàngle chī yào.

のように言います。「お粥」は日本では「食べる」ですが，中国では「飲む」，"喝粥" hē zhōu です。

　「スープ」は日中ともに飲みます。"喝汤" hē tāng です。
中国語独特のものと言えば「風を飲む」ことでしょうか。

　　喝风　hē fēng　　喝西北风　hē xīběifēng

これは「ひもじい」ことの比喩です。風ぐらいしかお腹に入れるものがないわけです。

"吃" chī のほうは "吃药" にみられるように，飲むことも含んでいます。したがって，"吃奶" chī nǎi（乳を飲む）などとも言います。

　それから「食堂」や「レストラン」を食べることもあります。

　　他一直吃食堂，从不自己做。　Tā yìzhí chī shítáng, cóng bù zìjǐ zuò.
　　　（彼はずうっと食堂で食事をとり，これまで自炊したことがない）

街のレストランで食事をとる習慣なら "吃饭馆" chī fànguǎn などと言います。

　"吃" はまた「～に頼って生活する」という意味もあります。

　　他还在吃父母。　Tā hái zài chī fùmǔ.
　　　（彼はまだ親に頼って生活している）

日本なら「親のすねをかじる」ところ，中国では親そのものを "吃" するわけです。

第8話

夜の外灘

（田村と劉，外灘の河岸を散歩している）

刘欣欣： 你 找 什么？
Liú Xīnxīn : Nǐ zhǎo shénme?

田村： 刚才 的 饭馆 是 在 那儿 吧？
Tiáncūn : Gāngcái de fànguǎn shì zài nàr ba?

刘欣欣： 是 啊。
Shì a.

田村： 那儿 的 菜 真 好吃。
Nàr de cài zhēn hǎochī.

刘欣欣： 你 那么 喜欢？
Nǐ nàme xǐhuan?

田村： 是 啊， 那个 汤 真 好喝。 以后 我
Shì a, nèige tāng zhēn hǎohē. Yǐhòu wǒ
还 要 去。
hái yào qù.

刘欣欣： 这么 爱 吃， 小心 变成 这样。
Zhème ài chī, xiǎoxīn biànchéng zhèyàng.

田村： 哎， 光 顾了 说话， 这么 美 的
Ài, guāng gùle shuōhuà, zhème měi de
夜景 都 没 看。
yèjǐng dōu méi kàn.

劉：何を探してるの？

田村：さっきのレストランはあそこかな？

劉：そうだね。

田村：あそこの料理，おいしかったね。

劉：そんなに気に入った？

田村：そう，**あのスープ本当においしかった。また行きたいな。**

劉：（笑って）そんなに食べるのが好きだと，こうなっちゃうよ。
　　（上体をゆらしてウエストが太い手まねをする）

田村：（大笑いする。突然浦東の夜景に気がついて）ほら，話にばかり気を取られていて，こんなにすばらしい夜景を見てないよ。

単語

刚才　gāngcái　［名］たった今。いましがた。

饭馆　fànguǎn　［名］レストラン。

菜　cài　［名］料理。

汤　tāng　［名］スープ。

好喝　hǎohē　［形］（飲んで）おいしい。

以后　yǐhòu　［名］以後。今後。

还　hái　［副］さらに。

要　yào　［助動］〜したい。〜するつもりだ。

爱吃　ài chī　［組］食べるのを好む。

小心　xiǎoxīn　［動］気をつける。注意する。

变成这样　biànchéng zhèyàng　［組］こんなふうになる。

光顾　guāng gù　［組］ただ〜だけに気を取られる。

这么美的夜景　zhème měi de yèjǐng　［組］こんなに美しい夜景。

111

田村：**啊，真 漂亮!**
À, zhēn piàoliang!

看， 那个 球儿 还 真 像 明珠。
Kàn, nèige qiúr hái zhēn xiàng míngzhū.

刘欣欣：**是 啊。**
Shì a.

田村：**那 亮晶晶 的 是 金茂 大厦 吧?**
Nà liàngjīngjīng de shì Jīnmào Dàshà ba?

刘欣欣：**对。**
Duì.

田村：**我 觉得 它 像 一 个 大 竹笋。**
Wǒ juéde tā xiàng yí ge dà zhúsǔn.

刘欣欣：**哎，你 还 想着 吃 呢?**
Ài, nǐ hái xiǎngzhe chī ne?

軽声の発音

軽声は，それ自身が独自の調形をもつものではありません。もし，独自の形をもつならば，第5声として，他の声調と同じように練習しなければならないはずです。

軽声は独自の調形をもたないゆえ，前の音節の後に軽く，短く添えればよいのです。

つまり，前の音節をきちんと発音し，その流れで「軽く，短く」添えれば自然とできるということです。ですから，ことさらに大袈裟な練習はしません。

以下，念のために第1声〜第4声の後に軽声がきた例を示しておきます。さらに声調番号のデータから具体例も紹介しておきましょう。

第1声の後	第2声の後	第3声の後	第4声の後
mā ma	má ma	mǎ ma	mà ma

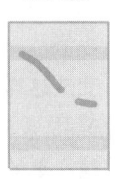

(話をやめて，浦東のビルを見る。劉も一緒に楽しむ)

田村：ああ，なんてきれいなんだろう。(手で東方明珠テレビ塔を指して) 見て，あの丸い球，なかなか真珠のように見えるね。

劉：本当。

田村：(指で指して) あのキラキラ光っているのは金茂ビルでしょう？

劉：そのとおり。

田村：あれは大きなタケノコって感じ。

劉：(笑って) まあ，あなたまだ食べること考えてるの？

単語

漂亮 piàoliang ［形］美しい。

球儿 qiúr ［名］球。

像 xiàng ［動］〜のようだ。〜に似ている。

明珠 míngzhū ［名］明るく輝く珠，真珠。よく大切な人や物の比喩に使われる。

亮晶晶 liàngjīngjīng ［形］キラキラとしている。後ろによく"的"がつく。

金茂大厦 Jīnmào Dàshà ［固］ビルの名前。

觉得 juéde ［動］〜と思う，感じる。

它 tā ［代］それ。人以外のものを指す。

竹笋 zhúsǔn ［名］タケノコ。

Key Sentence

CD1-48

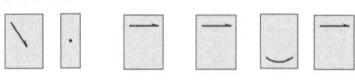

那个 汤 真 好喝。
Nèige tāng zhēn hǎohē.

あのスープは本当においしかった

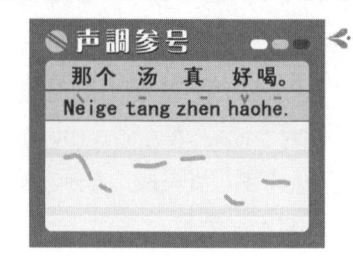

"那个汤" nèige tāng が主語です。「あのスープ」という意味です。量詞の "个" ge が入っています。

述語は "真好喝" です。"好喝" はすでに学びました。「飲んでおいしい」から "好喝" です。中国語ではスープは日本語同様飲むものだということも分かります。食べておいしいのなら "好吃" hǎochī でした。

"真" は「実に，非常に」という意味の副詞です。これを同じような意味の "非常" fēicháng でおき換えることもできます。

那个汤非常好喝。

もう一つ，よく使う副詞に "很" hěn がありますが，これでおき換えると「実においしい」という感動は薄れます。

那个汤很好喝。

ところでこの文は形容詞 "好喝" が述語になっています。中国語の形容詞は，日本語と同様，述語になることができます。

日本語と違うのは，この文の訳です。「実においしかった」とあります。過去形です。しかし，それらしいマークはありません。形容詞は過去のことでも特にマークはつかないのです。

昨天真冷。 Zuótiān zhēn lěng. （昨日はとても寒かった）

今天真冷。 Jīntiān zhēn lěng. （今日はとても寒い）

●はじめの"那个"nèige は nàge とも発音します。"这"や"那"はそれぞれ zhè /zhèi と nà/nèi という二通りの読み方があります。話し言葉では，後にこのように量詞が続く時には zhèi や nèi と読まれるのがふつうです。

"汤"tāng は第1声ですが，やや低くなっています。これは"那个"nèige が上からずうっと下がってきて，その延長で発音されているためです。経済の原則ですが，実は次の"真"zhēn にストレスがおかれるために，ここは控えめな発音になっているのです。

この文が言いたいことは，あのスープが「どうだったのか」，つまり「**本当においしかった**」というところを強調したいのです。

同じ第1声でも，"汤"tāng と"真"zhēn と"喝"hē の三つ，同じ高さではありませんね。中国語の声調は音階のように絶対的な高さが固定しているのではないということが分かります。

活用 Key Sentence   CD1-49

"真"zhēn のかわりにいろいろな程度を表す副詞を入れてみました。

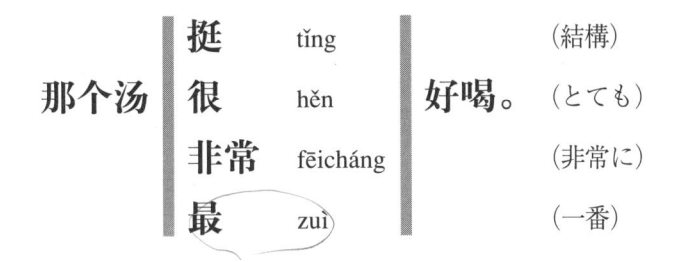

那个汤	挺 tǐng	好喝。	（結構）
	很 hěn		（とても）
	非常 fēicháng		（非常に）
	最 zuì		（一番）

もう一つ，"太"tài というのがあります。これは後ろに"了"le をおいてしめくくるのが特徴です。「おいしい」とか「きれい」とか，好ましいことの場合には特に"了"を欠かせません。

那个汤太好喝了。　　Nèige tāng tài hǎohē le.

～文法レッスン～

◆ "亮晶晶" liàngjīngjīng ── ABB型形容詞

"亮晶晶"のような形容詞があります。ちょっと変わった形をしています。ABB型形容詞と呼ばれます。

最初のAのところにはふつうの形容詞がきます。この例ですと"亮" liàng ですね。「明るい，輝く」という意味です。その後のBBのところは"晶晶" jīngjīng です。この意味はよく分かりません。全体でキラキラ輝くというぐらいの意味です。

中国語の擬態語などともいわれます。この語も夜の高層ビルがキラキラ光り輝いているさまを描写するのに使われています。

もう一つ，例をあげましょう。"热腾腾" rètēngtēng という語があります。これもABB型形容詞ですね。"热" rè は「熱い」ですが，"腾腾" tēngtēng はどういう意味かよく分かりません。ただなんとなく湯気が立ち上っているようなイメージがあります。全体で「湯気や蒸気が立ち上り，あつあつのさま」です。

同じく"腾腾"が後ろについている"慢腾腾" màntēngtēng という語があります。これは「動作がのろのろしたさま」を表します。しかし，先ほどの"腾腾"の湯気が立ち上っているイメージとは違います。やっぱりBBのところはよく分かりません。

このようなABB型形容詞は二つの文法的な特徴があります。

一つは，"很"などによる程度副詞の修飾を受けないということ。

　　×很亮晶晶　×非常亮晶晶

二つ目は否定できないということです。

　　×不亮晶晶

単語 6 姉妹
CD1-50

～馆
guǎn

饭馆 fànguǎn（レストラン）

宾馆 bīnguǎn（ホテル）
博物馆 bówùguǎn（博物館）
理发馆 lǐfàguǎn（理髪店）
照相馆 zhàoxiàngguǎn（写真館）
图书馆 túshūguǎn（図書館）

これはABB型形容詞とは，ある状態を確かにそうだと肯定的に描写しているもので，それを否定するのはおかしいわけです。

また，後にたいてい"的" de を伴います。

なお，BBのところは第1声に発音されることが多いというのも特徴です。

◇**いろいろな ABB 型形容詞**

いくつか常用の ABB 型形容詞を紹介しましょう。

热腾腾 rètēngtēng：熱気が立ち上るさま

吃一碗热腾腾的汤面，一会儿你就暖和了。
Chī yì wǎn rètēngtēng de tāngmiàn, yíhuìr nǐ jiù nuǎnhuo le.
　（熱いラーメンをふうふう食べれば，すぐにあったまるよ）

胖乎乎 pànghūhū：まるまる太っているさま

熊猫胖乎乎的，真可爱！
Xióngmāo pànghūhū de, zhēn kě'ài !
　（パンダはころころしていて本当に可愛い）

醉醺醺 zuìxūnxūn：酒に酔っているさま

昨天晚上他醉醺醺地回来了。
Zuótiān wǎngshang tā zuìxūnxūn de huílai le.
　（昨夜彼はふらふらに酔っぱらって戻ってきた）

静悄悄 jìngqiāoqiāo：ひっそりと静まりかえっているさま

教室里静悄悄的。
Jiàoshì li jìngqiāoqiāo de.
　（教室の中はシーンとしていた）

乐呵呵 lèhēhē：にこにこ笑顔のさま

看你整天乐呵呵的，怎么那么高兴？
Kàn nǐ zhěngtiān lèhēhē de, zěnme nàme gāoxìng ?
　（一日中にこにこして，何がそんなにうれしいの）

こんなのもあるよ
大使馆
dàshǐguǎn
（大使館）

您 三郎の文字なぞ

忙しい合間を縫って中国語の学習を続けている皆さんに，今日はこんな問題です。

　死了　心。（心が死んだ）
　Sǐle　xīn.

心が死んだら，どんな文字になるのでしょう。ヒントですか？

「死んだ」，これをどう表すかですね。

ことばの道草

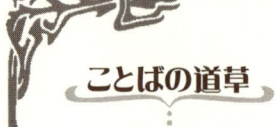

レストラン

街にある食堂やレストランはすべて"饭馆儿"fànguǎnrと呼んでもいいでしょう。

他每天在饭馆儿吃饭。 Tā měitiān zài fànguǎnr chīfàn.

ホテルなどの中にある高級なレストランは、ふつう"餐厅"cāntīngと言います。

我们饭店设有中式餐厅和日式餐厅。
Wǒmen fàndiàn shèyǒu Zhōngshì cāntīng hé Rìshì cāntīng.

"餐厅"とは本来建物の中の「食事の間」ということです。これはおしゃれで高級というイメージがありますから、ホテルの中だけでなく、街にある比較的高級なレストランも"餐厅"という名をつけます。

今天我们一起去餐厅吃饭，好吗？
Jīntiān wǒmen yìqǐ qù cāntīng chīfàn, hǎo ma?

家庭内のダイニングルームも「食事の間」には違いありませんから"餐厅"と呼ばれることがありますが、ふつうは"饭厅"fàntīngと言います。

一家人正在饭厅吃饭呢。 Yìjiārén zhèngzài fàntīng chīfàn ne.

学校や役所、機関内にある、おもに内部の人のための食堂が"食堂"shítángです。日本の社員食堂、中国の"留学生食堂"liúxuéshēng shítángなどがその典型です。値段も安く、現金より食券や専用カードなどを使うことも多いようです。

我们大学的食堂又便宜又好吃。
Wǒmen dàxué de shítáng yòu piányi yòu hǎochī.

北京に"老正兴饭庄"Lǎozhèngxīng Fànzhuāngというお店があります。"饭庄"は伝統ある大きなレストランの名前などに使われるようです。

忘/忙
wàng/máng

「死んだ」を「死亡」の"亡"wángで表す。これが思いつけば、あとは"心"を下につけて、"忘"ができる。もう一つ、"心"を立てて立心偏にし"忙"にも思い至った人は字謎のセンスがある。"忘"にしろ、"忙"にしろ、「心が死んでいる」わけだ。

❖ ここほれ中級 ❖

♣ "小心" xiǎoxīn と "注意" zhùyì

「車に注意」とか「火災に注意」という時には "小心" が使われます。

　　小心汽车　xiǎoxīn qìchē（車に気をつけて）
　　小心火灾　xiǎoxīn huǒzāi（火災に注意）

これは "注意" を使って言うこともできます。

　　注意汽车　zhùyì qìchē　**注意火灾**　zhùyì huǒzāi

二つの使い分けが気になります。

　簡単に言えば, "小心" は「ほらほら, 車だ, あぶないよ」というように, 差し迫った場面で相手に注意を促すのが本来の用法です。

　"小心" の後ろにくる名詞は「災いをもたらすモノ」です。しかも, ほらほら危ないよと危険が感知できたり, 目に見えるようなモノです。

　　小心玻璃　xiǎoxīn bōli（ガラスに注意）
　　小心感冒　xiǎoxīn gǎnmào（カゼに気をつけよう）

つまり「名詞によってもたらされる災いを避ける」というのが "小心" です。

　これに対して "注意" は「～に精神を集中する, 注意を払う」ということ。広い範囲の名詞に使われます。抽象的なものも大丈夫です。

　　注意外表　zhùyì wàibiǎo（身だしなみに注意）
　　注意礼节　zhùyì lǐjié（エチケットに注意）

「声調に気をつけよう」は "注意声调" ～ shēngdiào といい, "×小心声调" とは言いません。「安全に注意」も "注意安全" ～ ānquán であり, "×小心安全" ではありません。

　後に動詞句がくる場合を見ましょう。"小心" は後に肯定形も否定形もくることができ, 同じ意味を表します。要するに「その動作を避ける」わけです。

　　小心着凉～ zháoliáng ＝**小心别着凉**（カゼを引かないように）
　　小心触电～ chùdiàn ＝**小心别触电**（感電に注意）
　　小心变成这样＝**小心别变成这样**（こんなふうにならないように）

一方, "注意" にはこんなことはできません。否定の "别" bié を入れなければなりません。

　　　×注意着凉　→　注意别着凉　　×注意触电　→　注意别触电

第9話 図書館にて

（大学の図書館，田村は辞書をめくっている，江が歩いてやって来る）　CD1-51

江旭：**田村　小姐，用功　哪？**
Jiāng xù：Tiáncūn xiǎojie, yònggōng na?

田村：**是　你　呀。能　帮　个　忙　吗？**
Tiáncūn：Shì nǐ ya. Néng bāng ge máng ma?

江旭：**行，帮　什么　忙？**
Xíng, bāng shénme máng?

田村：**请　你　告诉　我，"下海"　是　什么　意思？**
Qǐng nǐ gàosu wǒ, "xiàhǎi" shì shénme yìsi?

江旭：**噢，"下海"　嘛，本来　是　说　渔民　去**
Ò, "xiàhǎi" ma, běnlái shì shuō yúmín qù

海　里　打鱼。
hǎi li dǎyú.

田村：**现在　呢？**
Xiànzài ne?

江旭：**多了　一　个　意思，是　说　放弃　原来　的**
Duōle yí ge yìsi, shì shuō fàngqì yuánlái de

工作，去　做　生意。
gōngzuò, qù zuò shēngyi.

田村：**为　什么　叫　"下海"　呢？**
Wèi shénme jiào "xiàhǎi" ne?

江：田村さん，お勉強？

田村：あなたですか。ちょっと助けてくれる？

江：いいよ。何？

田村：教えてほしいんだけど，「下海」ってどんな意味？

江：ああ，「下海」ね，もともとは漁師が海に出て漁をするっていう意味なんだ。

田村：今は？

江：一つ意味が増えた，つまり今までの仕事を捨てて，商売を始めるということ。

田村：どうして「下海」って言うの？

単語

用功 yònggōng ［動］勉強する。

能 néng ［助動］できる。

帮忙 bāngmáng ［動］手伝う。助ける。本文では間に"个"geが割り込んだ形。

行 xíng ［形］いいです。ＯＫである。

告诉 gàosu ［動］伝える。告げる。教える。

嘛 ma ［助］停頓を表し，次に言うことに注意を向けさせる。

本来 běnlái ［副］本来。もともと。

去海里打鱼 qù hǎi li dǎyú ［組］海に漁をしに行く。

现在 xiànzài ［名］現在。今。

放弃 fàngqì ［動］放棄する。捨てる。

原来的工作 yuánlái de gōngzuò ［組］元の仕事。

做生意 zuò shēngyi ［組］商売をする。

＊下海 について　本来，アマチュアの役者（"票友"piàoyǒu）がプロに転じること。最近では，職業をかえて商売を始める意に用いられる。

語源　旧時の演劇界では，観客の座席を"池子"chízi，舞台を"海"hǎiと呼び，役者が舞台に上って演じるのを"下海"と言った。またプロの演劇そのものをも"海"と呼ぶようになり，アマチュアがプロの役者に転じることも"下海"と呼ぶようになったという。（江旭の説明とは違いますが，これが語源と言われています）

江旭：**你 说， 海 里 的 鱼 多 不 多？**
　　　Nǐ shuō, hǎi li de yú duō bu duō?

田村：**多。**
　　　Duō.

江旭：**对。 这 好比 经商， 赚钱 的 机会 很 多。**
　　　Duì. Zhè hǎobǐ jīngshāng, zhuànqián de jīhuì hěn duō.

田村：**噢。**
　　　Ò.

江旭：**起 风暴 的 时候，大海 可怕 不 可怕？**
　　　Qǐ fēngbào de shíhou, dàhǎi kěpà bu kěpà?

田村：**可怕。**
　　　Kěpà.

江旭：**这 好比 经商， 有 风险。**
　　　Zhè hǎobǐ jīngshāng, yǒu fēngxiǎn.

田村：**噢， 明白 了。**
　　　Ò, míngbai le.

　　　哎， 江 旭， 你 敢 下海 吗？
　　　Ái, Jiāng Xù, nǐ gǎn xiàhǎi ma?

江旭：**你 敢 吗？**
　　　Nǐ gǎn ma?

江：そうだね，海には魚がいっぱいいると思わない？

田村：いっぱいいる。

江：その通り。これは商売のようなもので，金儲けの機会が多いっていうことさ。

田村：そうか。

江：嵐になれば，海は怖くないか？

田村：怖い。

江：これも商売と同じで，リスクがつきものってことさ。

田村：そう，分かった。

（少しして，いたずらっぽく）ねえ，江旭，あなたは「下海する」勇気ある？

江：（笑って）そういう君は？

単語

多不多 duō bu duō ［組］多いか多くないか→多いか？ 動詞や形容詞の肯定形＋否定形で疑問文となる。反復疑問文。

好比经商 hǎobǐ jīngshāng ［組］あたかも商売をするようなものだ。

赚钱 zhuànqián ［動］お金をもうける。

机会 jīhuì ［名］機会。チャンス。

起风暴 qǐ fēngbào ［組］暴風雨がおこる。

大海 dàhǎi ［名］大海。海。

可怕 kěpà ［形］恐ろしい。

有风险 yǒu fēngxiǎn ［組］危険がある。リスクがある。

明白 míngbai ［形］分かる。"了"がついて，「分かった」。

敢 gǎn ［助動］あえて～する。～する勇気がある。

123

Key Sentence

CD1-52

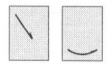

"下海" 是 什么 意思？
"Xiàhǎi" shì shénme yìsi?

"下海"ってどういう意味ですか

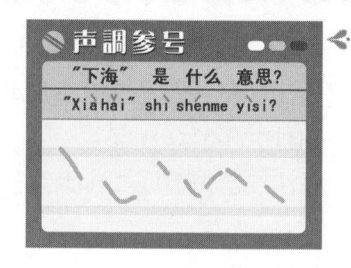

　これは便利な質問です。何でも知らない言葉に出会ったら" "の中にその言葉を入れて，上のような文を作ればよいのです。
　たとえば"伊妹儿"yīmèirという単語の意味が分からないとします。それなら

"伊妹儿"是什么意思？
"Yīmèir" shì shénme yìsi?

と言えばよいのです。"什么"は「何」とか「どういう？」という意味で，ここでは後ろの"意思"を修飾し，「どういう意味か」です。
　"伊妹儿"とは「eメール」のことですね。
　最近はインターネット関連の新語がどんどん増えてきましたから，この表現を知っておくと便利です。

"上网"是什么意思？
"Shàngwǎng" shì shénme yìsi?

"网吧"是什么意思？
"Wǎngbā" shì shénme yìsi?

"上网"＝インターネットをする
"网吧"＝インターネット・カフェ

●ある文で強調されるところ，すなわち意味の重点がおかれるところが発音もはっきり読まれます。この文では"下海"のところですね。声調の形をみると，確かに"下海"のところが十分に長く，形もきちんと出ています。

驚くべきは"什么"です。"什么"はピンインでは shénme となっていますが，実際の発音は第2声＋軽声ではありません。理屈通りにやると硬い，へんな感じになります。低い第3声のような感じで shén を出し，me の部分でやや高く上がります。グラフをみると shén で下がり，me で上昇しているのが分かります。どうも2音節の疑問詞は声調の形がくずれるようなのです。

あとで出てくる"怎么"zěnme（これも2音節疑問詞！）にも同じような現象が観察されます。

◆ 活用 Key Sentence　　　　　　　　　　　　　CD1-53

見たことはあるが意味のはっきりしない言葉，それを聞いてみましょう。

　　"氧吧"Yǎngbā　是什么意思？

"氧吧"とは「酸素バー」のことです。"氧"は「酸素」，"吧"は「バー」です。ふつうのバーは"酒吧"jiǔbā といいます。

　　"触电"Chùdiàn　是什么意思？

"触电"は「感電する」という意味もありますが，新語としては「テレビや映画に出演する」こと。"电"に"触"れる，というわけですが，"电"が"电视"diànshì や"电影"diànyǐng を表しています。

この調子で，いろいろおき換えて質問ができます。

　　"酷"Kù
　　"买单"Mǎidān　　　　　　　　是什么意思？
　　"数码照相机"Shùmǎ zhàoxiàngjī

上の新語，意味が分かりますか？

　　　　　　　　　　　"酷" = クールでかっこいい。英語の *cool* から
　　　　　　　　　　　"买单" = 勘定を払う
　　　　　　　　　　　"数码照相机" = デジタルカメラ
　　　　　　　　　　　"氧吧" = 酸素バー。濃縮酸素を吸引して心と
　　　　　　　　　　　身体のリラクゼーションとリフレッシュをはかる。

～文法レッスン～

1. 動詞の"上"shàng と"下"xià

"上"は「のぼる，あがる」，"下"は「くだる，さがる」が基本的な意味です。

  上楼 shàng lóu   下楼 xià lóu
  上山 shàng shān   下山 xià shān

乗り物に乗ったり降りたりするのも"上""下"を使います。

  上车 shàngchē   下车 xiàchē
  上船 shàngchuán   下船 xiàchuán

"上船"は船に乗る，"下船"は「船を下りる」です。ところが面白いことに，"下船"には「船に乗る」という意味もあります。

これは船に乗るのにふつうの大きな船は地面より高いでしょう。ゆえに"上船"です。しかし，何と言っても船ですから，水面に浮かんでいます。水面は地面より低いでしょう。加えて小さな小舟なら，船に乗るのは地面より低いところに移動することになります。かくて，"下船"という言い方もできたのでしょう。しかし，大きな客船に乗るような時は"上船"というのがふつうです。

片方しかないものもあります。「雨がふる」や「雪がふる」です。

  ——   下雨 xià yǔ
  ——   下雪 xià xuě

「霜がおりる」も"下霜"xià shuāng ですし，霧も"下雾"xià wù と言います。さらに"下海"xiàhǎi（海に入る）や"下水"xiàshuǐ（水に入る）もそうです。商売を始めるの"下海"の反対は，比喩的に"上岸"shàng'àn などと言っています。

このほか「上から下へ」という方向しかないものは，やはり"下～"という語しかありません。"下蛋"xiàdàn（卵を生む），"下笔"xiàbǐ（書きはじめる）など。

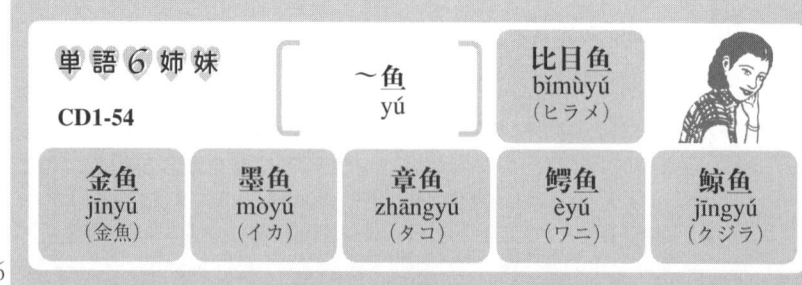

単語 6 姉妹 [～鱼 yú] 比目鱼 bǐmùyú（ヒラメ）

CD1-54

金鱼	墨鱼	章鱼	鳄鱼	鲸鱼
jīnyú	mòyú	zhāngyú	èyú	jīngyú
（金魚）	（イカ）	（タコ）	（ワニ）	（クジラ）

2．心理的な"上"と"下"

"上""下"はまた「どこどこへ行く」という意味でもよく使われます。"去"と違うのは，後に必ず目的語をともなうことです。

  上天堂　shàng tiāntáng　　　　下地獄　xià dìyù

天国に行くではなく，のぼる。地獄にも行くではなくて，くだる，ですね。これはよく分かります。さらに，

  上街　shàng jiē　　　　　　　下乡　xià xiāng

ここから街や都市は上にあるもの，田舎は下にあるものと考えていることが分かります。工場や現場，末端の組織に行くのは，上級のポストや役所から「下へおりて行く」という意識です。

  下工地　xià gōngdì（現場に行く）　下车间　xià chējiān（職場に行く）

機関や単位にも，人は上下をつけているものです。われわれも官僚や官僚機構を「お上」と呼んでいます。

任務につくのは"上任"shàngrèn と言いますし，"上岗"shànggǎng（持ち場につく）もそうですね。リストラは"下岗"xiàgǎng で，任務を解かれるのはやはり"下"です。

  上调　shàngdiào（栄転する）　　下放　xiàfàng（下級機関に下放する）
  上马　shàngmǎ（任務につく）　　下马　xiàmǎ（任務からおりる）

また命令を出したり，通知を出したりするのは上の者ということから，次のような表現もあります。

  下命令　xià mìnglìng　　　　下通知　xià tōngzhī
  下指示　xià zhǐshì　　　　　下文件　xià wénjiàn

この他，将棋や碁についても，具体的な動作の姿を見ています。"下象棋"xià xiàngqí や"下围棋"xià wéiqí などと言います。

こんなのもあるよ
美人鱼
měirényú
（人魚）

 😊 三郎 の文字なぞ

前回は「心が死にました」。今回も心にかかわる問題です。

  又　变　心　了。（また心変わり）
  Yòu biàn xīn le.

ヒントですか。"变"の字をご覧ください。これは中国の簡体字，日本の字とはどこか違いますね。

ことばの道草

それにつけても…

　お金にまつわる中国語を眺めましょうか。

　働いてお金を稼ぐことを"挣钱"zhèngqián と言います。よく似た表現で"赚钱"zhuànqián がありますが，こちらは「お金をもうける，利潤を得る」ほうです。この反対が"赔钱"péiqián（損をする）です。

　もうかったお金は，"花钱"huāqián（お金を使う）か，あるいは"存钱"cúnqián（貯金をする）です。"省钱"shěngqián（節約する）して少しでも貯金しましょう。

　しかし，銀行に預けたお金もいつかは使うのですから，いずれは"取钱"qǔqián（貯金をおろす）です。

　とかくこの世は"交钱"jiāoqián（お金を渡す）とか"付钱"fùqián（お金を払う）とか，"掏钱"tāoqián（自腹を切る）とか，"垫钱"diànqián（お金を立て替える）とか，まあ，お金の要ることばかりです。

　かくして"缺钱"quēqián（お金が不足）となれば"借钱"jièqián（お金を借りる）しかありません。そして，借りたお金は"还钱"huánqián（お金を返す）しなければなりません。返す時になって，お金の大切さを知ると言います。まさに，

　　有钱能使鬼推磨。 Yǒu qián néng shǐ guǐ tuī mò.
　　　（地獄の沙汰も金次第。お金が万能）

しかし，お金を持っては死ねません。

　　钱是身外之物。 Qián shì shēn wài zhī wù.（金は身外のもの）

お札じゃ鼻もかめません。使ってこそのお金です。

　　钱用在刀口上。 Qián yòngzài dāokǒu shang.
　　　（お金はここぞという処に使う）

恋 lián　　"变"の字は日本の字と違い，下が"又"。すなわち，"又"が"心"に"变"わり，"恋"の字ができあがる。「また心変わり」で恋が生まれるとは皮肉である。

❖ ここほれ中級 ❖

♣ ビビッとくる

"触电" chùdiàn という語がある。

電気に触れることで「感電する」という意味だ。

これが、しかし、最近新語としてよく使われるようになってきた。新語としては「映画やテレビに触れる→映画やテレビに出演する」という意味だ。"电" に触れるにはちがいないのだが、この場合の "电" とは "电影" であり、"电视" である。すでに「電気」ではない。

ところが、学生に「"触电" という新語があるが、どういう意味だと思うか」と質問したら、意外な答が返ってきた。

「感電したように、心にビビッとくること。だから、その、異性にときめくこと」

なるほど。こういう意味もあってよいかなと思わせる解答だ。

この「ビビッとくる」というのは、かつて日本の有名な女性歌手が、男に一目惚れしたときに使って、かなり有名になったセリフらしい。

中国人にこの新解釈を話したら、いや実は "触电" には「感電する」から派生して、そういう意味があるという。好きな人に会い、心がしびれ、ときめく感覚だ。

とすると、これは日中共通なセンスだ。念のためと思って、辞書を引いてみた。そしたらさすがに『現代漢語詞典』には出ていないが、最近の新しい辞書にはちゃんと出ているではないか。こんな例文だ。

　　我一见他就有触电的感觉。　　Wǒ yí jiàn tā jiù yǒu chùdiàn de gǎnjué.
　　（彼を一目みるやビビッとくるものがあった）

　　我们俩没有触电的感觉。　　Wǒmen liǎ méiyou chùdiàn de gǎnjué.
　　（私たち二人の間にはときめくものがない）

これに対して新語としての "触电"（映画やテレビに出演する）は全く別の派生系統だ。

そういえば "酷" kù なども、「酷似している」というときの「極めて」という意味や「残酷だ」というのが本来の意味なら、「クールでかっこいい」というのは英語の *cool* から来ているわけだから、これまた新語の "酷" は全く別系統ということになる。

129

第10話

新聞をとる

（田村。管理人室に向かって行く）

CD1-55

田村：**大爷，早上好！**
Tiáncūn : Dàye, zǎoshang hǎo!

大爷：**哦，田村哪！早！**
dàye : Ò, Tiáncūn na! Zǎo!

田村：**我想看《新民晚报》，这儿有吗？**
Wǒ xiǎng kàn «Xīnmín Wǎnbào», zhèr yǒu ma?

大爷：**有啊，在休息室。**
Yǒu a, zài xiūxishì.

田村：**谢谢！**
Xièxie!

田村：**这报纸可以拿回宿舍看吗？**
Zhè bàozhǐ kěyǐ náhui sùshè kàn ma?

大爷：**不行。**
Bùxíng.

田村：**是吗？那……我还是订一份儿吧。**
Shì ma? Nà…… wǒ háishi dìng yí fènr ba.

大爷，您知道怎么订吗？
Dàye, nín zhīdao zěnme dìng ma?

田村：(管理人室に向かって行きながら，入り口に立っている管理人に) おじさん，おはようございます！

おじさん：ああ，田村さん！　おはよう！

田村：『新民晩報』が読みたいんですけど，ここにありますか？

おじさん：あるよ，休憩室に。

田村：ありがとう！

(休憩室に行く。少しして，田村は新聞を手に休憩室から出て，たずねる)

田村：この新聞，宿舎に持って帰って読んでもいいですか？

おじさん：だめだね。

田村：そうですか？　じゃあ……やっぱり一部とろう。
　　　おじさん，どうやって予約するかご存じですか？

単語

早上好 zǎoshang hǎo ［組］おはようございます。(朝のあいさつ)

新民晩报 Xīnmín Wǎnbào ［固］上海の夕刊紙。

休息室 xiūxishì ［名］休憩室。

可以 kěyǐ ［助動］〜してもよい。〜してもかまわない。

不行 bùxíng ［形］ダメである。いけない。

是吗 shì ma ［組］そうですか。

订 dìng ［動］注文する。予約する。

一份儿 yí fènr ［組］一部。新聞などを数える。"份儿"は量詞。

怎么 zěnme ［副］どのようにして。どうやって。(やり方を問う)

131

大爷：**得 去 邮局 订。**
Děi qù yóujú dìng.

田村：**是 学校 门口 的 邮局 吗？**
Shì xuéxiào ménkǒu de yóujú ma?

大爷：**对。这样 吧！你 刚 来，不 熟悉，**
Duì. Zhèyàng ba! Nǐ gāng lái, bù shúxī,

我 替 你 去 订 吧。
wǒ tì nǐ qù dìng ba.

田村：**太 谢谢 您 了！**
Tài xièxie nín le!

麻烦 您 了！
Máfan nín le!

大爷：**不 麻烦。中午 休息 的 时侯，**
Bù máfan. Zhōngwǔ xiūxi de shíhou,

我 去 给 你 订。
wǒ qù gěi nǐ dìng.

田村：**大爷，您 真 好！**
Dàye, nín zhēn hǎo!

大爷：**欸，不用 客气，以后 有 事儿 尽管 说。**
Ěi, búyòng kèqi, yǐhòu yǒu shìr jǐnguǎn shuō.

田村：**再见！**
Zàijiàn!

おじさん：郵便局に行って予約しなければならないよ。

　　田村：学校の入り口にある郵便局ですか？

おじさん：そうだ。(少しして) こうしよう。あなたはまだ来たばかりで，不案
　　　　　内だから，私がかわりに頼みに行こう。

　　田村：どうもありがとうございます！

(お金を取り出し，管理人に渡す) **ご面倒をおかけします！**

おじさん：面倒なことなんてないよ。昼休みに予約しに行ってあげるよ。

　　田村：おじさん，本当に親切！

おじさん：いや，遠慮なく，これから用があったら何でも言いなさい。

　　田村：じゃあ。

単語

得 děi [助動] 〜しなければならない。ねばならない。

邮局 yóujú [名] 郵便局。

这样吧 zhèyàng ba [組] こうしましょう。"吧"で勧誘の語気を表す。

刚 gāng [副] 〜したばかり。

熟悉 shúxī [形] よく知っている。詳しい。

替 tì [介] 〜にかわって。〜のために。

麻烦您了 máfan nín le [組] ご面倒をおかけします。「ご面倒をおかけしました」と訳される場合もある。

中午 zhōngwǔ [名] お昼。正午。

给你订 gěi nǐ dìng [組] あなたのために予約する。"给"は「〜のために」。

有事儿 yǒu shìr [組] 用事がある。

尽管 jǐnguǎn [副] 遠慮なく。いくらでも。

Key Sentence

CD1-56

麻烦 您 了！
Máfan nín le !

ご面倒をおかけします

　　"麻烦您了！"は文末に"了"がありますが，「ご面倒をおかけしました」と「た」を使って過去形に訳すよりも「ご面倒をおかけします」と未来，あるいは現在形に訳すほうが多いようです。
　　スキットでもそうです。好恵さんのかわりに郵便局に行って手続きをしてくれるおじさんに，彼女が

　　　麻烦您了！　　Máfan nín le !

と言いますが，日本語訳としては「ご面倒をおかけします」ですね。次もそうです。

　　　帮我复印一下，麻烦你了！
　　　Bāng wǒ fùyìn yíxià, máfan nǐ le !
　　　　（ちょっとコピーをしてくれない，面倒をかけるね）

すでに何かをしてもらった場合は過去形に訳してもかまいません。

　　　谢谢，麻烦你了！
　　　Xièxie, máfan nǐ le !
　　　　（ありがとう，ご面倒をおかけしました）

● この文は全体があいさつ文のようなものです。つまり常用文です。
　重点は"麻烦"にあります。
　その他は軽く読めば結構です。
　"麻烦"のmáの部分ですが，始めのところはやや下がっています。これは第2声を出す準備段階の部分です。「上がるためにまず下がる」のです。
　こういう前段階と，用済みの後段階というのは，これから声調参号の画面上でよく出てきます。
　特に強調がおかれない"您"nín は軽く読まれ，位置も低いことが分かります。第2声だからといって，必ずしも「急激に上げ」なくてもよいわけです。

◆ 活用 Key Sentence　　　　　　　　　　　　　　　CD1-57

いろいろな頼みごとを言い，後で"麻烦您了"を添えます。友達や同僚に頼む時は"麻烦你了"で十分です。

1）请 把 这个 交给 李 老师， 　　Qǐng bǎ zhèige jiāogěi Lǐ lǎoshī, 2）请 你 转告 她 一下， 　　Qǐng nǐ zhuǎngào tā yíxià,	麻烦 你 了。 máfan nǐ le.
1）これを李先生に渡してください， 2）彼女にお伝えください，	ご面倒をおかけします。

最初に"麻烦你了"を言うこともできます。ただし，その時は"了"が消えます。

麻烦你，帮我复印一下。
Máfan nǐ, bāng wǒ fùyìn yíxià.
（すみませんが，ちょっとコピーをしてください）

頼みごとをまだ明らかにしないうちは"了"をつけないわけです。

～文法レッスン～

1．あいさつもできんようじゃ

あいさつはもうできますか。

你好！　　Nǐ hǎo！

你早！　　Nǐ zǎo！　　早！　Zǎo！　　早上好！　Zǎoshang hǎo！

晚上好！　Wǎnshang hǎo！　　您来了！　Nín lái le！

このぐらいはもうできるでしょう。中国のあいさつの基本は，「相手が今していることを表現する」ことです。これは私はあなたの存在を認めていますよということで，立派なあいさつになるのです。

下班啦！　　Xià bān la！　　（お帰り）
出去呀！　　Chūqu ya！　　（お出かけですか）
您忙哪！　　Nín máng na！　　（忙しいね）
您做饭呢！　Nín zuò fàn ne！　（御飯のしたくだね）
去散步啊！　Qù sànbù a！　　（お散歩ですか）
接孩子啦！　Jiē háizi la！　　（子供のお迎えですか）

日本語のように「決まり文句」がないぶん，臨機応変，適切なあいさつをその場で考えねばなりません。自由はつらいのです。

最も極端なのが，相手に呼び掛けるだけというものです。

王老师！　　Wáng lǎoshī！
好惠！　　　Hǎohuì！

これだけでもあなたの存在を私は認めていますよ，ということは伝えていますね。

単語6姉妹　CD1-58

〜室　shì

休息室 xiūxishì（休憩室）				
办公室 bàngōngshì（事務室）	教室 jiàoshì（教室）	会议室 huìyìshì（会議室）	医务室 yīwùshì（医務室）	传达室 chuándáshì（受け付け）

2．疑問詞かかえ型 "吗" 疑問文

疑問詞があれば，もうそれだけで疑問文になる。後ろにもはや "吗" はいらない。それが原則でした。でも，こんな疑問文もあるのです。

　　大爷，您知道怎么订吗？　Dàye, nín zhīdao zěnme dìng ma?

文末に "吗" がついています。ところが文中にも "怎么" という疑問詞をかかえ込んでいます。こういう疑問文を「疑問詞かかえ型 "吗" 疑問文」と呼んでいます。

　　您知道［怎么订］吗？

全体は "您知道～吗?"（あなたは～を知っていますか？）という形です。そして "知道" の目的語として "怎么订"（どう予約するか）が埋め込まれているわけです。次も同じタイプの文です。

	［现在几点］xiànzài jǐ diǎn	
你知道	［怎么走］zěnme zǒu	吗？
	［来了多少人］láile duōshao rén	

それぞれ "几"，"怎么"，"多少" といった疑問詞が使われています。"吗" をとりさり，主語を "我" にしてみます。

　　我知道　现在几点。　（私は今何時か知っている）

　　我知道　来了多少人。　（私は何人来たかを知っている）

ここから中国語の疑問詞は本質的に必ずしも疑問を表すものではないことが理解できます。もう少し例をあげます。

　　你想喝点儿什么吗？　（何かお飲みになりたいですか）

　　你想买点儿什么吗？　（何かお求めですか）

"吗" をはずします。意味の違いを確認してください。

　　你想喝点儿什么？　（何をお飲みになりますか）

　　你想买点儿什么？　（何をお求めですか）

ここはどこ？
研究室
yánjiūshì
（研究室）

您三郎の文字なぞ

知性とセンスがそろって初めて解ける中国文字当てクイズ。今日はこんな問題です。

　　比　天　还　高。（天より高い）
　　　Bǐ　tiān　hái　gāo.

さあ，天より高い文字とは何でしょう？

ことばの道草

《新民晩報》Xīnmín Wǎnbào

　上海の復旦大学に落ち着いた田村さん。まずは毎日のニュースを知るために，そして中国語の勉強のためにと新聞をとることにしました。
　日本と違い，新聞は郵便局が扱っていますから，予約をするには郵便局へ行かなければなりません。配達も郵便局の人がします。新聞だけではありません，雑誌の予約なども郵便局の管轄です。
　もちろん街のスタンドでも新聞や雑誌を買うことができます。しかし，定期的に手に入れるためには郵便局で予約して購読することになります。
　田村さんが購読しようとしたのが上海の夕刊紙《新民晩報》です。街の話題がたくさん載っていて市民に親しまれている新聞です。

　一方，首都北京で人気のあるのが《北京晩報》Běijīng Wǎnbào です。こちらも市民生活に密着した記事を載せています。

夫 fū　"天"の頭をちょっと突き出させ，"天"より高い"夫"を作る。文字の上のことではあるが，"夫"は天より高い存在なのだ。

❖ ここほれ中級 ❖

♣ "行"と"不行"

「ここでたばこを吸ってもよいですか」，中国語で言うなら，

　　　在这儿可以吸烟吗？　Zài zhèr kěyǐ xīyān ma?

です。さて，その答えですが，イエスなら，

　　　可以。　Kěyǐ.　　　行。　Xíng.

どちらでもかまいません。しかし，ノーなら

　　　×不可以。　Bù kěyǐ.　　○不行。　Bùxíng.

と，"不行"を使い，"不可以"とはあまり言いません。"不可以"では禁止命令がきつすぎます。スキットでも好恵さんが，新聞を部屋に持っていってよいかたずねていました。

　　　这报纸可以拿回宿舍看吗？　Zhè bàozhǐ kěyǐ náhui sùshè kàn ma?

答えはノー，つまり"不行"でした。"不可以"ではきつすぎます。

　イエスなら"行"，"可以"どちらでもかまいません。しかし否定は"不行"で，ということです。

　このように，イエス，OKは"行"，ノーとかダメは"不行"ですが，この２語，実はある特徴があります。それは他の語句とほとんど結合しないということです。たとえば「ダメな人」と言う時に，

　　　×不行的人

とは言えません。述語として単独に"那个人不行"nèige rén bùxíng（あいつはダメだ）と使うならよいのです。また後に目的語を従えることもできません。

　　　×不行拿走。（持っていってはいけない）
　　　×不行回家。（家に帰ってはいけない）

いずれも次のように"不能"を使います。

　　　不能拿走。　Bù néng názǒu.
　　　不能回家。　Bù néng huí jiā.

　結局，単独の述語として"行吗？"とか"不行吗？"と使うことが多いわけです。ただし"行不行？"という形は大丈夫です。

第11話 道をきく

（田村。一人で道に迷っている様子）　　　　　　　　　CD1-59

田村：**我 想 去 徐家汇……**
Tiáncūn：Wǒ xiǎng qù Xújiāhuì ......

过路人：**对不起，我 不 是 上海人。不 太 清楚。**
guòlùrén：Duìbuqǐ, wǒ bú shì Shànghǎirén. Bú tài qīngchu.

田村：**请问，去 徐家汇 怎么 走？**
Qǐngwèn, qù Xújiāhuì zěnme zǒu?

姑娘：**小姐，我 不 是 本地人，不 知道。**
gūniang：Xiǎojie, wǒ bú shì běndìrén, bù zhīdào.

田村：**怎么 都 不 是 上海人 啊？**
Zěnme dōu bú shì Shànghǎirén a?

女士：**你 要 去 徐家汇 吗？**
nǚshì：Nǐ yào qù Xújiāhuì ma?

田村：**是 啊，您 知道 怎么 走 吗？**
Shì a, nín zhīdao zěnme zǒu ma?

女士：**可以 坐 电车 去，车站 就 在**
Kěyǐ zuò diànchē qù, chēzhàn jiù zài
前面。
qiánmian.

田村：**谢谢。**
Xièxie.

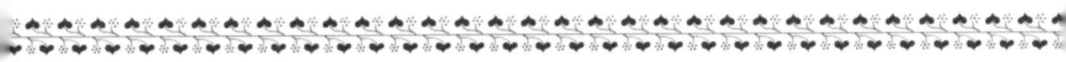

田村：（通りすがりの男性に）徐家匯へ行きたいんですが……

通行人：すみません，上海の人間じゃないんで。よく分かりません。

　　　　（通行人去る）

（また道行く若い女性にたずねる）

田村：**すみません，徐家匯へはどう行きますか？**

若い女性：お嬢さん，私は地元の人ではないので，分かりません。

　　　　（若い女性去る）

田村：（独り言）どうしてみんな上海の人じゃないんだろう？

女性：徐家匯に行きたいのですか？

田村：はい，どう行くかご存知ですか？

女性：トロリーバスで行ったらいいわ，バス停は前方にあるから。

田村：ありがとう。

（田村がバス停に行くと，エア・コン付きの車が来て，乗車する）

単語

徐家汇　Xújiāhuì　［固］上海のおしゃれでにぎやかなスポット。

不太　bú tài　［組］それほど～でない。

清楚　qīngchu　［形］詳しい。よく知っている。

本地人　běndìrén　［名］そこの土地の人。現地の人。

不知道　bù zhīdào　［組］知らない。"道"が第4声で読まれる点に注意。

怎么　zěnme　［副］どうして。いぶかりを表す疑問詞。

电车　diànchē　［名］電車。ただし「トロリーバス」のことも"无轨电车" wúguǐ diànchē と言い"电车"の仲間である。

车站　chēzhàn　［名］（列車やバスの）駅。

前面　qiánmiàn　［名］前方。前の方。

田村： 买 一 张 到 徐家汇 的 票。
　　　Mǎi yì zhāng dào Xújiāhuì de piào.

售票员： 徐家汇， 方向 坐反 了。 请 在 下
shòupiàoyuán : Xújiāhuì, fāngxiàng zuòfǎn le. Qǐng zài xià

一 站 下车， 坐 对面 来 的 车。
yí zhàn xiàchē, zuò duìmiàn lái de chē.

発音のポイント

"姐姐" jiějie と "小姐" xiǎojie

　見た目はどちらも「第3声＋軽声」ですが，実際の発音は2タイプに分かれます。

　これは2音節目の軽声が本来は第3声だからです。本来の声調がまだ影響力を有するものと，完全に枯れた軽声とがあるのです。

A： 姐姐　　奶奶　　椅子　　── このまま「第3声＋軽声」
　　 jiějie　nǎinai　yǐzi　　　　　に読みます。

B： 小姐　　想想　　手里　　── 声調変化を起こし「第2声
　　 xiǎojie xiǎngxiang shǒuli　　　＋軽声」に読みます。

　後ろの要素があるとないでは大違い！という時は変化します。例えば"手"は「手」だが"手里"は「手の中」です。

田村：（車掌に）徐家匯まで1枚。

車掌：徐家匯？　方向が逆よ。次のバス停で降りて，反対から来る車に乗るのよ。

（田村は急いで降り，それから目で通りの向かいの停留所を探す）

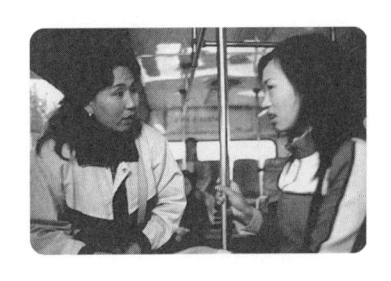

単語

票　piào　［名］切符。チケット。

售票员　shòupiàoyuán　［名］車掌。

坐反　zuòfǎn　［名］間違って反対方向の車に乗る。

下一站　xià yí zhàn　［組］次の駅。次の停留所。

对面　duìmiàn　［名］向こう側。真正面。反対側。

Key Sentence
CD1-60

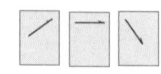

请问，去　徐家汇　怎么　走？
Qǐngwèn, qù　Xújiāhuì　zěnme　zǒu?

すみません，徐家匯へはどう行きますか

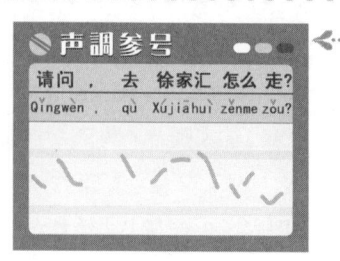

　"请问"はすでに学びました。この"请"qǐng は古典中国語に由来する用法で，相手に自分があることをするのをお許しくださいという意味で，「私がたずねるのをお許しください→質問させてください」ということです。

　"请问"の後には，必ず言葉が続きます。ここでは，"去徐家汇怎么走"が続いています。"去"qù は"到"dào とおき換えることができます。

　　到徐家汇怎么走？　Dào Xújiāhuì zěnme zǒu?
　　到车站怎么走？　Dào chēzhàn zěnme zǒu?
　　（駅へはどう行きますか）

　"怎么"zěnme は「どのように」，方法をたずねる用法です。

　　你的名字怎么写？　Nǐ de míngzi zěnme xiě?
　　（あなたの名前はどう書くのですか）

　　用汉语怎么说？　Yòng Hànyǔ zěnme shuō?
　　（中国語でどのように言うのですか）

●この文の重点はどこでしょう。二つあると思います。
　まず"请问"です。なぜなら、こう言って道行く人の注意を引きつけなければならないからです。特に"请问"の"问"の部分，後ろが強いことを確認してください。
　もう一つは言うまでもなく"徐家汇"Xújiāhuìです。目的地です。ここをはっきりと発音します。
　最後の"怎么走"zěnme zǒu ですが、ここはやや軽くなります。
　"怎么"が出てきました。2音節の疑問詞です。長さも短く、形も"什么"とよく似ています。zěn は低くする準備をして下がったかと思うと、すぐに me の上昇に転じています。
　2音節疑問詞は，よく使われるものだけに、(ちょっと大胆な仮説ですが) 経済の原則が働き、1音節化へ向けて形がくずれてきているのではないかと考えられます。

◆ 活用 Key Sentence　　　　　　　　　　　　　CD1-61

"徐家汇"のかわりに、いろいろ行きたいところを入れて聞いてみましょう。

去 Qù	南京路 Nánjīnglù	怎么 走? zěnme zǒu?	（南京路にはどう行きますか）
	外滩 Wàitān		（外灘にはどう行きますか）
	上海站 Shànghǎizhàn		（上海駅にはどう行きますか）

～文法レッスン～

1.「さほど」の "不太" bú tài

あからさまな否定は，時にためらわれます。それは中国語でも同じです。
「ちょっとよく分かりません」とか「あまりよく知りません」というように，婉曲な言い回しも必要です。そんな時に "不太" を使います。

　　不太清楚　bú tài qīngchu　（あまり詳しくありません）
　　不太知道　bú tài zhīdào　（あまりよく知りません）
　　不太明白　bú tài míngbai　（あまりよく分かりません）
　　不太懂　　bú tài dǒng　　（あまりよく知りません）
　　不太了解　bú tài liǎojiě　（あまりよく理解していません）

このほか，"不太" は広く形容詞と結びつきます。

　　不太 ‖ 便宜 piányi　好 hǎo　干净 gānjìng　容易 róngyì　近 jìn ‖ ……A
　　不太 ‖ 贵 guì　难 nán　脏 zāng　复杂 fùzá　远 yuǎn ‖ ……B

二つのグループに分けました。Aグループは一般に「好ましい」ことです。Bグループはその反対に「いやな」ことです。
興味深いことには，Aグループ，つまり［＋評価］の形容詞では "不太干净" と言ったらその概念は否定されてしまいます。あまりきれいでない。きたないに近い。
ところがBグループ，こちらは［－評価］の形容詞で，その概念は基本的には肯定される。つまり，"不太脏" といったら，きたないことはきたない，しかしまあそれほどではない，ということです。

　　不太 A……Aを否定　　**不太 B**……Bを肯定

どうしてこうなるのか。不思議ですね。

単語 6 姉妹　CD1-62　　［足を使って］　　走 zǒu（歩く）

| 跑 pǎo（走る） | 跳 tiào（跳ぶ） | 站 zhàn（立つ） | 踢 tī（ける） | 踩 cǎi（踏みつける） |

動詞にもつきます。

不太 ▎ 喜欢 xǐhuan　　受欢迎 shòu huānyíng　　注意 zhùyì　　想去 xiǎng qù ▎

これらは基本的には"很"がつくような動詞あるいは動詞フレーズです。つまり心理動詞であったり、状態動詞です。ところが次は違います。

不太说 bú tài shuō（あまり言わない）　　**不太用** bú tài yòng（あまり使わない）

これらは"很"hěn などがつかない動詞です。ですから特殊で、こういう例は少数です。

なお、"太"のときは"太～了"という形をとりました。しかし、"不太"では文末の"了"は要りません。

2．二つの"怎么" zěnme

"怎么"には二つの用法があります。方式をたずねる"怎么H"（H = how to）といぶかりをあらわす"怎么W"（W = why）です。

"怎么H"は「どうやって？」と疑問を表すものです。

去徐家汇怎么走？　　Qù Xújiāhuì zěnme zǒu ?
你是怎么来北京的？　Nǐ shì zěnme lái Běijīng de ?　（どうやって来たのか？）
这种手机怎么用？　　Zhèi zhǒng shǒujī zěnme yòng ?（どう使うか？）

上の例からも分かるように、"怎么H"は動作動詞と密着しています。

それに対して、"怎么W"は「どうして？」と意外な事実に気づいていぶかるものです。ですから、よく驚きや不満を表します。

他怎么不高兴了？　　Tā zěnme bù gāoxìng le ?
你怎么还在这儿？　　Nǐ zěnme hái zài zhèr ?
怎么又下雨了？　　　Zěnme yòu xià yǔ le ?

もう一つ、"怎么W"はあとの述語と密着せず、間が"不"とか"还""又"などで割かれていることが多いのも特徴です。

そして最後は
逛
guàng
（ぶらぶらする）

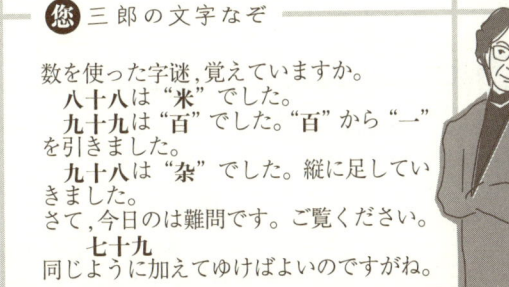

您 三郎の文字なぞ

数を使った字谜、覚えていますか。
八十八は"米"でした。
九十九は"白"でした。"百"から"一"を引きました。
九十八は"杂"でした。縦に足していきました。
さて、今日のは難問です。ご覧ください。
七十九
同じように加えてゆけばよいのですがね。

ことばの道草

"电车"って「バス」!?

　好恵さんは，親切な人に"电车"diànchēに乗ればよいと言われました。ところが好恵さんが乗ったのは"汽车"qìchēでした。"汽车"と言っても，自動車ではなくバスです。バスのことを正式には"公共汽车"gōnggòng qìchēと言います。

　それにしても"电车"と"汽车"，紛らわしいですね。

　実は中国語の"电车"とは，日本ではバスなのです。いや，正確には「時々バスになる」のです。

　テキストで中年の女性が言っていた"电车"とは"无轨电车"wúguǐ diànchēのことで，これは日本語ではトロリーバスのことです。

　"无轨电车"，直訳すれば「無軌道電車」，つまり線路のない電車です。我々が考える電車は"有轨电车"yǒuguǐ diànchēです。線路のあるやつです。線路があろうがなかろうが，その動力は電気で，それを架空電線から得て走っているわけです。

　タイヤはゴムですし，見た目はバスと同じで，動力機構だけが異なります。日本では見た目がバスということから「トロリーバス」と呼んでいますが，中国では，その動力源に着目して"电车"と呼んでいます。

　この伝でゆくと"汽车"qìchēは"汽油"qìyóu（ガソリン）で走る車ということでしょうし，"火车"huǒchēは石炭を焚いてその火の力で走るから名付けられたのでしょうか。このあたりになると自信はありません。

轨 guǐ　「軌」の簡体字。"七十"qīshíを縦に加えて"车"chē偏ができる！　あとは"九"jiǔを右に添えればよい。

148

❖ ここほれ中級 ❖

♣ なぜ？どうして？——"怎么"zěnme と "为什么"wèi shénme

　昔むかし，まだ東京に都電が走っていたころのことです。
　中国人の女の子とデートしていました。ところが，これからという時に（何がこれからなのかは定かでありませんが）彼女はもう帰ると言い出したのです。慌てた私は，「まだ9時だよ，どうしてもう帰るの」と説得にかかりました。

　　　现在9点，你怎么回去？　　Xiànzài jiǔ diǎn, nǐ zěnme huíqu?

すると，彼女はすまして，

　　　我坐地铁回去。　　Wǒ zuò dìtiě huíqu.

と答えて，すたすたと地下鉄の入り口へ消えて行きました。私はおのが中国語の未熟さにただ呆然と立ち尽くしておりました。（文法上の誤謬を犯せしショックのほうが，彼女が帰ったことより大きかったようだ）

　"怎么回去"は"怎么"+動作動詞"回去"ですから，原則通り「どのように帰るのか」と方式を問うているのです。彼女は正しく返答したわけです。もし，「どうしてこんなに早く帰ってしまうの」と言いたければ，

　　　现在9点，还早呢，你怎么这么早就回去？
　　　Xiànzài jiǔ diǎn, hái zǎo ne, nǐ zěnme zhème zǎo jiù huíqu?

のように言うべきでした。これなら"怎么"と"回去"の間が割かれています。いぶかって「どうして？」とたずねる"怎么"です。

　このように"怎么"は意外な気持ちや，相手を責める気持ちが入ります。これに対して，"为什么"wèi shénme はもっと客観的に原因や目的をたずねるものです。

　　　你为什么哭？　　Nǐ wèi shénme kū？（なぜ泣くのか。何が悲しいのか）

　　　你为什么躲我？　　Nǐ wèi shénme duǒ wǒ？（なぜ私を避けるのか）

　　　他们为什么分居了？　　Tāmen wèi shénme fēnjū le？
　　　（彼らはどうして別居したのか）

　"你怎么哭？"と言ったら，これは「あなたはどういう風に泣くのか」と方式をたずねています。泣いている人をなぐさめることにはなりません。念のため。

第12話 書店にて

（田村と劉，上海書城で。二人は中国語学習教材の売り場に着く）　CD1-63

刘欣欣	：好惠， 那边儿 是 有关 语言 的 书。
Liú Xīnxīn	：Hǎohuì, nèibiānr shì yǒuguān yǔyán de shū.

田村	：欸，欣欣，你 看，这 本 词典 好 吗？
Tiáncūn	：Éi, Xīnxīn, nǐ kàn, zhèi běn cídiǎn hǎo ma?

刘欣欣	：不错，我 觉得 很 好。
	：Búcuò, wǒ juéde hěn hǎo.

田村	：那，这 本 呢？
	：Nà, zhèi běn ne?

刘欣欣	：一般。（道草）
	：Yìbān.

*　　　*　　　*

田村	：一共 多少 钱？ (Key)
	：Yígòng duōshao qián?

收款员	：一共 285 块 6 毛。(文法)
shōukuǎnyuán	：Yígòng èrbǎi bāshiwǔ kuài liù máo.

收款员	：收 你 300 块。
	：Shōu nǐ sānbǎi kuài.

	找 你 14 块 4 毛。再见！
	Zhǎo nǐ shísì kuài sì máo. Zàijiàn!

劉：好恵，あそこに言語関係の本があるよ。

（田村と劉は歩いて行き，中国語学習教材をぱらぱらめくったり，選んだりする）

田村：ねえ，欣欣，見て，この辞典いいかな？

劉：（辞典を見て）いい，とってもいいと思う。

田村：じゃ，この本は？

劉：（本を見て）ふつうだね。

（田村と劉は会計カウンターに行き，それぞれお金を支払う）

田村：**全部でいくらですか？**

会計係：全部で285元6角です。

（田村，お金を渡す）

会計係：300元お預かりします。

（お金を受け取り，レシートと釣り銭を渡す）14元4角のお釣りです。さようなら。

（二人は支払いを済ませてカウンターを離れる）

単語

那边儿 nèibiānr ［名］あちら。あっち。

有关 yǒuguān ［動］〜に関係する。〜に関する。

语言 yǔyán ［名］言語。言葉。

词典 cídiǎn ［名］辞書。"字典" zìdiǎn と区別される。

不错 búcuò ［形］悪くない。よい。

觉得 juéde ［動］〜と思う。感じる。

那 nà ［接］それじゃ。じゃあ。

一般 yìbān ［形］ふつうだ。一般的だ。

一共多少钱 yígòng duōshao qián ［組］全部でいくらですか。

收款员 shōukuǎnyuán ［名］会計係。

块 kuài ［量］お金の単位。元。

毛 máo ［量］お金の単位。角。

收 shōu ［動］おさめる。受け取る。二重目的語をとる。

找 zhǎo ［動］お釣りを出す。二重目的語をとる。

田村：**我 还 想 买 VCD。**〔中級〕
　　　Wǒ hái xiǎng mǎi VCD.

刘欣欣：**VCD 在 下面。**
　　　　VCD zài xiàmian.

田村：**哎呀！**
　　　Āiyā!

相撞的人：**对不起， 对不起！**
xiāngzhuàng de rén : Duìbuqǐ, duìbuqǐ!

発音のポイント ············ "这"の発音 ── zhè と zhèi

"这"は最重要語の一つですが，この発音が2つあります。
　　zhè　zhèi
です。常に zhè でよいのですが，話し言葉などではよく zhèi の音が聞かれます。zhè と zhèi の発音は大体次のように考えておけばよいでしょう。

1. "这"が単独で用いられている時は zhè
　　这　　这 是 什么?
　　zhè　 Zhè shì shénme?

2. 後に名詞が続く時は zhè
　　这 东西
　　zhè dōngxi

3. 後に量詞や数量詞が続くとき，話し言葉ではよく zhèi
　　这个　　这 两 本 书　　这些
　　zhèige　zhèi liǎng běn shū　zhèixiē

以上のルールは"那"nà や"哪"nǎ の場合も同じです。後ろに量詞や数量詞が来た時に，よく nèi や něi と読まれます。

　　那 是 谁?　　那个　　那 两 个 人　　　　哪个
　　Nà shì shéi?　nèige　nèi liǎng ge rén　　něige

田村：私あとVCDも買いたい。

劉：VCDは下だね。

（二人はおしゃべりに気をとられ，うっかり人にぶつかってしまう）

田村：（驚いて）あー！

ぶつかった人：（慌てて）ごめんなさい，ごめんなさい！

単語

还 hái ［副］さらに。他に。そのうえ。

下面 xiàmian ［名］下。下の方。

Key Sentence

CD1-64

一共　多少　钱？
Yígòng　duōshao　qián?

全部でいくらですか

声調参号
一共　多少　钱?
Yígòng duōshao qián?

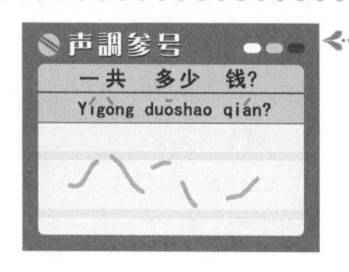

　　値段をたずねる言い方です。

　　最初に"一共"yígòngがありますから，「全部でいくらですか」。合計する金額が複数個ある時に使います。

　　"多少"duōshaoは「いくら」，数をたずねる疑問詞です。これがあるため全体が疑問文になっています。

　　もう一つ，数をたずねる疑問詞に"几"jǐがあります。"多少"との違いはご存じでしょう。

　　"几"jǐ：10以内の数を予想して言う。後に量詞が必要。

　　　一共几个人？　Yígòng jǐ ge rén?

　　"多少"duōshao：数に制限なし。後の量詞は省略可能。

　　　一共多少人？　Yígòng duōshao rén?

この Key Sentence も，もし量詞を入れれば

　　　一共多少块钱？　Yígòng duōshao kuài qián?

となります。"块"kuài はお金を数える単位ですね。

●この文の重点はどこにあるのでしょう。
「いくら？」と金額を聞いているのですから"多少"にありそうに思いますが，そうではないようです。
　声調の形をご覧ください。むしろ"一共"yígòng が明瞭に発音されています。yí のところは「上がるためにまず下がる」が観察されます。
　そして"多少"duōshao です。これも 2 音節の疑問詞です。duōshao の長さに注目してください。2 音節なのに"一共"の"共"gòng と同じぐらいの長さしかありません。2 音節疑問詞の 1 音節化仮説がますます有力になってきます。
　実際，"多少"の後ろの部分"少"は話し言葉では，ひょいと舌を立てて r にするぐらいで済ませている（= duōr）というのが私の観察です。r にするとは，そり舌音の格好だけはするということです。

活用 Key Sentence

CD1-65

ふつうに金額を「いくらですか」と聞く時は"一共"をはずし，

多少钱？ 　Duōshao qián ?

と言います。さらに「一個いくらですか」とたずねるなら

多少钱一个？ 　Duōshao qián yí ge ?

となります。"一个"を後に添えます。
　モノによって量詞を使い分けることも必要です。紙や切手なら"张"zhāng ですし，「一山いくら」と聞きたいなら"堆"duī です。

多少钱一张？ 　Duōshao qián yì zhāng ?
　　（一枚いくらですか）

多少钱一堆？ 　Duōshao qián yì duī ?
　　（一山いくらですか）

～文法レッスン～

◆お金に詳しくなろう

中国に行って，一番お世話になるもの，それがお金です。
お金のしくみを理解しましょう。

日本は単位が「円」だけですが，中国語では三つあります。しかも話す時と，印刷されたり書かれている時とで違いますから，ちょっと厄介です。

話す時：kuài 块　　　máo 毛　　　fēn 分
書く時：yuán 元（圆）　jiǎo 角　　fēn 分

「人民元」というように，"元"が基本単位です。
1元は10角です。1角は10分です。

いくつか値段の言い方を並べておきます。（　）でくくったところ，すなわち最後の単位は省略することができます。

2.00　liǎng kuài　　　　　两块
3.50　sān kuài wǔ (máo)　　三块五（毛）
4.73　sì kuài qī máo sān (fēn)　四块七毛三（分）
5.90　wǔ kuài jiǔ (máo)　　五块九（毛）

単語 6 姉妹　　[お札の人物]

CD1-66

毛泽东
Máo Zédōng
（毛沢東）

周恩来　　刘少奇　　朱德　　农民　　工人
Zhōu Ēnlái　Liú Shàoqí　Zhū Dé　nóngmín　gōngrén
（周恩来）　（劉少奇）　（朱德）　（農民）　（労働者）

◆ 100元と50元

　中国の紙幣を手にされたことがありますか。ご覧ください。最高額の100元そして50元です。

　まず100元札に注目してください。4人の横顔が並んでいますが，これは現代中国建国の父とも言うべき人々。中国語を学ぶのであれば，この4名はぜひとも知っておいてほしい人物です。もちろん中国語で名前が言えるように，さらに中国語で言われてもすぐ分かることが望ましいわけです。

手前から

1）Máo Zédōng　　毛　泽东
2）Zhōu Ēnlái　　周　恩来
3）Liú Shàoqí　　刘　少奇
4）Zhū Dé　　　　朱　德

　次は50元札のほうをご覧ください。これは現代中国を支えている人々です。手前から順に「労働者」「農民」「知識人」の3種の職業を表しています。知識人というのは，教員，新聞記者，エンジニア，医師，科学者など幅広い人々を指します。

　今のお礼は100元札も50元札も，毛沢東一人のデザインのものが出てきましたが，少し前はこんなふうににぎやかでした。

手前から

1）gōngrén　　　工人
2）nóngmín　　　农民
3）zhīshi fènzǐ　知识分子

そして最後は
知识分子
zhīshi fènzǐ
（知識人）

您 三郎の文字なぞ

あなたの文字センスを磨く中国四千年の字謎。今日はやさしいものを。

　　明日走。 Míngrì zǒu.

これを「明日出かける」と意味をとっては解けません。ヒント："走"とは「その場を離れて，どこかへ去る」こと。

ことばの道草

"一般"って「ふつう」？

　好恵さんが一冊の本を手にして「この本どう？」とたずねると，劉さんは一言，
　　一般。Yìbān.
と答えました。"一般"yìbān とは「ふつう」ということです。「ふつうの若者」とか「ふつうの人」を"一般"を使って次のように言うことができます。
　　一般青年　yìbān qīngnián　　一般人　yìbānrén
　しかし，評価について"一般"を使えば，婉曲的に，あまり芳しくないと言っているのです。
　　这儿的菜味道很一般。　Zhèr de cài wèidao hěn yìbān.
　　（ここの料理は味がごくふつうだ＝それほどよくない）
　また，たとえば彼の成績があまり芳しくないとき，あからさまに"差"chà とか"不好"bù hǎo を使わず，
　　他的学习成绩很一般。　Tā de xuéxí chéngjì hěn yìbān.
と言います。さらに，こんな言い方もよく耳にします。
　　不怎么好，很一般哪！　Bù zěnme hǎo, hěn yìbān na!
やはり「ありきたりだ」ということです。以上から，「すぐれた，すばらしい」の反対として"一般"があることが理解できます。
　また親しい関係かどうかでも"一般"はよく使われます。
　　我们只是一般的朋友。　Wǒmen zhǐ shì yìbān de péngyou.
こう言ったら恋人同士ではなくて，ごくふつうの友達だということです。こちらの"一般"の背後には，男女の恋愛関係があります。

月 yuè　一つ一つの漢字をオブジェとして捉え，「明, 日が"走"」と見る。"明"から"日"が"走"するのです。"走"とは「その場を去る」こと。すると"明"引く"日"で，残るは"月"。この引き算は字謎にはよく使われます。

❖ ここほれ中級 ❖

♣中国にもローマ字外来語

　中国の外来語は意訳が中心。日本でコンピュータと言うところ，中国語では"电脑"diànnǎo。マウスは"鼠标"shǔbiāo ですし，ハッカーは"黑客"hēikè です。"网虫"wǎngchóng と言ったら「インターネット・オタク」ですね。一日中ネットサーフィンをしているのでしょう。

　そんな中国ですが，最近はローマ字外来語も増えてきました。

【VCD】VCD（Video Compact Disk）　ビデオ・コンパクト・ディスク。
【T恤衫】T xùshān　Tシャツ。T型のニットシャツ。
【PC机】PC jī　パーソナルコンピュータ。"个人电脑" gèrén diànnǎo とも。
【AA制】AA zhì　割り勘にすること。ギリシャ語に由来し，各々等量に，同量の意から。例：**我们俩吃饭总是AA制**。Wǒmen liǎ chīfàn zǒng shì AAzhì.（僕らは食事はいつも割り勘だ）
【BP机】BP jī　ポケベル。例：**我的BP机响了**。Wǒ de BPjī xiǎng le.（僕のポケベルが鳴ってる）
【IT产业】IT chǎnyè　IT（Information Technology）産業。
【卡拉OK】kǎlā OK　カラオケ。例：**她常去唱卡拉OK**。Tā cháng qù chàng kǎlā OK.（彼女はよくカラオケに行く）

街の看板

第13話 上海の変化

（田村と劉，タクシーの中，高架道路で学校に戻るところ）　CD1-67

田村　　：没　想到　买了　这么　多　书。
Tiáncūn　　Méi xiǎngdào mǎile zhème duō shū.

刘欣欣：都　快　拿不动　了。
Liú Xīnxīn　Dōu kuài nábudòng le.

田村　　：欣欣，我　来　上海　后　有　一　个　感觉。
　　　　　Xīnxīn, wǒ lái Shànghǎi hòu yǒu yí ge gǎnjué.

刘欣欣：什么　感觉？
　　　　　Shénme gǎnjué?

田村　　：上海　的　高楼　很　多。你　看，
　　　　　Shànghǎi de gāolóu hěn duō. Nǐ kàn,

都　是　高楼。
dōu shì gāolóu.

刘欣欣：对，这　十　多　年　上海　变化　很　大。
　　　　　Duì, zhè shí duō nián Shànghǎi biànhuà hěn dà.

田村　　：是　吗？
　　　　　Shì ma?

刘欣欣：是　啊。几　年　前，这　高架路　和　许多
　　　　　Shì a. Jǐ nián qián, zhè gāojiàlù hé xǔduō

高楼　还　没有　呢。
gāolóu hái méiyou ne.

田村：こんなにたくさん本を買うとは思わなかった。

劉：もう重くて持てないぐらい。

（田村は窓の外に目をやる）

田村：欣欣，私上海に来てからひとつ感じたことがあるんだけど。

劉：どんなこと？

田村：上海は高層ビルが本当に多いということ。（窓の外を指す）見て，全部高層ビル。

劉：そう，ここ十数年の上海の変わりようは大変なものよ。

田村：そうなの？

劉：そう。数年前は，この高架道路やたくさんの高層ビルはまだなかったの。

単語

没想到 méi xiǎngdao〔組〕想像しなかった。思いもつかなかった。（予想外だという気持ちを含む）

这么 zhème〔副〕こんなに。そんなに。

都 dōu〔副〕もう，すっかり。「すべて」という用法ではない。

快〜了 kuài〜le〔組〕もうすぐ〜になる。間もなく〜となる。

拿不动 nábudòng〔動〕（重くて）持つことができない。

感觉 gǎnjué〔名〕感じ。感覚。思い。

高楼 gāolóu〔名〕高層ビル。

十多年 shí duō nián〔組〕10数年。

变化 biànhuà〔名〕変化。

是吗 shì ma〔組〕そうですか。

高架路 gāojiàlù〔名〕上海市内の高架道路。（東京の首都高速のように高架になっている，但し有料ではない）

许多 xǔduō〔形〕たくさんの。

司机：这 叫 "一 年 一 个 样，三 年
sījī : Zhè jiào "yì nián yí ge yàng, sān nián

大 变 样"。
dà biàn yàng".

田村：是 吗？
Shì ma?

刘欣欣：对，这 句 话 快 成 上海 的 广告词儿
Duì, zhèi jù huà kuài chéng Shànghǎi de guǎnggàocír

了，人人 都 知道。
le, rénrén dōu zhīdao.

司机：去年 我 停了 一 年，今年 换了 个
Qùnián wǒ tíngle yì nián, jīnnián huànle ge

公司。你 猜 怎么着？
gōngsī. Nǐ cāi zěnmezhao?

田村：不 知道。
Bù zhīdào.

司机：一 上来 不 会 开 了。
Yí shànglai bú huì kāi le.

田村：怎么 会 呢？
Zěnme huì ne?

司机：不 知道 怎么 走 呀。新 修了 不少 路，
Bù zhīdào zěnme zǒu ya. Xīn xiūle bùshǎo lù,

增加了 许多 单行道。变得 太 快 了。
zēngjiāle xǔduō dānxíngdào. Biànde tài kuài le.

発音のポイント ……… 舌を立てよう　zhi chi shi ri

そり舌音といいますが，実際は舌を立てれば十分です。
li との対比でやってみましょう。

● [ねている] + [立っている] の組み合わせ

荔枝　lìzhī　ライチ
历史　lìshǐ　歴史
地址　dìzhǐ　アドレス

立っているのが zhi
ねているのが li

運転手：（口をはさむ）こういうのを「一年で様変わり，三年で大変化」って言うんですよ。

田村：（驚いて）そうですか？

劉：そのとおり，この言葉はもう上海のキャッチフレーズと言っていいんじゃないかな，だれでも知っているから。

運転手：私は去年一年間休んで，今年会社をかえたんです。そしたらどうなったと思います？

田村：**分かりません。**

運転手：仕事を始めてみると，運転ができないんですよ。

田村：まさか？

運転手：どうやって走ったらいいか分からないんです。新しい道はたくさんできるわ，一方通行の道は増えるわで。

（頭を振る）こう変化がはやくてはね。

単語

大变样 dà biàn yàng ［組］おおいに姿を変える。

这句话 zhèi jù huà ［組］この言葉。この言い方。

广告词儿 guǎnggàocír ［名］キャッチフレーズ。うたい文句。

停 tíng ［動］とめる。やめる。停止する。

换公司 huàn gōngsī ［組］会社をかえる。別の会社に勤務する。

猜 cāi ［動］当てる。推測する。

怎么着 zěnmezhao ［動］どうなったか。

不知道 bù zhīdào ［組］知らない。"道"が第4声で読まれる点に注意。

上来 shànglai ［動］現れる。出てくる。仕事につく。

会 huì ［助動］できる。"不会" bú huì で「できない」。

开 kāi ［動］車を運転する。

修路 xiūlù ［動］道をつくる。

单行道 dānxíngdào ［名］一方通行の道。

163

Key Sentence

CD1-68

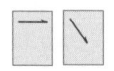

| ＼ | | ー | ＼ |

不　知道。
Bù　zhīdào

わかりません

　"知道" zhīdao は動詞ですが，否定は"不知道" bù zhīdào だけで，"没知道" méi～とは言いません。そう言えば"是"の否定も"不是"だけで，"没是"はありません。このほか，一般に形容詞も"不"で否定されます。

　さて，「知っている」を表すには，"知道"のほかに"认识" rènshi という動詞もあります。使い分けが必要です。たとえば「この字を知っている」と言う時，両方使えます。

　　我知道这个字。　　Wǒ zhīdao zhèige zì.

　　我认识这个字。　　Wǒ rènshi zhèige zì.

　"知道"は知識や情報として知っているということです。そういう字があること，存在を知っているにすぎません。

　それに対して，"认识"は「見知っている」ということ。より内容まで踏み込んだ言い方になります。大抵その字が読めて，書けることを表します。

　人についても同じようなことが言えます。"知道他"なら，その人のことを知識として知っている。"认识他"なら「見知っている」ということです。

　"认识"が使えるのはこのほか，たとえば"路" lù があります。

　　我不认识路。　　Wǒ bú rènshi lù.

地理不案内のときにこう言います。

● "知道"は辞書には zhīdao と出ています。第1声+軽声です。
　ところが，声調符号の示す真実をご覧ください。"道"は軽声ではありません。時間も一番長く，形もしっかりした第4声 dào です。
　こういう事実を反映させて，ピンイン表記でも，わざわざ第4声にしているのです。
　本来は軽声だが，否定辞が前にくると，原声調が復活するという現象は他にも見られます。たとえば"走进去""爬上来"などの方向補語の部分はいずれも軽く読みます。しかし，間に否定辞が入ると，その後の部分は原声調が復活します。

　　　走进去　zǒujinqu　　→　　走不进去　zǒubujìnqu
　　　爬上来　páshanglai　　→　　爬不上来　pábushànglai

◆ 活用 Key Sentence　　　　　　　　　　　　　　　　CD1-69

"知道"は動詞で，後に目的語をとることができます。

　　她不知道这件事。　Tā bù zhīdào zhèi jiàn shì.
　　（彼女はこの事を知らない）

　　我不知道日期。　Wǒ bù zhīdào rìqī.
　　（私は日にちを知らない）

単語だけでなく，文の形も目的語とすることができます。

　　我不知道今天要开会。　Wǒ bù zhīdào jīntiān yào kāihuì.
　　（私は今日会議のあることを知らない）

　　我不知道去外滩怎么走。　Wǒ bù zhīdào qù Wàitān zěnme zǒu.
　　（外灘にどう行くのか知りません）

　　他知道怎么办。　Tā zhīdao zěnme bàn.
　　（彼はどうすべきか知っている）

こういうことは"认识"にはできません。"认识"は名詞（句）を目的語にとるのみです。

～文法レッスン～

◆ "一年一个样" yì nián yí ge yàng の構造

"一年一个样" yì nián yí ge yàng とは「一年で一つの様子＝一つの変化」ということです。そのあと，"三年大变样" sān nián dà biàn yàng と続きました。これは「三年で大変化」という意味。結局，

「一年で一つの変化があり，それが毎年なので，三年で大変化になる」
ということで，上海の変貌の激しさを言う言葉です。

"一年一个样"のように，数字を前後に使う表現は中国語の中によく出てきます。しかも，それがどういう関係にあるかを示すマークは何もありません。

直感的に意味を会得するのが達人というものです。

しかし，まったく手がかりがないというのも困りますから，ここでは主なパターンを三つあげて解説しておきましょう。

1) 変化の頻繁なさまを言うもの

一天一个样　yì tiān yí ge yàng
（一日で一つの様子→毎日変化していること）

一会儿一个主意　yíhuìr yí ge zhǔyi
（しばらくたつと一つの考えがでる→すぐに新しい考えがでること）

一会儿往东一会儿往西　yíhuìr wǎng dōng yíhuìr wǎng xī
（しばらく東に向かったかとおもうと，また今度は西に向かう）

一阵儿风一阵儿雨　yízhènr fēng yízhènr yǔ
（ひとしきり風がふいたかとおもうと，今度はひとしきり雨が降る）

単語 6 姉妹
CD1-70

～车 chē

出租汽车 chūzū qìchē（タクシー）

公共汽车 gōnggòng qìchē（バス）
无轨电车 wúguǐ diànchē（トロリーバス）
自行车 zìxíngchē（自転車）
摩托车 mótuōchē（オートバイ）
火车 huǒchē（汽車）

2) 異なることを言うもの

  一个公司一个制度　yí ge gōngsī yí ge zhìdù
  （一つの会社には一つの制度→会社が違えば制度も異なる）

  一个地方一个风俗　yí ge dìfāng yí ge fēngsú（地方により風俗が異なる）

  一人一个想法　yì rén yí ge xiǎngfa（人はそれぞれの考えをもつ）

  一个将军一个令　yí ge jiāngjūn yí ge lìng（将軍が違えば命令が異なる）

3) 一つにつき平均いくらかを言うもの

  礼物一人一件　lǐwù yì rén yí jiàn（お土産は一人につき一つ）

  苹果一人一个　píngguǒ yì rén yí ge（りんごは一人一個）

  三人一组　sān rén yì zǔ（三人で一組）

  四人一间　sì rén yì jiān（四人で一部屋）

もちろん，これですべてのパターンが尽くされているわけではありません。たとえば次はどうでしょう。

  一寸光阴一寸金　yí cùn guāngyīn yí cùn jīn
  （一寸の光陰は一寸の金なり→時は金なり）

これは"一寸光阴"と"一寸金"が等しいことを言うわけで，また異なるパターンです。

こんな車もあるよ
救火车
jiùhuǒchē
（消防車）

悠三郎の文字なぞ

前回の引き算を応用して，もう少し複雑な問題をお出ししましょう。

  还　不　走，车　来　了。
  Hái bù zǒu, chē lái le.

これを「まだ行かないのか，車がきたよ」などと訳していては正解にはほど遠い。

ことばの道草

まさかの"会" huì

タクシーにのる愉しみの一つは運転手さんとのおしゃべりです。

人なつこい運転手さんもいます。呼び掛けは"司机"sījīではなく，"师傅"shīfuと言いましょう。

いろいろその街のことを質問するのもいいですね。ホットな情報を教えてくれることもあります。

スキットでも，突然運転手さんが口をはさんできました。

去年一年間，運転を休んで，今年は会社をかえて仕事に戻ったという話です。そうしたらどうなったと思います？　こう運転手さんが聞いてきました。なんと，

　　一上来不会开了。　Yí shànglai bú huì kāi le.

という話です。上海の変化の激しさが窺われます。

"开"とは"开车"kāi chēということ。"不会"は「できない」ですね。文末に"了"がついています。変化や新事態を表します。「運転ができなくなってしまった」というわけです。これを聞いて，

　　怎么会呢？　Zěnme huì ne?

と応じています。"怎么"は「どうして」といういぶかりの気持ちです。"会"は今度は「できる」ではなくて，「起こりうる，ありうる」という意味。全体で「どうしてそんなことがありうるのか→そんなことはありえない＝まさか，そんなばかな」という反語表現です。次のように言っても同じです。

　　不会吧。　Bú huì ba.（起こり得ないだろう→まさか）

習得してできる"会"と，起こりうる可能性を問題にする"会"。二つの"会"には要注意です。

连 lián　　"还"から"不"が"走"した。これで空っぽの「しんにゅう」が残ります。そこへ"车"がやってきて"连"というわけです。素直で典型的な字謎です。

♣ ここほれ中級 ♣

♣知っている四態：" 认识 " " 知道 " " 明白 " " 懂 "

" 认识 " rènshi は字とか道とか，パターン認識によく使われます。「見知っている」場合です。人に使われると，お互い見知っている間柄を言います。

　　来中国以后，我认识了很多朋友。
　　Lái Zhōngguó yǐhòu, wǒ rènshile hěn duō péngyou.
　　　（中国に来てから，たくさんの友達と知り合いになりました）
　　你们俩认识认识。　Nǐmen liǎ rènshirènshi.
　　　（お二人どうぞ自由にお知り合いになってください）
後の文は，たとえば二人を紹介して，あとは自由にやってくださいというような場合に使います。

" 知道 " zhīdao は対象について，一定の情報や知識をもっていることを表します。

　　这事他哥哥还不知道呢。　Zhè shì tā gēge hái bù zhīdào ne.
　　　（この件について，彼の兄はまだ知らない）
また，たとえば電話で明日の会議の場所と時間を知らされました。これで情報を得たわけですから，
　　知道了。　Zhīdao le.（分かりました）
と言います。
もし，疑問に思っていたことや，合点のいかなかったことについて，人に質問し，よく説明してもらって，それが分かったとします。こういう時には
　　明白了。　Míngbai le.（分かりました）
が適当です。真相が明らかになった時も " 明白 " míngbai です。

　　我才明白她为什么那么讨厌他。　Wǒ cái míngbai tā wèi shénme nàme tǎoyàn tā.
　　　（彼女がどうしてあんなに彼を嫌っているのか，やっと分かった）
ある分野のことについて詳しい，心得ているという時には " 懂 " dǒng がふさわしいでしょう。

　　懂法语　　dǒng Fǎyǔ　　（フランス語が分かる）
　　懂礼貌　　dǒng lǐmào　　（礼儀を心得ている）
　　懂艺术　　dǒng yìshù　　（芸術に造詣が深い）

第14話

二人の友人

（留学生寮の入り口）　　　　　　　　　　　　　CD1-71

大爷：哟，买了这么多书哇！
dàye: Yō, mǎile zhème duō shū wa!

田村、刘欣欣：大爷！
Tiáncūn、Liú Xīnxīn: Dàye!

刘欣欣：好惠，不好拿吧？我来帮你。
Hǎohuì, bù hǎo ná ba? Wǒ lái bāng nǐ.

田村：不用，我自己能拿。哎，你怎么
Bú yòng, wǒ zìjǐ néng ná. Ài, nǐ zěnme

拿呢？
ná ne?

大爷：别担心，你的书我来帮你拿。
Bié dānxīn, nǐ de shū wǒ lái bāng nǐ ná.

小刘的书嘛，再想办法。
Xiǎo-Liú de shū ma, zài xiǎng bànfǎ.

田村、刘欣欣：谢谢大爷！
Xièxie dàye!

江旭：嗨，你们打算开书店呀？
Jiāng Xù: Hài, nǐmen dǎsuan kāi shūdiàn ya?

大爷！
Dàye!

おじさん：おや，こんなにたくさん本を買ったの！
田村・劉：おじさん！
　　劉：好恵，持ちにくいでしょ？　**私手伝うわ。**
　　田村：いいの，自分で持てるよ。ねえ，あなたはどうやって運ぶの？
おじさん：心配無用，田村さんの本は私が持ってあげよう。劉さんのはね，また方法を考えるから。
田村・劉：おじさん，ありがとうございます！
（江が歩いてくる）
　　江：よお，君たち本屋でも開くの？（管理人に）おじさん！

単語

这么多书 zhème duō shū ［組］こんなにたくさんの本。

不好拿 bù hǎo ná ［組］持ちにくい。"好"は「～しやすい」。

我来帮你 wǒ lái bāng nǐ ［組］お手伝いしましょう。"来"はすすんで何かをする，積極的な姿勢を表す。

不用 bú yòng ［組］それには及ばない。その必要がない。

自己 zìjǐ ［名］自分（で）。

拿 ná ［動］手で持つ。

担心 dānxīn ［動］心配する。

嘛 ma ［助］そこにポーズをおき，次に言うことに注意を向けさせる。

想办法 xiǎng bànfǎ ［組］方法を考える。

打算 dǎsuan ［助動］～するつもりだ。

开书店 kāi shūdiàn ［組］本屋さんを開く。

171

大爷：你 来得 正 好，帮着 拿 一下。
　　　Nǐ láide zhèng hǎo, bāngzhe ná yíxià.

江旭：这 可 好，来得 早 不如 来得 巧。行！
　　　Zhè kě hǎo, láide zǎo bùrú láide qiǎo. Xíng!

　　　欣欣，咱们 走。
　　　Xīnxīn, zánmen zǒu.

　　　回头 见!
　　　Huítóu jiàn!

刘欣欣：好惠，大爷，我们 走 啦。回头 给 你 打
　　　　Hǎohuì, dàye, wǒmen zǒu la. Huítóu gěi nǐ dǎ

　　　电话 啊。
　　　diànhuà a.

大爷：田村 哪，想 什么 呢？快 回去 吧。
　　　Tiáncūn na, xiǎng shénme ne? Kuài huíqu ba.

発音のポイント

············-n か -ng か？

この音は最後が -n だったか -ng だったか迷うことがあります。たとえば "上" は shàn でしょうか，それとも shàng でしょうか。
こういう時には，日本の漢字音がヒントになります。

中国語で -n になるもの：日本漢字音で「-ン」で終わる

　例）山 shān　サン　　　前 qián　ゼン
　　　欢（歓）huān　カン　原 yuán　ゲン

中国語で -ng になるもの：日本漢字音で「-ウ」または「-イ」で終わる

　例）送 sòng　ソウ　　　上 shàng　ジョウ
　　　请 qǐng　セイ　　　朋 péng　ホウ

おじさん：ちょうどいいところに来てくれた，ちょっと持つのを手伝ってくれ。
(田村は江を見る，江が自分を手伝ってくれるのを願っているかのよう)
　　　江：(田村の表情には気づかなかったかのように) いいですよ，早く来るよりいいタイミングで来るのが一番だね。よしきた。(江は劉のかわりに本を持つ)
　　　江：欣欣，行こう。(振り返って田村と管理人に向かって) じゃ，また。
　　　劉：好恵，おじさん，失礼します。(田村に向かって) あとでまた電話するからね。
おじさん：(田村の気持ちを察して) 田村さん，何をぼんやりしているの。さあ，早く帰ろう。

単語

来得正好　láide zhèng hǎo　［組］ちょうどいいところに来た。

来得早不如来得巧　láide zǎo bùrú láide qiǎo　［組］早く来るより，よいタイミングで来るのが大事。"不如～"は「～のほうがよい」。

回头见　huítóu jiàn　［組］またあとで。

快回去吧　kuài huíqu ba　［組］はやく（宿舎へ）戻ろう。

Key Sentence

CD1-72

我　来　帮　你。
Wǒ　lái　bāng　nǐ.

私が手伝いましょう

相手が何か困っていて，手を貸そうという時につかいます。具体的に何をしてやればよいのか分かっている時に使います。

本文では，本が多くて，持つのに困っていました。

"来" lái は「来る」ではなく，積極的にすすんでやるという姿勢を表します。単に，

　　我　来　吧。
　　Wǒ　lái　ba.

と言っても分かります。

"帮你"は「あなたの手伝いをする」ということ。

"帮" bāng と "帮助" bāngzhù と "帮忙" bāngmáng の使い分けについては確認しておきましょう。(☞ここほれ中級)

●この文の眼目は"帮"bāng です。
　ここをはっきりと発音します。
　一般に人称代名詞は強く発音されることはありません。
　また，積極性を表す"来"lái も，そこにストレスがおかれることはありません。
　結局，"帮"bāng のみがはっきりと発音されることになります。
　なお，"我"や"你"の第3声の形をご覧ください。ここは，低くする努力が見られ，必ずしも平らではありませんね。低く，低くという努力は「下がり続ける」という調型になって現れています。

活用 Key Sentence　　　　　　　　　　　　　　CD1-73

　"帮"bāng「お手伝いしましょう」のかわりに，具体的な動詞を使ってもかまいません。たとえば"拿"ná（持つ）なら「私がお持ちしましょう」です。

我来拿吧。
Wǒ lái ná ba.

「私がやりましょう」もいいですね。"做"zuò（する，やる）を使います。

我来做吧。
Wǒ lái zuò ba.

ちょっとうまくいかない時，「僕が試しにやってみよう」と腕まくりして言います。これは"试"shì を重ねて使います。動詞の重ね型で，「～してみる」という意味合いがでます。

我来试试。
Wǒ lái shìshi.

～文法レッスン～

1. 呼びかけよう！

　好恵さんと劉さんが，たくさん本を抱えて帰ってきました。おじさんが出迎えます。すると二人はおじさんに，

　　大爷！ Dàye!

と呼びかけましたね。これがあいさつです。"大爷"（おじさん）と言うだけなのですが，日本人はこれができません。こういうあいさつの習慣がないためです。

　中国の人たちは，よくお互いを呼び合っています。家族とか近所の知り合いとか，ふだんの生活の場で目上の人に呼びかける時は，「おじさん」や「兄さん」のように，相手の役割名を言います。

　　周奶奶！ Zhōu nǎinai !　　**郑叔叔！** Zhèng shūshu !
　　阿姨！ Āyí !　　　　　　 **哥！** Gē !

　目下に対しては役割名は言いません。名前を直接言います。姓や名が1字なら，前に"小"などをつけます。単音節では呼びかけません。

　　小慧。 Xiǎo-Huì.　　**秀梅。** Xiùméi.
　　赵明。 Zhào Míng.　　**小刘。** Xiǎo-Liú.

以上はインフォーマルな，日常的な場面です。これが会社となると，公の場という感覚がでてきます。もっぱら姓を呼びます。姓の前には年齢によって"老"や"小"，"大"をつけ，やはり単音節では呼びかけません。

　　老张。 Lǎo-Zhāng.　　**老王。** Lǎo-Wáng.
　　小李。 Xiǎo-Lǐ.　　　**大刘。** Dà-Liú.

同僚とか仲間うちならこれでいいのですが，相手が役職についていれば，その役職

単語 6 姉妹
CD1-74

"打" dǎ の動作

打电话 dǎ diànhuà （電話をする）	
打的 dǎ dí （タクシーに乗る）	**打篮球** dǎ lánqíu （バスケットをする）
打毛衣 dǎ máoyī （セーターを編む）	**打伞** dǎ sǎn （傘をさす）
打招呼 dǎ zhāohu （あいさつをする）	

名をつけます。

　　王局长。Wáng júzhǎng.　　**钱经理**。Qián jīnglǐ.
　　唐部长。Táng bùzhǎng.　　**张科长**。Zhāng kēzhǎng.

これら役付きの人が部下を呼ぶ場合は，さきほどの年齢別呼び方を採用し，

　　老张。　**老王**。　**小李**。　**大刘**。

となります。学校では，学生は先生に対してはもちろん

　　老师！ Lǎoshī !　　**徐老师**！ Xú lǎoshī !

です。先生が学生を呼ぶ時はフルネームです。学生同士もフルネームで呼び合うのがふつうです。

2．"A 不如 B" は「A より B のほうがいい」

　二つをくらべて，「A より B のほうがいい」という時，よく"不如"bùrú を使います。次のことわざは聞いたことがあるでしょう。

　　百闻不如一见。Bǎi wén bùrú yí jiàn.（百聞は一見にしかず）

"不如"は文言的な表現です。これを使うとどうしても格言とかことわざのような雰囲気がでてきます。次も似たようなことを言っています。

　　听百次不如看一次，看百次不如做一次。
　　Tīng bǎi cì bùrú kàn yí cì, kàn bǎi cì bùrú zuò yí cì.
　　　（百回聞くより一回見た方がいい，百回見るより一度やるのがいい）

　最後は中国語版「遠くの親戚より近くの他人」。

　　远亲不如近邻，近邻不如对门。
　　Yuǎnqīn bùrú jìnlín , jìnlín bùrú duìmén.

「遠くの親戚よりご近所さんが頼り，ご近所さんよりお向かいさんが頼り」と 2 段構えです。さすが中国，奥が深い。

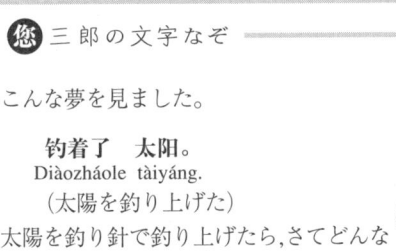

これはなに？
打扑克
dǎ pūkè
（トランプをする）

您 三郎の文字なぞ

こんな夢を見ました。

　　钓着了　太阳。
　　Diàozháole tàiyáng.
　　（太陽を釣り上げた）

太陽を釣り針で釣り上げたら，さてどんな字になるのでしょう。

ことばの道草

"再见"ばかりじゃ

中国の人とさよならするとき，何と言っていますか。日本人はほぼ100パーセント"再见！"と言うようです。ところが中国人同士は違います。
今日のスキット，江旭は別れしなにこう言いました。

　　回头见。 Huítóu jiàn.（またあとで）

"回头"とは「しばらくしてから」ということです。あとでまた会おうとか，しばらくしてから話そうというときに使います。

　　回头再谈。 Huítóu zài tán.

同じように「午後になって会おう」なら，次のように言います。

　　下午见。 Xiàwǔ jiàn.

「夜にまた会おう」とか「明日また」も同じ文型です。

　　晚上见。 Wǎnshang jiàn.

　　明天见。 Míngtiān jiàn.

これらはすべて，時間を表す名詞＋"见"でしたが，場所を表すことばを使うこともできます。「また北京で」とか「また学校で」です。

　　北京见。 Běijīng jiàn.

　　学校见。 Xuéxiào jiàn.

恋人同士が「じゃ，いつもの所で」と言うときはこうです。

　　老地方见。 Lǎo dìfang jiàn.

時間も添えましょう。時間は場所の前におきます。

　　回头老地方见。 Huítóu lǎo dìfang jiàn.（あとでいつもの所で）

以上が，また会う予定がある場合です。予定がないときはどうしましょう。次の二つをお勧めします。劉欣欣が言っていましたよ。

　　回头给你打电话啊。 Huítóu gěi nǐ dǎ diànhuà a.（また電話するから）

　　以后再联系。 Yǐhòu zài liánxì.（また連絡するから）

电 diàn 「太陽」とは「日」です。これを釣り針で引っ掛けます。すると"电"ができあがります。象形文字を生み出した民族のユーモアが感じられます。

ここほれ中級

♣ "帮" bāng と "帮忙" bāngmáng と "帮助" bāngzhù

「手伝う」「援助する」という意味の三つの単語。使い分けができますか。
"帮"は，後に必ず何か成分がつくのが特徴です。

　　×我来帮→○我来帮你

後ろにくるのは目的語とは限りません。補語でもかまいません。

　　帮人要帮到底。(人を助けるなら最後まで面倒をみる)

"帮忙"や"帮助"には，このような制限はありません。

　　我来帮忙　　你们互相帮助

"帮忙"はその構造が「動詞＋目的語」であることが最大の特徴です。しかも離合詞ですから，間を他の成分によって割かれることが頻繁です。

　　你可帮了我的大忙了。

　　劳驾，帮个忙！

重ね型も動詞の部分のみをくり返します。これは"散散步"などと同じです。

　　请帮帮忙！

注意すべきは，その特徴的な語構成のために，後に目的語をとれないことです。目的語は間に挟み込むか，前に出します。

　　×我来帮忙你→○我来帮你的忙
　　×帮忙朋友→○给朋友帮忙

"帮助"は上の2語にくらべて，やや改まった感じがあります。「援助する」「支援する」といった語感です。
"帮忙"と違い，後ろに目的語を直接にとることができます。

　　帮助朋友

名詞としての用法もあります。

　　我需要你的帮助。Wǒ xūyào nǐ de bāngzhù.（あなたの援助が必要です）
　　大家的热情帮助深深感动了她。Dàjiā de rèqíng bāngzhù shēnshēn gǎndòngle tā.
　　（みんなの心温まる支援に彼女は深く感動した）

三つの語があるということは，それぞれ個性，役割が違うわけです。

第15話

見えない明日

（文廟，田村と劉は手に赤い願掛けのリボンを持って大成殿から出て，外の木に向かって歩く。木にはすでにたくさんの願掛けのリボンが結びつけてある。劉がリボンを結びつける）

CD1-75

田村 ： **可以　看看　吗？**
Tiáncūn：Kěyǐ　kànkan　ma?

刘欣欣 ： **可以。**
Liú Xīnxīn：Kěyǐ.

田村 ： **"愿　成绩　更　好"！**
　　　　"Yuàn　chéngjì　gèng　hǎo"!

刘欣欣 ： **好惠，你　的　愿望　是　什么？**
　　　　Hǎohuì,　nǐ　de　yuànwàng　shì　shénme?

田村 ： **看。**
　　　　Kàn.

刘欣欣 ： **"愿　指明　前程"……。咦，**
　　　　"Yuàn　zhǐmíng　qiánchéng"…….　Yí,

　　　　好　消极　呀！你　怎么……
　　　　hǎo　xiāojí　ya!　Nǐ　zěnme……

田村 ： **欣欣，看上去　我　很　快乐　吧？其实，**
　　　　Xīnxīn,　kànshangqu　wǒ　hěn　kuàilè　ba?　Qíshí,

　　　　我　经常　为　前程　担忧。
　　　　wǒ　jīngcháng　wèi　qiánchéng　dānyōu.

田村：(見たくて，聞く) 見てもいい？

劉：いいよ。

田村：「成績がもっと良くなりますように」！

劉：好恵，あなたの願い事は何？

田村：(自分のを劉に見せる) 見て。

劉：(読む)「前途をお示しください」……(意外に思って) あれ，ずいぶん控えめ！ どうして……

田村：欣欣，私は元気そうに見えるでしょ？ 本当は，いつも将来のことを心配しているの。

単語

文庙 Wénmiào [固] 上海にある廟。学問の神様孔子がまつられている。

愿 yuàn [動] 願う。

成绩 chéngjì [名] (仕事や学習上の) 成績。

指明前程 zhǐmíng qiánchéng [組] 前途を指し示す。

好消极 hǎo xiāojí [組] ひどく消極的である。

看上去 kànshangqu [動] 見たところ。

快乐 kuàilè [形] 活発である。機嫌がよい。楽しい。

其实 qíshí [副] その実。本当は。

为前程担忧 wèi qiánchéng dānyōu [組] 将来のことで悩む。

181

刘欣欣：**为 什么？**
　　　　Wèi shénme?

田村：大学 毕业 后 我 突然 迷失了 方向，
　　　Dàxué bìyè hòu wǒ tūrán míshīle fāngxiàng,
　　　不 知道 干 什么 好。
　　　bù zhīdào gàn shénme hǎo.
　　　我 没有 找 工作，那样 过了 一 段
　　　Wǒ méiyou zhǎo gōngzuò, nàyàng guòle yí duàn
　　　时间 觉得 也 没有 意思。
　　　shíjiān juéde yě méiyou yìsi.
　　　最后 我 决定 来 留学，在 新 的 环境
　　　Zuìhòu wǒ juédìng lái liúxué, zài xīn de huánjìng
　　　中 寻找 生活 的 答案。
　　　zhōng xúnzhǎo shēnghuó de dá'àn.

刘欣欣：你 一定 会 找到 答案 的。
　　　　Nǐ yídìng huì zhǎodào dá'àn de.

田村：谢谢 你。
　　　Xièxie nǐ.

―――――――― u（ユー,あなた）と i（アイ,私）の間――そこには何かが隠れている ――――――――

ei という複母音があります。この前に介音としてuがつきました。すると，
uei
という音ができます。これが単独で音節をなすと，uはwに書き換えますから，weiとなります。Key Sentence "为什么？"の "为" wèi です。
ところが，このueiが頭子音と結びつくと，スペリングからeが消えるのです！

　　　d + uei → duei となるはず，ところが ⇨ dui

これが「消えるe」現象です。しかしスペリングからは消えていますが，発音する時には，この消えたeを少し響かせます。

　　　duī duí duǐ duì　"对" duì（そうです）
　　　huī huí huǐ huì　"会" huì（できる）

u（ユー,あなた）と i（アイ,私）の間――そこにはeが隠れている！
隠れているeをちょっと響かせる，これが発音のコツです。

劉：なぜ？
田村：大学を卒業してから突然方向を見失ってしまって，どうしたらいいか分からないの。
劉：（じっと聞いている）
田村：就職活動もしなかったし，そうしてしばらく暮らしても，それにも満足できなくて。
劉：（うなずく）
田村：最後に，留学して新しい環境で人生の答えを探すことに決めたんだ。
劉：きっと答えを見つけ出すことができるよ。
田村：ありがとう。

単語

大学毕业 dàxué bìyè ［組］大学を卒業する。（語順に注意 "毕业大学" としない）

迷失方向 míshī fāngxiàng ［組］方向を見失う。

干什么好 gàn shénme hǎo ［組］何をしたらよいのか。

找工作 zhǎo gōngzuò ［組］仕事を探す。

那样 nàyàng ［代］そのように。

环境 huánjìng ［名］環境。

寻找 xúnzhǎo ［動］探す。求める。

生活的答案 shēnghuó de dá'àn ［組］人生の答え。"生活" はここでは「人生」と訳した。

Key Sentence

CD1-76

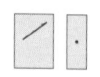

为　什么？
Wèi　shénme?

どうして

「なぜ，どうして」と理由・原因をたずねる時に使います。"为什么"wèi shénme 単独で，ぽんと言うことができます。"怎么"zěnme も「どうして」と理由をたずねる用法がありました。同じように，単独で聞くことができます。

　　怎么？　　Zěnme?

しかし，こちらはけげんな面持ちで，新しい事実に気がついて大いにいぶかっている時です。"为什么"は"怎么"にくらべ，より客観的で冷静な質問です。

　　你为什么坐火车？　　Nǐ wèi shénme zuò huǒchē?
　　（あなたはどうして列車に乗るのですか）

　　你怎么坐火车？　　Nǐ zěnme zuò huǒchē?
　　（どうして列車なんかに乗るの？）

●このフレーズでストレスがおかれるのは"为"の部分です。
　wèi は第4声ですが，図をご覧ください。「下がるために，まず上げる」が観察されます。「へ」型をしています。
　第4声はしばしば「滝がおちるように」下げると言われますが，根拠のあることが分かります。
　そして"什么"です。2音節の疑問詞です。shénme は決して声調記号どおりではないことがよく出ています。shén の部分はただ低くおさえているだけです。
　くだけた発音ですが，これがむしろ主流です。中国人の発音をよく観察してみてください。

活用 Key Sentence　　　　　　　　　　　　　　　CD1-77

"为什么"は単独で使うこともできますが，多くは文中で使います。

这是为什么呀？　Zhè shì wèi shénme ya？
　　（これはどうしてですか）

你为什么来日本学习？　Nǐ wèi shénme lái Rìběn xuéxí？
　　（あなたはなぜ日本に勉強しに来たのです）

你为什么不去？　　　Nǐ wèi shénme bú qù？
　　（君はどうして行かないのですか）

主語の前におくこともできます。

为什么星期天也不休息？
　Wèi shénme xīngqītiān yě bù xiūxi？
　　（どうして日曜日も休みじゃないんだ）

～文法レッスン～

1. 程度の高いことを表す"好" hǎo

好恵さんの願い事を見て，欣欣さんが

  好消极呀！ Hǎo xiāojí ya！

と驚きました。この"好"は形容詞の前におき，程度の高いことを表します。

 ちょっと南方的な言い方です。最近は南の言い方が「オシャレー！」という感覚がありますから，若い人（とくに女性）などよく使います。

  好漂亮啊！ Hǎo piàoliang a！ （とてもきれい！）
  好可爱啊！ Hǎo kě'ài a！ （とっても可愛い！）
  好帅啊！ Hǎo shuài a！ （すごくかっこいー！）

「あなたやせてるわねえ！」という時も応用できます。

  你好瘦呃！ Nǐ hǎo shòu e！

「ひどく疲れた！」ならこう言います。

  好累啊！ Hǎo lèi a！

"好吃"の前にだっておけます。

  好好吃！ Hǎo hǎochī （とってもおいしい！）

単語6姉妹
CD1-78

〜帯 dài

博士帯 bóshìdài （願いのリボン）

領帯 lǐngdài （ネクタイ）
绷带 bēngdài （包帯）
皮带 pídài （ベルト）
磁带 cídài （録音テープ）
海带 hǎidài （昆布）

2．何をしたらよいか分からない

　大学卒業後，突如方向を見失い，何をしたらよいか分からなくなってしまった好恵さん。

　　　不知道［干什么好］。Bù zhīdào gàn shénme hǎo.

とつぶやきました。これは"不知道"の後に"干什么好"が目的語としてきています。

　　　不知道　　　［干什么好］
　　　知らない　　何をしたらよいか

この形は覚えておくと活用がききそうです。目的語の中にいずれも疑問詞が含まれていることに注目してください。

	怎么办好。	zěnme bàn hǎo.	（どうしたらよいか）
	问谁好。	wèn shéi hǎo.	（だれに聞いたらよいか）
不　知　道 Bù zhīdào	去哪儿好。	qù nǎr hǎo.	（どこに行ったらよいか）
	什么时候去好。	shénme shíhou qù hǎo.	（いつ行ったらよいか）
	说什么好。	shuō shénme hǎo.	（何を言ったらよいか）

　文全体は疑問文ではありませんので，文末はマルです。

これはなに？
热带
rèdài
（熱帯）

您三郎の文字なぞ

今日は素直なやさしい字谜をお届けしましょう。こちらです。

　　力　字　加　两　点。
　　Lì　zì　jiā liǎng diǎn.
（力という字に2点を加える）

これは単純に"力"という字に2点を加えればできあがりです。ただし，答は二つ。

ことばの道草

紅い"博士帯"

上海の文廟。私は夏に訪れました。

境内の樹には"博士帯" bóshìdài が何本も結ばれていました。

紅いリボンが，木々の緑に映えて，そこだけが色のある不思議な空間を作っていました。樹の下にはいり，上を見あげる。私の顔が，紅にそまり，緑にぬれる。しばらくそこにたたずんでいたのをおぼえています。

願い事を書き付ける"博士帯"。どんなことを書くのでしょうか。

愿我考上大学。 Yuàn wǒ kǎoshang dàxué.
（大学に合格しますように）

愿我找到理想的工作。 Yuàn wǒ zhǎodao lǐxiǎng de gōngzuò.
（よい仕事が見つかりますように）

愿梦想成真。 Yuàn mèngxiǎng chéng zhēn.
（夢がかないますように）

愿前程似锦。 Yuàn qiánchéng sì jǐn. （前途洋々でありますように）

日本も中国も，人の思いは同じですね。ところで，好恵さんの願いは

愿指明前程。 Yuàn zhǐmíng qiánchéng. （前途を示してください）

というものでした。なるほど確かに消極的ですね。

文廟は孔子を祭り，学問成就を祈るところです。廟のまわりには本屋さんの市がたっていました。

それにしても，お寺や廟にもうで，"烧香拜佛" shāo xiāng bài fó（線香をあげたり仏に願をかけたりすること）は改革・開放の表れです。ついこの間まで禁止されていました。これらは迷信であり，"四旧" sìjiù（文革時代に言われた，倒すべき四つの古い思想，文化，風俗，習慣）とされ，批判の対象だったのです。自由になって，ひとびとは宗教や心の世界に目を向けました。古いと言われていた習慣や風俗，文化が復活していることはご存じの通りです。

人の気持ちを大切にしないようなやり方はダメだということでしょう。

为/办
wèi/bàn

おできになりましたね。一つは**"为什么"** wèi shénme の**"为"**です。もう一つは**"怎么办"** zěnme bàn の**"办"**です。どちらも簡体字です。ところで「ガ」はどうでしょう？カタカナですから，これは無いことにしましょう。

♣ ここほれ中級 ♣

♣ 呼応する "的"

"的"はよく使われる助詞です。

日本語の「の」みたいなもの。こう言っておけばかなりの部分は処理できるのですが，そこは日本語と中国語，まったく別の言語ですから，ズレがあるのは当然です。

その一つが，文末におかれ，「断定の語気を表す」とされる"的"です。

本文では，欣欣さんが好恵さんを励ますせりふに出てきました。

　　你一定会找到答案的。　Nǐ yídìng huì zhǎodào dá'àn de.

これは"会" huì と呼応していると考えることができます。"会……的"のかたちです。

この"会"は「以下のことが起こる確率が高い」ことを表すもの。「きっと〜ということになる」という意味を表し，文末の"的"と呼応するのです。

　　他一定会来的。　Tā yídìng huì lái de.
　　（彼はきっと来ます）

"会"のほかにも，"挺" tǐng や"怪" guài などが使われると，文末には"的"がよく出現します。これらも一種の呼応として覚えておくとよいでしょう。

　　这件衣服挺好看的。　Zhèi jiàn yīfu tǐng hǎokàn de.
　　（この服はなかなかきれいだ）

　　这个挺好玩儿的。　Zhèige tǐng hǎowánr de.
　　（これは結構面白い）

　　今天怪冷的。　Jīntiān guài lěng de.
　　（今日はひどく寒い）

　　怪麻烦的，我不想去了。　Guài máfan de, wǒ bù xiǎng qù le.
　　（めんどうくさいなあ，行く気がしなくなったよ）

第16話 カラオケ

（田村・劉と江，カラオケホールで。田村と劉，歌い終わり席に戻る）　　CD1-79

江旭　　：**好！　好！　再　来　一　个！**
Jiāng Xù ：Hǎo！　Hǎo！　Zài　lái　yí　ge！

刘欣欣　：**休息，　休息。**
Liú Xīnxīn ：Xiūxi，　xiūxi.

　　　　　哎，　你　还　没　唱　呢。
　　　　　Ài,　nǐ　hái　méi　chàng　ne.

田村　　：**对，　还　没　听过　你　唱　歌　呢，　唱**
Tiáncūn ：Duì,　hái　méi　tīngguo　nǐ　chàng　gē　ne,　chàng

　　　　　一　个　吧！
　　　　　yí　ge　ba！

刘欣欣　：**对，　唱　一　个，　唱　一　个，　让　我们**
　　　　　Duì,　chàng　yí　ge,　chàng　yí　ge,　ràng　wǒmen

　　　　　听听！
　　　　　tīngting！

江旭　　：**行，　唱　一　个。**
　　　　　Xíng,　chàng　yí　ge.

江：(大いに拍手して) いいね！　もう1曲！
劉：(お茶を飲んで) 一休み，一休み。
　　ねえ，あなたまだ歌ってないでしょう。
田村：そうそう，あなたが歌うのまだ聞いたことないなあ，一つ歌って！
劉：そうよ，歌って歌って，私たちに聞かせてよ！
江：よし，歌おう。(歌う)

単語

来 lái［動］(ある動作を) する，やる。ここでは"唱"chàng (歌う) の
　　　代わりに用いられている。

休息 xiūxi［動］休息する。休む。

听过 tīngguo［動］聞いたことがある。"过"guoは軽声で動詞の後につ
　　　き経験 (〜したことがある) を表す。否定は"没"méiを用いる
　　　が，"没听过"のように，"了"と違い，否定されても"过"は
　　　残る。

行 xíng［形］よし，わかった。OK。

刘欣欣：哎，他 唱得 真 好。咦，这 歌声
　　　　Ài, tā chàngde zhēn hǎo. Yí, zhè gēshēng

　　　　好像 在 哪里 听到过。
　　　　hǎoxiàng zài nǎli tīngdàoguo.

田村：对，好像 在 哪儿 听到过。
　　　Duì, hǎoxiàng zài nǎr tīngdàoguo.

刘欣欣：你 常 听 中国 歌？
　　　　Nǐ cháng tīng Zhōngguó gē?

田村：你 忘了 我 的 爱好 了？
　　　Nǐ wàngle wǒ de àihào le?

刘欣欣：噢，对。
　　　　Ò, duì.

田村、刘欣欣：唱得 真 好！
　　　　　　　Chàngde zhēn hǎo!

3つの e

発音のポイント

e_1　eはもともとあいまいな音です。背中を押されて「ウ」。性格がはっきりしないのです。gē [歌]

e_2　ですから，だれと組むかで性格が揺れ動きます。母音と組むと「ハッキリ音e」になります。xiè [谢]
組む母音はみんな前寄りの音だから，前に引っぱられるのです。

e_3　軽声になると，あいまいな性格に拍車がかかります。ぼんやりした，「ゆるんだe」になります。de [得]

-nや-ngと組んだ時も同じリクツです。
どちらも「背中を押されて〈ウ〉」ですが，
-nは前寄りですから，ややハッキリします。
-ngは後寄りですから，ややこもった音です。
　　　fēn [分]　fēng [风]

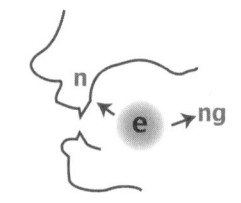

劉：ねえ，**彼は歌が本当にうまいね**。（ややおいて）あれ，この声どこかで聞いたことがあるような。

田村：うん，どこかで聞いたことがあるような気がする。

劉：よく中国の歌を聞くの？

田村：私の趣味を忘れちゃったの？

劉：そうか，そうだ。

（二人はまた耳を傾ける）

田村・劉：（熱烈に拍手して）本当にうまい！

単語

歌声 gēshēng ［名］歌う声。歌声。

好像 hǎoxiàng ［副］（どうも）〜のようだ。推測を表す用法。

哪里 nǎli ［代］どこ。どこか。発音はnáliのように。

听到过 tīngdàoguo ［動］聞いたことがある。

爱好 àihào ［名］趣味。好み。"好"hàoの声調に注意。

Key Sentence

他 唱得 真 好。
Tā chàngde zhēn hǎo.

彼は歌が本当にうまいね

"得"を使った様態補語の文です。

動詞の"唱"の後に"得"をおき，その後に補語"真好"を導きます。中国語は補語が発達した言語ですが，補語とは「補う語」です。

「補う」という以上，必ず「後から補い」ます。補語は常に後ろにあります。

何を補うのでしょう？　動詞や形容詞を補います。つまり，中国語の補語は常に動詞や形容詞の後におき，それらについてより詳しい補足説明をするのです。

彼は歌を歌いました。その結果，実にうまかったというわけです。

より完全な形としては，はじめに"唱歌"を言います。

　他唱歌唱得真好。　　Tā chàng gē chàngde zhēn hǎo.

ここから，はじめの"唱"を省くことができます。

　他歌唱得真好。　　Tā gē chàngde zhēn hǎo.

Key Sentence は，ここからさらに"歌"も省きました。

どんなに省略しても"唱得"の"唱"は省けません。補語とは，まさにこの動詞"唱"の補足説明をになうものだからです。

●はじめの"他"は人称代詞ですが，ここでは十分な長さをとり，高く平らな形です。

その後の"唱得真好"の部分も比較的明瞭に調型が現れています。

"唱得"の部分は第4声＋軽声の典型的な形です。第4声が「上から下へ」きて，その流れの延長上に軽声の de がそっと短くおかれています。

補語の"真好"のところが，この文で最もストレスがおかれるところです。

"真"の第1声としての十分な高さ，"好"の第3声としての典型的な形からもそれがうかがえます。

◆ 活用 *Key Sentence*   CD1-81

補語の部分を変えましょう。

他唱得
　不错。búcuò.　　　　　　（悪くない，うまい）
　相当好。xiāngdāng hǎo.　（なかなかうまい）
　非常好。fēicháng hǎo.　 （とても上手だ）

ほめるのも飽きましたから，ちょっとけなしましょうか。

他唱得
　不太好。bú tài hǎo.　　　　　　（あまりうまくない）
　不怎么好。bù zěnme hǎo.　　　（それほどうまくない）
　一点儿也不好。yìdiǎnr yě bù hǎo.（全然下手だ）

～文法レッスン～

1．"还没～呢" hái méi ～ ne ——まだ～していない

「まだ～していない」という時には決まったように，この文型を使います。

　　我还没听过你唱歌呢。　　Wǒ hái méi tīngguo nǐ chànggē ne.

これは，私は当然今ごろにはあなたの歌を聞いているべきである，それなのにまだ聞いていない，ということを表すものです。また，たとえば，

　　他还没来呢。　Tā hái méi lái ne.

なら，彼は今ごろには当然来ているべきだ，それなのにまだ来ていないということですし，

　　你还没睡呢！　Nǐ hái méi shuì ne!

は，当然寝ているべきなのに，まだ寝ていないのかということです。
常にこうだとは言えませんが，こういう意味合いが基底に流れていることは理解しておいたほうがよいでしょう。

　　我还没见过他呢。　Wǒ hái méi jiànguo tā ne.
　　　（まだ彼に会っていません）

　　他还没回家呢。　Tā hái méi huí jiā ne.
　　　（彼はまだ家に帰ってきていません）

単語 6 姉妹
CD1-82

～歌
gē

中国歌
Zhōngguó gē
（中国の歌）

民歌
míngē
（フォークソング）

情歌
qínggē
（恋歌）

儿歌
érgē
（子どもの歌）

国歌
guógē
（国歌）

主題歌
zhǔtígē
（テーマソング）

2．「どこか」──疑問詞が疑問を表さないとき

疑問詞はいつも疑問を表すとは限りません。「どこか」とか，「いつか」のように不定を表すこともしばしばです。

好像在哪儿听到过。 Hǎoxiàng zài nǎr tīngdàoguo.
　　（どこかで聞いたことがあるようだ）

咱们哪天到银座去逛逛。 Zánmen něi tiān dào Yínzuò qù guàngguang.
　　（いつか銀ぶらにゆきましょう）

"哪儿"や"哪天"に限りません，さまざまな疑問詞で不定用法が見られます。たくさんの文に接し，慣れておくのが大切です。

这件事好像谁告诉过我。
Zhèi jiàn shì hǎoxiàng shéi gàosuguo wǒ.
　　（この件はだれかに教えてもらった気がする）

咱们什么时候到北海道去玩儿玩儿。
Zánmen shénme shíhou dào Běihǎidào qù wánrwanr.
　　（いつか北海道に遊びに行きましょう）

你应该在中国买点儿什么送给他。
Nǐ yīnggāi zài Zhōngguó mǎi diǎnr shénme sònggěi tā.
　　（中国で何か買って彼にプレゼントすべきだよ）

你坐在哪儿等我一下儿，行吗？
Nǐ zuòzai nǎr děng wǒ yíxiàr, xíng ma?
　　（どっかに腰掛けて私を待っていてください，いい？）

こんなのもあるよ
四面楚歌
sì miàn Chǔ gē
（四面楚歌）

悠三郎の文字なぞ

今日は私の好きな字謎を出しましょう。
　　里外都是未知数。（中も外も未知数）
　　　Lǐwài dōu shì wèizhīshù.
これがさっとできれば，あなたは字謎の達人です。今回は先に答をお見せしましょう。答は"风"fēng。　そこで問題。なぜこれが答でしょう。その理由をお考えください。

ことばの道草

"歌厅" gētīng

中国でもカラオケはかなりの普及をみせています。

カラオケルームは"歌厅" gētīng と呼ばれますが，この"〜厅"というのはどんな部屋を表すのでしょうか。

"〜厅"と呼ばれるものを集めてみました。

舞厅	wǔtīng	ダンスホール。
迪厅	dítīng	ディスコホール。
大厅	dàtīng	ホテルなどのロビー，ホール。
餐厅	cāntīng	食堂。レストラン。
客厅	kètīng	広めの客間。
会客厅	huìkètīng	応接ロビー。
候机厅	hòujītīng	空港の待ち合い室。

こうしてみると，集会や人を招待する時に使えるような，広々としたロビーやホールを指すことが分かります。

最後の，空港の待ち合い室は，広々としてホールというイメージがあるからでしょう，"候机厅"と言いますが，駅の待ち合い室などは"候车室" hòuchēshì と言うのが普通です。

"〜室" shì と言えば，"教室" jiàoshì（教室），"办公室" bàngōngshì（事務室），"卧室" wòshì（寝室）などはいずれも"室"です。

部屋の用途とつくりによって使い分けていることが分かります。

风 fēng　中も外も未知数という。未知数をxとおこう。これが中にくる。すなわち"风"の中がそうです。残るは外。未知数を漢字で表せば"几" jǐ。「いくつ？」と数を問う疑問詞です。あとは二つを組み合わせれば"风"になります。外を"几"と見抜くのが難しい。

❖ ここほれ中級 ❖

♣「〜させる」の"让"ràng

「私に見せてください」というように「〜させてください」を表します。

  让我看看。 Ràng wǒ kànkan.

「ちょっと通してください」も"让"を使って言います。

  让我过去。 Ràng wǒ guòqu.

「ちょっと考えさせてください」はこうです。

  让我想想。 Ràng wǒ xiǎngxiang.

"让"はほかの使役と違い、「〜のままに任せる」といったニュアンスがあります。

  让他介绍介绍情况。 Ràng tā jièshàojièshào qíngkuàng.
  （彼に状況を紹介してもらおう）

  让王老师先上。 Ràng Wáng lǎoshī xiān shàng.
  （王先生に先に乗っていただこう）

否定は"让"の前に否定辞をおきます。

  妈妈不让我去。 Māma bú ràng wǒ qù.
  （お母さんは私に行ってはいけないと言った）

訳しにくいので，よく上のように間接話法を使って訳します。

以上のように使役の"让"は必ず兼語文の形をとります。そうでなければ使役ではなく，「譲る」という意味です。

  他年纪小，你让他吧。 Tā niánjì xiǎo, nǐ ràng tā ba.
  （彼は子どもなんだから譲ってやりなさい）

第17話 高橋君

（田村は自分の部屋でメールチェック，メールが一件届いている）　CD1-83

田村　：哟，　他　明天　要　到　中国　来！
Tiáncūn：Yō, tā míngtiān yào dào Zhōngguó lái!

　　　　　　　　＊　　　＊　　　＊

高桥　：请问，这里　是　留学生　宿舍　吧？
Gāoqiáo：Qǐngwèn, zhèlǐ shì liúxuéshēng sùshè ba?

大爷　：对，您　找　谁？
dàye　：Duì, nín zhǎo shéi?

高桥　：田村　好惠。您　认识　吗？
　　　　Tiáncūn Hǎohuì. Nín rènshi ma?

大爷　：田村　哪，快　下课　了。您　在　这儿　等
　　　　Tiáncūn na, kuài xiàkè le. Nín zài zhèr děng
一会儿　吧。
yíhuìr ba.

高桥　：谢谢。我　是　她　的　大学　同学。她　还
　　　　Xièxie. Wǒ shì tā de dàxué tóngxué. Tā hái
好　吧？
hǎo ba?

田村： わあ，あいつ明日中国に来るんだ！

（次の日，留学生寮，日本のサラリーマン風な身なりをした若い男性）
　　高橋：ここは留学生宿舎でしょう？
おじさん：そうですが，**どなたをお訪ねですか？**
　　高橋：田村好恵さん。ご存じですか？
おじさん：田村さんね，もうすぐ授業が終わりますよ。ここで少し待っててください。
　　高橋：ありがとうございます。僕は大学の同級生なんです。彼女は元気なんでしょ？

単語

明天 míngtiān［名］明日。

下课 xiàkè［動］授業が終わる。反対は"上课"shàngkè（授業に出る，授業をはじめる）。

同学 tóngxué［名］同級生。クラスメート。

大爷：好，每天 高高兴兴 的。瞧，她 来 了。
　　　Hǎo, měitiān gāogāoxìngxìng de. Qiáo, tā lái le.

田村：高桥! 你 怎么 在 这里！
　　　Gāoqiáo! Nǐ zěnme zài zhèlǐ!

高桥：你 没 收到 我 的 电子 邮件 吗？我
　　　Nǐ méi shōudào wǒ de diànzǐ yóujiàn ma? Wǒ
　　　来 出差，顺便 来 看看 你。
　　　lái chūchāi, shùnbiàn lái kànkan nǐ.

田村：收到 了，只 是 我 没 想到 你 会
　　　Shōudào le, zhǐ shì wǒ méi xiǎngdào nǐ huì
　　　找到 这儿 来。
　　　zhǎodào zhèr lái.

高桥：你 还 没 吃饭 吧？今天 我 请客。
　　　Nǐ hái méi chīfàn ba? Jīntiān wǒ qǐngkè.

田村：好 啊! 你 等等，我 换 衣服 就 来。
　　　Hǎo a! Nǐ děngdeng, wǒ huàn yīfu jiù lái.
　　　两 个 朋友 一起 去，可以 吗？
　　　Liǎng ge péngyou yìqǐ qù, kěyǐ ma?

高桥：当然 了!
　　　Dāngrán le!

発音のポイント　　おなかとウサギ——無気音と有気音

1.
肚子饱了。Dùzi bǎo le.（お腹がいっぱいになった）
兔子跑了。Tùzi pǎo le.（ウサギが逃げた）

2.
干什么。Gàn shénme?（何をしているの）
看什么。Kàn shénme?（何を見ているの）

3.
你真棒。Nǐ zhēn bàng.（あなたは実にすごい）
你真胖。Nǐ zhēn pàng.（あなたは実に太っている）

おじさん：元気元気，毎日楽しそうですよ。ほら，来ましたよ。
田村：高橋君！　どうしてここに？
高橋：メール受け取らなかったの？　出張で来て，ついでに会いに来たんだ。
田村：受け取ったけど，あなたが自分でここまで訪ねてくるとは思わなかった。
高橋：食事はまだだろ？　今日は僕がおごるよ。
田村：うれしい！　ちょっと待って，着替えてすぐ来るから。
　　　（田村は寮へ戻ろうとして振り返り）友達二人も一緒でいい？
高橋：(笑顔で）もちろん！
おじさん：(二人の話を聞いていて，高橋のほうを見，一人笑う）

単語

高兴 gāoxìng ［形］うれしい。本文では"高高兴兴"と形容詞の重ね型になっている。いきいきとした様を表す。

瞧 qiáo ［動］見る。本文では「見なさい→ごらん，ほら」。

收到 shōudào ［動］受け取る。

电子邮件 diànzǐ yóujiàn ［名］電子メール。"伊妹儿" yīmèir とも。

出差 chūchāi ［動］出張する。

顺便 shùnbiàn ［副］ついでに。

请客 qǐngkè ［動］招待する。ごちそうする。

换衣服 huàn yīfu ［組］着替える。

Key Sentence

CD1-84

您　找　谁？
Nín　zhǎo　shéi?

どなたをお訪ねですか

　　だれかがやってきました。見知らぬ人です。
　　ここに用があるようです。

> **请问，这里是留学生宿舍吧？**
> 　　（お伺いしますが，ここ留学生寮ですよね）

これに対して，

> **对，您找谁？**
> 　　（そうですが，どなたをお訪ねですか）

と質問します。
　　考えてみれば，これはなかなか厳しい質問です。
　　日本なら「はい，何でしょうか？」，あるいはもっと穏やかに「ええ，そうですが」ぐらいです。
　　中国では，あなたがここに来た以上，ここのだれかを知っているのだろう。その知り合いの名前はと聞いているのです。
　　人を知っていればよし，だれの名前も出なければ，あなたはここに知り合いがいないわけです。扱いも変わってきます。
　　「ヒト社会」中国の眼目をなす一句です。

●はじめの"您"もはっきりとした調型を見せています。これは目の前にいる「あなた」は一体だれに用があるのかと聞いているためでしょう。
　第2声といっても，まっすぐ急上昇ではなく，やはり出だしはためがあります。
　"找" zhǎoのところは，高いところから下がっていく調子です。これぐらい下がればもう十分というところで，"谁" shéiの上昇に転じています。
　第3声と第4声はどちらも下がるという点で少し似ていますが，その本質はまったく違います。そりが全く相反するのを見て下さい。

〈第3声〉　〈第4声〉

✣ 活用 *Key Sentence*　　　　　　　　　　　　　　　　CD1-85

「どなたにご用ですか」と聞く場面は限られています。スキットのような場面以外は電話です。職場に電話がかかってきました。

　　　喂，是茶大中文系吗？　　Wèi, shì Chádà Zhōngwénxì ma ?
　　──对，您找谁？　　　　　Duì, nín zhǎo shéi ?
　　　　もしもし，お茶の水女子大学の中文学科ですか
　　　　　──はい，どなたにご用ですか

ただし，交換台にかかってきた時は"您找谁?"とは言いません。

　　　喂，是北大总机吗？　　　Wèi, shì Běidà zǒngjī ma ?
　　──对，您要哪儿？　　　　Duì, nín yào nǎr ?
　　　　もしもし，北京大学の交換ですか
　　　　　──はい，どちらにご用ですか

"您要哪儿?"とは「どこの部署にご用ですか」と聞いているのです。

～文法レッスン～

◆**動作量，時間量 ── 動詞の後に**

「一度行った」とか「10分間待つ」のように，日本語では動作量（一度）や時間量（10分間）は動詞の前におかれます。しかし，中国語では逆です。

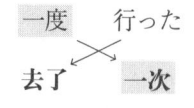

```
 一度    行った           10分間   待つ
   ╲   ╱                    ╲   ╱
   ╱   ╲                    ╱   ╲
 去了   一次              等     十分钟
```

◇**時間量を表すもの**

まず単純な時間量から見ていきましょう。

〈動詞〉〈時間量〉

等	一会儿	děng yíhuìr
休息	十分钟	xiūxi shí fēnzhōng
坐	一会儿	zuò yíhuìr
学	一年	xué yì nián

いずれも，先に動詞，後に時間量がきています。
これに目的語が増えたらどうしましょう。動詞の後ろがとたんに込んできます。

〈動詞〉　〈時間量〉　〈目的語〉

看	两个小时	电视	kàn liǎng ge xiǎoshí diànshì
踢	一下午	球	tī yí xiàwǔ qiú
逛了	一天	街	guàngle yì tiān jiē

このように「動詞＋時間量＋目的語」の順です。
ところで，この時間量は文法成分から言えば「補語」です。補語とは，動詞・形

単語6姉妹　CD1-86　　パソコン

- 电子邮件　diànzǐ yóujiàn（＝伊妹儿 yīmèir）（eメール）
- 笔记本电脑　bǐjìběn diànnǎo（ノートパソコン）
- 鼠标　shǔbiāo（マウス）
- 光盘　guāngpán（CD-ROM）
- 打印机　dǎyìnjī（プリンタ）
- 键盘　jiànpán（キーボード）

容詞を補い，補足説明する語でした。ですから，動詞・形容詞に密着するのです。

　例外があります。それは目的語が代名詞の時です。代名詞は内容が空っぽです。つまり中身がないのです。ですから，これが動詞の間に立ちふさがってもあまり影響はない。空っぽですから，透明体みたいなものと考えます。

　　等了他半天　děngle tā bàntiān

◇どのぐらいたったか

　もう一つ，ある事が起こってからどれぐらい経過したかを表す場合があります。たとえば，

　　他毕业四年了。　Tā bìyè sì nián le.

これは卒業してから，4年経ったことを言ってます。これまでのとの違い，お分かりですね。これまでの"学一年"なら「一年間ずうっと学ぶ」のです。

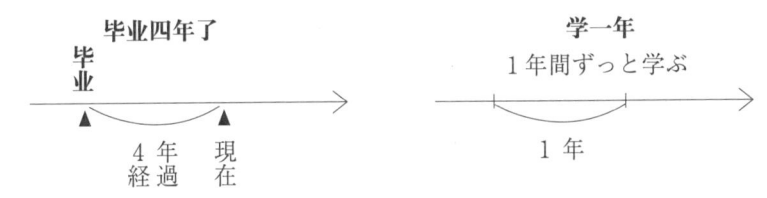

```
    毕业四年了              学一年
 毕                       1年間ずっと学ぶ
 业
 ─▲──────▲───→       ├────────┤──→
    4年   現                 1年
    経過  在
```

このような「経過した時間量」の場合は，「動詞＋目的語」が前にきて，時間量は一番最後におかれます。

　　他来东京一年了。　Tā lái Dōngjīng yì nián le.
　　（彼は東京に来て1年になる）
　　她考上大学两年多了。　Tā kǎoshang dàxué liǎng nián duō le.
　　（彼女が大学に合格してから2年あまりがたった）

以上が時間量が補語になる時のルールです。

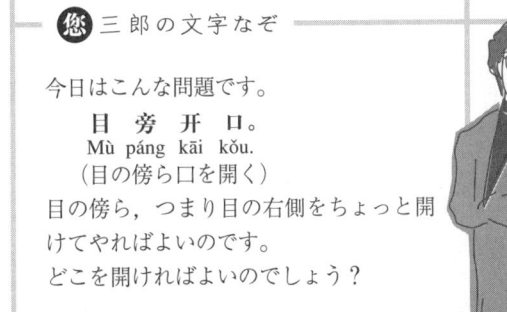

これはなに？
软盘
ruǎnpán
（フロッピーディスク）

您 三郎の文字なぞ

今日はこんな問題です。
　　目　旁　开　口。
　　Mù　páng　kāi　kǒu.
　（目の傍ら口を開く）
目の傍ら，つまり目の右側をちょっと開けてやればよいのです。
どこを開ければよいのでしょう？

ことばの道草

e-mail

　好恵さんは中国にもノートパソコンを持ち込み，メールチェックをしています。今時の留学生の皆さんはこうしているようです。

　さて，*e-mail* は"电子邮件"diànzǐ yóujiàn と言います。

　また"伊妹儿"yīmèir とも言います。こちらは音訳と意訳「彼の妹」を兼ねていて，ちょっとオシャレな感じがします。

　e-mail を出すという時は"发伊妹儿"です。動詞は"发"fā です。メールアドレスは"伊妹儿地址"yīmèir dìzhǐ でよいでしょう。メールを受け取ったは，手紙を受け取ったと同じ文型で，

　　收到了你的电子邮件。 Shōudaole nǐ de diànzǐ yóujiàn.

と言います。

　そして"打开文件"dǎkāi wénjiàn（メールを開く）わけですが，なかには文字化けで読めない場合もあります。"文件读不出来"wénjiàn dúbuchūlai というわけです。

　この他，「受信トレイ」は"收件箱"shōujiànxiāng,「プリントする」は"打印"dǎyìn と言います。

　"死机"sǐjī は「ハングアップ」ですね。機械が死んでしまうわけです。＠（アットマーク）って何て言うのと中国人に聞いたら，"a圈儿"a quānr だと教えてくれました。

巨 jù
　いろいろ試されたでしょう。なかなか字になりませんが，唯一"巨"が答です。"旦"dàn などというのもありそうですが，これは「目の傍ら」を開けたとは言えません。

✤ ここほれ中級 ✤

♣「ほら！」って言えますか

　管理人のおじさんが，向こうからやって来た好恵さんを指して，「ほら，彼女が来ましたよ」と言いました。それが，

　　瞧，她来了。　Qiáo, tā lái le.

です。最初の"瞧"qiáo（見る→ごらん）が「ほら」に当たる言葉です。相手に気づかせ，注意をうながすものです。

　似たような言い方で"看"kànと"听"tīngがあります。やはり「見る→ごらん，ほら」，「聞く→耳を傾けなさい，ほら」ということです。

　　看，那是什么？　Kàn, nà shì shénme?（ほら，あれは何？）

　　听，好像有人敲门。　Tīng, hǎoxiàng yǒu rén qiāo mén.
　　　（ほら，だれかドアをノックしているみたい）

さらに"喏"nuòという感嘆詞があります。これも「ほら」と自分のしていることに注意を向けさせる言葉です。

　　喏，茶给你放这儿啦。　　Nuò, chá gěi nǐ fàng zhèr la.
　　　（はい，お茶ここに置くよ）

　　喏，喏，好好儿看着，很简单。Nuò, nuò, hǎohāor kànzhe, hěn jiǎndān.
　　　（ほらほら，よく見て，簡単よ）

そのうえで"哎"āiや"嘿"hēiを使いこなせれば中国語も上級の域です。

　　哎，小心，别摔了！　Āi, xiǎoxīn, bié shuāi le!
　　　（ほら，気をつけて，転ばないように）

　　嘿，你看着点儿！　Hēi, nǐ kànzhe diǎnr!（ほら，どこ見てるんだ！）

最後に，次のような言い方がさらりと出てくれば，もう達人です。

　　我说，今天可是15号了，明天就过期了。
　　Wǒ shuō, jīntiān kě shì shíwǔ hào le, míngtiān jiù guòqī le.
　　　（あのさあ，今日は15日だから，明日で期限切れだよ）

　　那什么，飞机票确认了没有啊？
　　Nèi shénme, fēijīpiào quèrèn le méiyou a?
　　　（ええと，あれ，航空券のリコンファーム済ませた?）

第18話 上海蟹

（料理が来る，皆グラスを挙げて） CD1-87

高桥 ： 谢谢 你们 对 田村 的 关照。
Gāoqiáo : Xièxie nǐmen duì Tiáncūn de guānzhào.

请， 别 客气。
Qǐng, bié kèqi.

田村 ： 对， 欣欣， 江 旭， 你们 别 客气。
Tiáncūn : Duì, Xīnxīn, Jiāng Xù, nǐmen bié kèqi.

江旭 ： 我 不 客气。
Jiāng Xù : Wǒ bú kèqi.

这个……， 这个……。
Zhèige……, zhèige……。

高桥 ： 你 怎么 不 点？
Nǐ zěnme bù diǎn?

田村 ： 我 不 知道 点 什么 好 啊。
Wǒ bù zhīdào diǎn shénme hǎo a.

高桥 ： 你 想 吃 什么 就 点 什么。
Nǐ xiǎng chī shénme jiù diǎn shénme.

田村 ： 那 我 就 点 个 螃蟹 吧。
Nà wǒ jiù diǎn ge pángxiè ba.

高桥 ： 对， 螃蟹 最 好吃。
Duì, pángxiè zuì hǎochī.

高橋：(劉と江に) 田村がいつもお世話になっています。(メニューを手渡し) どうぞ，ご遠慮なく。
田村：そうよ。欣欣，江旭，遠慮しないで。
　江：じゃあ遠慮なく。(メニューを指して，いくつか料理名を言う) これと……，これと……。
高橋：(田村に) 君はどうして注文しないの？
田村：何を注文したらいいか分からないし。
高橋：**何でも食べたいものを注文すればいい。**
田村：じゃあ，蟹を。
高橋：(笑って) うん，蟹は一番おいしい。

単語

关照 guānzhào ［動］世話をする。面倒をみる。

别客气 bié kèqi ［組］遠慮するな。これに対して下の行の"不客气" bú kèqi は「遠慮しません」。

点 diǎn ［動］注文する。指名する。

点什么好 diǎn shénme hǎo ［組］何を注文したらよいか。

想吃什么就点什么 xiǎng chī shénme jiù diǎn shénme ［組］何でも食べたいものを注文する。疑問詞の呼応文型で「何かを食べたいなら，その何かを注文する」という構造。

螃蟹 pángxiè ［名］カニ。

高桥：**来，干杯！**
　　　Lái,　　gānbēi！

大家：**干杯！**
dàjiā：Gānbēi！

高桥、江旭、刘欣欣：**给！**
　　　　　　　　　　Gěi！

田村：**哇，都　给　我？　我　真　幸福！** 中級
　　　Wā,　dōu　gěi　wǒ？　Wǒ　zhēn　xìngfú！

発音のポイント ……i（アイ，私）とu（ユー，あなた）の間──そこにも何かが隠れている

　ouという複母音があります。この前に介音としてiがつきました。すると
　　iou
という音ができます。これが単独で音節をなすと，iはyに書き換えられ，
　　you
となります。"有" yǒu です。
　ところが，このiouが頭子音と結びつくと，なんと綴りからoが消えるのです！
　　　j＋iou → jiou となるはず，ところが⇒jiu
これが「消えるo」現象です。
　綴りから消えていますが，発音ではこの消えたoを少し響かせます。

　　　　jiū jiú jiǔ jiù　　"酒" jiǔ　"就" jiù
　　　　liū liú liǔ liù　　"柳" liǔ　"六" liù

i（アイ，私）とu（ユー，あなた）の間──そこにはoが隠れているのです。
　さて，ここでみなさん！（p.182）で学んだことを覚えていますか。そのタイトルは：u（ユー，あなた）とi（アイ，私）の間──そこには何かが隠れているでした。この二人の間に隠れているもの，前回はeでした，今回はoでした。
　そして驚くべきことに，e＝o　なのです。
　eとoは同一人物です。決して一緒に同じ音節の中には現れず，時にはeとなり，時にはoとなるのです。あいまいな音eが，iとuの間にくると，後ろのuにひかれて丸みを帯び，その結果oに変身するのです。

212

高橋：さあ，乾杯！
一同：乾杯！
（高橋，江，劉おのおの蟹を取って田村にあげる）
高橋・江旭・劉欣欣：はい！
田村：わあ，全部私に？　最高に幸せ！

> 〈単語〉

干杯 gānbēi ［動］乾杯する。

幸福 xìngfú ［形］幸福である。

给 gěi ［動］モノをあげる時によくこう言う。「あげる」という意味だが，日本語では「はい」に相当する。また消しゴムを貸してやる時も"给"と言うことができる。この場合は本当に「あげる」のではない。

Key Sentence

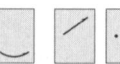

你 想 吃 什么 就 点 什么。
Nǐ xiǎng chī shénme jiù diǎn shénme.

何でもあなたの食べたいものを注文すればいい

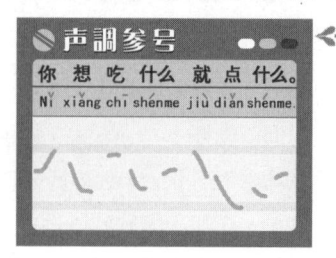

この文は二つに大きく分かれます。

"你想吃什么"＋"就点什么"です。

そして，両方に疑問詞"什么"が含まれています。

まず，"什么"をXとおきましょう。すると，

前半は「あなたはXが食べたい」，後半は「それならそのXを注文しなさい」となります。全体では，

「あなたがXを食べたいのなら，そのXを注文しなさい」→

「何でもあなたの食べたいものを注文しなさい」

となります。

疑問詞"什么"が前後にあって呼応していることから「疑問詞呼応構文」と呼ばれます。日本語にはない文タイプなので，よく構造を理解することが大切です。類例です。

你想吃什么就买什么。
Nǐ xiǎng chī shénme jiù mǎi shénme.
（なんでも食べたいものを買いなさい）

你想去哪儿就去哪儿。
Nǐ xiǎng qù nǎr jiù qù nǎr.
（どこでも行きたいところに行きなさい）

● "你想" nǐ xiǎng は第3声の連続です。第2声＋第3声に変わります。
　"你想" は文のはじめにあり，ここは割合はっきりと発音されています。
　次の "吃" chī ですが，これは意外にも短くてもよいようです。ただし，高さは第1声の典型的な高度を保っています。
　疑問詞の "什么" shénme については，何度もコメントしてきました。今回も声調参号の示す調型をごらんください。
　接続作用を果たす "就" jiù もはっきりと出ています。
　この文の意味的な重点は "吃" chī と "点" diǎn です。
　"吃" は長さこそ短いものの高さは第1声の典型でした。
　"点" は低さも長さも十分です。ポイントがここにあることが分かります。

活用 Key Sentence

CD1-89

このパターンはたくさん練習することが必要です。

你想喝什么就拿什么。
Nǐ xiǎng hē shénme jiù ná shénme.
　（なんでも飲みたいものをお取りください）

你喜欢什么就送你什么。
Nǐ xǐhuan shénme jiù sòng nǐ shénme.
　（なんでもあなたの好きなものをあげよう）

你需要什么就买什么。
Nǐ xūyào shénme jiù mǎi shénme.
　（なんでも必要なものを買いなさい）

さらに「文法レッスン」でも練習しましょう。

～文法レッスン～

1．疑問詞呼応構文に慣れよう

　この構文で使われる疑問詞は"什么"shénmeばかりではありません。すべての疑問詞が使用可能です。いろいろな疑問詞で練習しましょう。

　　你想拿多少就拿多少。　Nǐ xiǎng ná duōshao jiù ná duōshao.
　　　（いくらでもほしいだけ取りなさい）
　　你想请谁就请谁。　Nǐ xiǎng qǐng shéi jiù qǐng shéi.
　　　（だれでもあなたがお呼びしたい人を招きなさい）
　　你想怎么做就怎么做。　Nǐ xiǎng zěnme zuò jiù zěnme zuò.
　　　（あなたがやりたいようにおやりなさい）
　　你想什么时候来就什么时候来。　Nǐ xiǎng shénme shíhou lái jiù shénme shíhou lái.
　　　（いつでも来たい時にいらっしゃい）

以上ははじめに"想～"があるものでした。次は違います。

　　哪儿好玩儿就去哪儿。　Nǎr hǎowánr jiù qù nǎr.
　　　（どこでも面白いところに行こう）
　　我们几点起就几点走。　Wǒmen jǐ diǎn qǐ jiù jǐ diǎn zǒu.
　　　（何時でも起きた時に出かけよう）
　　你怎么想就怎么写。　Nǐ zěnme xiǎng jiù zěnme xiě.
　　　（考えたように書きなさい）
　　冰箱里有什么就吃什么。　Bīngxiāng li yǒu shénme jiù chī shénme.
　　　（何でも冷蔵庫の中にあるものを食べよう）
　　心里有谁，谁就漂亮。　Xīnli yǒu shéi, shéi jiù piàoliang.
　　　（心の中にだれかがいれば，そのだれかがきれい→あばたもえくぼ）

単語 6 姉妹　CD1-90

身近な中国料理

青椒肉丝　qīngjiāo ròusī　（チンジャオロース）

回锅肉	麻婆豆腐	炒饭	汤面	饺子
huíguōròu	mápó dòufu	chǎofàn	tāngmiàn	jiǎozi
（ホイコーロー）	（マーボー豆腐）	（チャーハン）	（タンメン）	（ギョーザ）

頭の中を中国語回路にしないと，この構文は使いこなせないようです。

2．いろいろな"点" diǎn

"点" diǎn は多義語です。つまりいろいろな意味や用法があります。テキストでは

  点菜　　　diǎn cài　　　　　（料理を注文する）

が出てきました。ほかにも，

  点一首歌　diǎn yì shǒu gē　（歌を一曲リクエストする）

などと言いますが，これらは「要求を提示する」ということです。ほかにも，

  点名　　　diǎn míng　　　（名前を呼ぶ）
  点钱　　　diǎn qián　　　（お金を数える）
  点头　　　diǎn tóu　　　　（うなずく）
  点眼药　　diǎn yǎnyào　　（目薬をさす）
  点灯　　　diǎn dēng　　　（明かりをつける）
  点火　　　diǎn huǒ　　　　（火をつける，点火する）
  蜻蜓点水　qīngtíng diǎn shuǐ

  （とんぼが水にしっぽをちょんちょんとつける）

などと使います。以上は動詞の例です。

 名詞としては次の用法が大事です。

  火车晚点了。　Huǒchē wǎn diǎn le.（列車が遅れた）
  到点了，你还不快走？　Dào diǎn le, nǐ hái bú kuài zǒu ?

  （時間だよ，まだ出かけないのか）

この"点"は「規定の時刻，定時」の意味です。

これは何？
杏仁豆腐
xìngrén dòufu
（あんにん豆腐）

悠 三郎の文字なぞ

この問題もこれまでとは趣向が違います。
ご覧ください。

  写　时　三　笔，算　来　万万。
  Xiě shí sān bǐ, suàn lái wànwàn.
  （書けば3画，数えてみると"万万"）

ヒントは"万万"です。これがどういう意味か分からねばなりません。

ことばの道草

招待されて

　中国で人から食事に招待される。私の場合，たいていは大学関係者だ。

　日本だと夕食が多いが，中国では昼の食事もよくある。昼だから失礼ということはない。

　丸いテーブルで，入り口から一番遠いあたりに客の私が坐る。ホストがわきに座る。あとは適当に席につくが，6，7人で卓を囲むのがふつうだ。

　あまり飲めない口だが，それでも中国人のすすめ上手にのせられて，いつもの倍ぐらい飲んでしまう。乾杯は日本ははじめに一度だが，中国では食事の間に少なくとも3，4回はする。ホストだけでなく，ほかの列席者からも"来，干一杯！"Lái, gān yì bēi! などと言って杯を近付けられるとついほしてしまうから本当に顔が赤くなり，ほろ酔い機嫌になる。

　もうあぶないという時は，"我不行了，不行了。"Wǒ bù xíng le, bù xíng le. とか言う。口でこう言うだけではダメで，きちんと手でグラスや杯を覆うようにする。研究者仲間だから，これで無理強いする人はまずいない。

　最後に，"个人门前清。"Gèrén ménqián qīng. と言って，おのおの自分の前のグラスは空にしようとぐっと飲む。今までのツケがたまって，私のグラスにはなみなみと酒があふれていたりするが，これは勘弁してもらう。

亿 yì "万万"とは中国語で「億」という意味。ところで億は"亿"と書く。この簡体字，筆画を数えてみるとわずか3画だ。

❖ ここほれ中級 ❖

♣ **幸せ！**

　中国では食事の時に，ホスト役がゲストに料理を取ってあげる習慣があります。好恵さんはみんなから好物のカニをもらい，思わず

　　　我真幸福！　Wǒ zhēn xìngfú！（最高に幸せ！）

と声をあげました。こういう，思わず発する喜びの声も意識的にチェックしておくべき中級項目です。

　　　太好了！ 他请我们吃饭。　Tài hǎo le！　Tā qǐng wǒmen chīfàn.
　　　（やったー！　彼がおごってくれるって）

　　　真走运！ 最后一张票我买到了。
　　　Zhēn zǒuyùn！　Zuìhòu yì zhāng piào wǒ mǎidao le.
　　　（ラッキー！　最後の一枚をゲットした）

　　　太漂亮了！ 又进了一个球！　Tài piàoliang le！　Yòu jìnle yí ge qiú！
　　　（やったー！　またシュート！）

　　　太棒了！ 咱们队赢了！　Tài bàng le！　Zánmen duì yíng le！
　　　（いいぞ！　うちのチームが勝った！）

　この反対の，ついてない，大変だという「とっさの叫び」も要チェックです。

　　　真倒霉！ 又没赶上车。　Zhēn dǎoméi！　Yòu méi gǎnshang chē.
　　　（ああついてない！　また乗り遅れた）

　　　糟了！ 我的钱包丢了。　Zāo le！　Wǒ de qiánbāo diū le.
　　　（大変だ！　財布がない）

　　　坏了！ 钥匙忘在房间里了。　Huài le！　Yàoshi wàngzai fángjiān li le.
　　　（しまった！　鍵を部屋の中に忘れちゃった）

　　　不好！ 着火了！　Bù hǎo！　Zháohuǒ le！
　　　（大変だ！　火事だ）

　　　我的天哪！ 这是怎么回事 ?!　Wǒ de tiān na！　Zhè shì zěnme huí shì ?!
　　　（うわあっ！　これは一体どういうことだ）

第19話 帰り道

（レストランの前）　　　　　　　　　　　　　　　　　　　　CD1-91

高桥：饭店 离 这儿 不 太 远，我 走着 回去。
Gāoqiáo: Fàndiàn lí zhèr bú tài yuǎn, wǒ zǒuzhe huíqu.

田村：我 去 送送 他。
Tiáncūn: Wǒ qù sòngsong tā.

江旭：那 我们 不 送 了。拜托 你 了。
Jiāng xù: Nà wǒmen bú sòng le. Bàituō nǐ le.

　　　谢谢， 再见！
　　　Xièxie, zàijiàn!

刘欣欣：以后 来 上海 一定 跟 我们 联系 啊。
Liú Xīnxīn: Yǐhòu lái Shànghǎi yídìng gēn wǒmen liánxì a.

高桥：好！ 再见！
Hǎo! Zàijiàn!

刘欣欣、江旭：再见！
Zàijiàn!

高橋：ホテルはここからそう遠くないから，歩いて帰るよ。

田村：（劉と江に）私，彼をちょっと送っていく。

　江：それじゃあ僕らはここで，あとはよろしく。ありがとう，さよなら。

　劉：また上海に来たらきっと連絡してください。

高橋：ええ！　さようなら！

劉, 江：さようなら！

単語

饭店　fàndiàn　[名] ホテル。

离　lí　[介] 〜から。2点間のへだたりを表す。

不太　bú tài　[組] それほど〜でない。

远　yuǎn　[形] 遠い。

走着回去　zǒuzhe huíqu　[組] 歩いて戻る。動詞＋"着"は後の動詞句
　　　　にかかり，動作の方式や様態を表す。

不送了　bú sòng le　[組] 送らないことにする。送るのをやめる。

拜托　bàituō　[動] 任せる。

以后　yǐhòu　[名] 今後。これから先。

一定　yídìng　[副] きっと。必ず。

联系　liánxì　[動] 連絡する。

田村：今天 让 你 破费 了。
　　　Jīntiān ràng nǐ pòfèi le.

高桥：别 那么 客气。回 东京 你 再 请 我
　　　Bié nàme kèqi. Huí Dōngjīng nǐ zài qǐng wǒ
　　　就 行 了。
　　　jiù xíng le.

田村：那 得 等 一 段 时间。
　　　Nà děi děng yí duàn shíjiān.

高桥：怎么，你 打算 长期 留在 这儿 啊？
　　　Zěnme, nǐ dǎsuan chángqī liúzài zhèr a?

田村：我 也 不 知道。先 学 半年，以后 看
　　　Wǒ yě bù zhīdào. Xiān xué bànnián, yǐhòu kàn
　　　情况 再 说。
　　　qíngkuàng zài shuō.

高桥：我 希望 你 能 早 点儿 回来。在 东京
　　　Wǒ xīwàng nǐ néng zǎo diǎnr huílai. Zài Dōngjīng
　　　也 可以 继续 学 中文 哪。
　　　yě kěyǐ jìxù xué Zhōngwén na.

高桥：你 要是 在 东京，就 能 经常 见到 你。
　　　Nǐ yàoshi zài Dōngjīng, jiù néng jīngcháng jiàndào nǐ.

田村：……。

―――― 目とメガネ――軽声 ――――

発音のポイント

1. 漢字も違うが…
   - 眼睛　yǎnjing　（目）　　　眼镜　yǎnjìng　（メガネ）
   - 试试　shìshi　（試みる）　　逝世　shìshì　（逝去する）
   - 说吧　shuō ba　（言いなさい）　说八　shuō bā　（8を言う）
2. 漢字は同じだが…
   - 东西　dōngxi　（品物）　　　东西　dōngxī　（東西）
   - 兄弟　xiōngdi　（弟）　　　 兄弟　xiōngdì　（兄弟）
   - 大意　dàyi　（大ざっぱだ）　大意　dàyì　（あらすじ，大意）
   - 精神　jīngshen　（元気だ）　精神　jīngshén　（精神）

（ホテルへの帰り道）

田村：今日は**散財**させちゃったね。

高橋：そんなに遠慮しなくていいよ。東京に帰ったら君がごちそうしてくれればいいよ。

田村：じゃ，もうしばらく先になるね。

高橋：えっ，こっちに長くいるつもり？

田村：私にも分からない。まず半年やって，それからあとは様子を見て考える。

高橋：早く帰ってくればいいのに，東京にいても中国語の勉強を続けることはできるでしょ。

田村：（高橋を見る）

高橋：もし君が東京にいたら，いつでも会えるし。

田村：……。

単語

破费 pòfèi ［動］お金を使う。散財する。

那么 nàme ［代］そんなに。

再 zài ［副］（〜して）それから。

请 qǐng ［動］ごちそうする。招待する。

一段时间 yí duàn shíjiān ［組］ある一区切りの時間。

打算 dǎsuan ［助動］〜するつもりである。

留在这儿 liúzai zhèr ［組］ここに留まる。

看情况再说 kàn qíngkuàng zài shuō ［組］様子を見てから考える。

早点儿回来 zǎo diǎnr huílai ［組］早めに帰る。

继续 jìxù ［副］引き続き。継続して。

中文 Zhōngwén ［名］中国語。

要是 yàoshi ［接］もしも。

经常 jīngcháng ［副］しょっちゅう。いつも。

Key Sentence

让 你 破 费 了。
Ràng nǐ pòfèi le.

散財させてしまいました

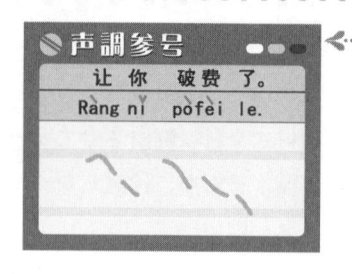

人からごちそうになった時に感謝の気持ちも込めて、こう言います。

"破费"とは「散財する、お金を使う」ということですから、レストランなどで食事をした時に使うのがふつうです。もちろん他にも、たとえば服を買ってもらった時とかいろいろ使えます。

"让"は「～させる」、使役です。"让你"で「あなたに～させる」。つまり、「あなたにお金を使わせてしまいました」ということです。

頭に「すみません」に相当する表現を加えてもよいでしょう。

不好意思，又让你破费了。
Bù hǎoyìsi, yòu ràng nǐ pòfèi le.
（すみません、また散財させてしまいました）

中国的にはごちそうされたら次はごちそうを返します。「今度は私におごらせてください」と言いましょう。

让你破费了，下次我请客。
Ràng nǐ pòfèi le, xià cì wǒ qǐngkè.
（ごちそうになってしまいました、次は私がごちそうします）

ごちそうした方は、次のように鷹揚に答えます。

哪儿的话，别那么客气。 Nǎr de huà, bié nàme kèqi.
（どういたしまして、気になさらないでください）

●この文は大きく二つに分ければ"让你"と"破费"です。

はじめの"让"ràng はへの字型をしています。下がるためにまず高く上がるわけです。しかし，こういう点は人間が意識して発音すべきものではありません。自然にこういう風になっているものです。意識してやろうとするとかえっておかしくなります。

次の"破费"pòfèi ですが，"破"pò は十分な高さがあります。それに対して同じ第4声でも"费"fèi はそう高くありません。"破"に続くように滑らかに下げ続ければよいことが図から読み取れます。

文末の"了"le も自然に下がり続ける音調の延長線にあります。

活用 Key Sentence

CD1-93

「お待たせいたしました」というときも，この構文です。

让 你 久 等 了。
Ràng nǐ jiǔ děng le.

一般に，相手に迷惑をかけたときに使います。

让 你	受累 shòulèi		（お疲れさまでした）
Ràng nǐ	操心 cāoxīn	了。 le.	（気を使わせてしまいました）
	费心 fèixīn		（同上）

〜文法レッスン〜

◆ "不〜了" bù 〜 le の文法

好恵さんが「高橋君をホテルまで送っていく」と，欣欣さんや江旭に告げると，

那我们不送了。 Nà wǒmen bú sòng le.

と応えました。"不送了"とは「送らないことにした」ということです。これは「高橋君をホテルまで送ろうと思っていましたが，そういうことならお送りしません」ということです。すなわち，A〈計画中止〉です。

下雨了，我们不去了。 Xià yǔ le, wǒmen bú qù le.
（雨なので私たちは行かないことにした）

他突然有事儿，不来了。 Tā tūrán yǒu shìr, bù lái le.
（彼は急用ができて，来ないことになった）

想来想去，我决定不考了。 Xiǎnglai xiǎngqu, wǒ juédìng bù kǎo le.
（あれこれ考えて，私は受験をしないことにした）

胃不太舒服，晚饭不吃了。 Wèi bú tài shūfu, wǎnfàn bù chī le.
（胃の調子があまりよくないので，晩ご飯は抜くことにした）

もう一つのケースは，いままで行われていた動作を「もうやめにする」という場合です。こちらをB〈進行停止〉と呼びましょう。

孩子不哭了。 Háizi bù kū le.
（子供が泣きやんだ）

病人已经不发烧了。 Bìngrén yǐjing bù fāshāo le.
（患者はもう熱が下がった）

这本小说没意思，不看了。 Zhèi běn xiǎoshuō méi yìsi, bú kàn le.
（この本はつまらないから読むのをやめよう）

饱了，不吃了。 Bǎo le, bù chī le.
（お腹がいっぱいです，もう結構）

単語6姉妹
CD1-94

お出かけまで

梳头发 shū tóufa （髪をすく）

照镜子 zhào jìngzi （鏡を見る）

戴帽子 dài màozi （帽子をかぶる）

带手机 dài shǒujī （携帯を持つ）

挎皮包 kuà píbāo （バッグをさげる）

锁门 suǒ mén （鍵をかける）

◇どちらにも解釈できる場合

最後の"不吃了"にご注目ください。これは「もう食べない」でB＜進行停止＞ですが，実はA＜計画中止＞にも使われます。Aの例文の最後も"晚饭不吃了"（晩ご飯は食べないことにした）でした。

このように両方の意味を表す場合も少なくありません。

不等了。	A.待とうと思っていたが，待つのを止める。	＜計画中止＞
Bù děng le.	B.これまで待っていたが，もう待たない。	＜進行停止＞
不买了。	A.買うつもりだったが，買わないことにした。	＜計画中止＞
Bù mǎi le.	B.これまでいくらか買ったが，もう買わない。	＜進行停止＞

◇形容詞の場合

以上はいずれも"不～了"に入るのが動詞の場合でした。形容詞が来る時もあります。一番よく見られるのはこんな文です。

时间不早了，该走了。 Shíjiān bù zǎo le, gāi zǒu le.
　　（もうこんな時間だ，行かなくては）

時間はまだ早いから大丈夫だと思っていたら，結構な時間になっていた。"不早"になった（"了"＝変化）わけです。単に"晚了"というより，"不早了"とすることによって，まだ早いと思っていたら，そうでなくなっていたという変化への気づきを表しています。

他有点不高兴了。 Tā yǒudiǎn bù gāoxìng le.
　　（彼はちょっと不機嫌になった）

你已经不小了，该懂事儿了。 Nǐ yǐjing bù xiǎo le, gāi dǒngshìr le.
　　（お前はもう子供じゃないんだから，もう少し聞き分けがよくなければ）

头已经不疼了。 Tóu yǐjing bù téng le.
　　（頭痛はもう治った）

変化前の痕跡を形容詞の原形で残し，それを"不"で否定し，最後に「新事態への変化」を示す"了"でしめくくる，そういう形です。

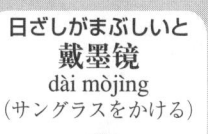

日ざしがまぶしいと
戴墨镜
dài mòjìng
（サングラスをかける）

悠三郎の文字なぞ

今日の問題です。

　　中　加　一　点。
　　Zhōng jiā yì diǎn.

"中"に"一点"を加えます。"点"だけでは字になりません。そこで――。

ことばの道草

おごり，おごられ

中国には割り勘はない，といっていましたら"AA制"AA zhì なる言葉が現れ，若い人たちの間では割り勘がだんだん抵抗なく受け入れられてきつつあるようです。

とは言うものの，基本はやはり「おごり，おごられ」です。

今日のスキットでは，ごちそうになった好恵さんが，高橋君に：

今天让你破费了。 Jīntiān ràng nǐ pòfèi le.

（今日はあなたに散財させてしまいました）

と言います。「散財」なんて若い人は使わないでしょうね。まあ，「今日はごちそうさま！」に近いでしょう。これに対する高橋君の答え：

回东京你再请我就行了。 Huí Dōngjīng nǐ zài qǐng wǒ jiù xíng le.

（東京に戻ってから僕にごちそうしてくれればいいよ）

これは何とも日本人らしからぬ返答です。考えてもみてください，日本人の，しかも男性が，しかも好きな女性に対して，こういうセリフを吐くでしょうか。自分は働いているけど，彼女はまだ留学の身ですよ！

実はこれは典型的な中国的やりとりなのです。中国語では確かにこういう場面で，

让你破费了，下次我请客。 Ràng nǐ pòfèi le, xià cì wǒ qǐng kè.

（あなたに散財させてしまいました，次は私がごちそうします）

というセリフがよく聞かれます。「おごり，おごられ」です。

こう言ったら，「それはおじさんの考え。若い二人は理由をつけて，また会いたいのよ」。恋の前には，中国式も日本式もないのかもしれません。

虫 chóng　おできになりましたか。"中"に"点"を加えても字になりません。"一"と"点"両方が必要です。

♣ ここほれ中級 ♣

♣ 三つの"再"zài

"再"はよく使われます。とりあえず三つの"再"を覚えておきましょう。

1) ある動作や状態のくり返しを表す。「再び，もう一度」

  请再说一遍。　Qǐng zài shuō yí biàn.（もう一度おっしゃってください）
  我想再看一遍。　Wǒ xiǎng zài kàn yí biàn.（もう一遍見たい）
  再复习复习吧。　Zài fùxífùxí ba.（もう一度復習しよう）
  再等一会儿。　Zài děng yíhuìr.（もうしばらく待とう）

最後の例は状態の継続です。これらの例では，後ろに数量表現がよく続きます。

2) まずある状況Xが実現し，その後で，を表す。「それから」

  待会儿再说吧。　Dāi huìr zài shuō ba.（しばらくしてからにしよう）
  热一热再吃。　Rèyirè zài chī.（ちょっと温めてから食べよう）

ある状況Xはよく時間詞で表されます。

  晚上再去，他准在家。　Wǎnshang zài qù, tā zhǔn zài jiā.
  （夜になってから行けば彼はきっと家にいるよ）
  这个问题下次再谈。　Zhèige wèntí xià cì zài tán.
  （この問題は次回にしよう）

"先～再～"という呼応もよく使われます。

  先看看再买。　Xiān kànkan zài mǎi.（先に見て，それから買おう）
  先放油再放糖。　Xiān fàng yóu zài fàng táng.
  （まず油を入れ，それから砂糖を入れます）

3) 形容詞の前に用いられ，程度の増加を表す「さらに」。

  再贵也得买。　Zài guì yě děi mǎi.（どんなに高くても買わねば）
  还有再便宜一些的房子吗？　Hái yǒu zài piányi yìxiē de fángzi ma?
  （もっと安い家はありませんか）

第20話

知らないっ！

（宿舎の入り口。田村が出てくる，江が迎える）　　　　　　CD1-95

江旭：**给，你要的CD。**
Jiāng Xù: Gěi, nǐ yào de CD.

田村：**谢谢。对了，高桥说谢谢你们送他**
Tiáncūn: Xièxie. Duì le, Gāoqiáo shuō xièxie nǐmen sòng tā

　　　的礼物。
　　　de lǐwù.

江旭：**一点儿小意思，别客气。**
　　　Yìdiǎnr xiǎoyìsi, bié kèqi.

　　　欸，他回国了吗？
　　　Éi, tā huí guó le ma?

田村：**他已经回日本了。**
　　　Tā yǐjing huí Rìběn le.

　　　欸，你去过日本吗？
　　　Éi, nǐ qùguo Rìběn ma?

江旭：**没有。**
　　　Méiyou.

田村：**那你以后一定去看看。我给你做**
　　　Nà nǐ yǐhòu yídìng qù kànkan. Wǒ gěi nǐ zuò

　　　导游。我知道很多好玩儿的地方。
　　　dǎoyóu. Wǒ zhīdao hěn duō hǎowánr de dìfang.

江旭：**好哇。**
　　　Hǎo wa.

江：はい，君がほしがっていたCD。

田村：ありがとう。そうだ，高橋君がふたりにおみやげをありがとうって。

江：ほんの気持ちだよ，気にしないで。
（間があって）そう，彼帰ったの？

田村：もう日本に帰りました。
（間があって）ねえ，**日本に行ったことある？**

江：ないよ。

田村：それじゃ絶対行くべきよ。私，案内してあげる。
面白いところたくさん知ってるから。

江：いいね。

単語

对了 duì le ［組］そうそう。そうだ。（ふと気づいたことを表す）

礼物 lǐwù ［名］プレゼント。おみやげ。

小意思 xiǎoyìsi ［名］ほんの気持ち。志。

回国 huíguó ［動］帰国する。"回" huí は「もどる，帰る」。

导游 dǎoyóu ［名］ガイド。案内者。

好玩儿 hǎowánr ［形］面白い。

地方 dìfang ［名］ところ，場所。

田村：**日本 也 有 好多 好吃 的。**
　　　Rìběn yě yǒu hǎoduō hǎochī de.

　　　对 了，我 也 会 做 菜。我 做 的
　　　Duì le, wǒ yě huì zuò cài. Wǒ zuò de

　　　酱汤 可 好喝 了。
　　　jiàngtāng kě hǎohē le.

江旭：**高桥 可 真 有 口福 啊！**
　　　Gāoqiáo kě zhēn yǒu kǒufú a!

田村：**跟 他 有 什么 关系？**
　　　Gēn tā yǒu shénme guānxi?

　　　江 旭，你 真 没劲。
　　　Jiāng Xù, nǐ zhēn méijìn.

江旭：**哟，不 高兴 了！**
　　　Yō, bù gāoxìng le!

大爷：**瞧，把 姑娘 惹恼 了 吧？**
dàye：Qiáo, bǎ gūniang rěnǎo le ba?

田村：日本にもおいしいもの、たくさんあるよ。

江：(ただ笑顔)

田村：そうそう、私、料理もできるし。私のみそ汁、とってもおいしいよ。

江：高橋君は本当に幸せだ！

田村：(複雑な気持ちで) 彼とは関係ないでしょう？

江旭、あなたにはがっかりしたわ。(身をひるがえし、寮に戻ってしまう)

江：(大げさな顔をして) あれっ、ふくれちゃったよ！

おじさん：(笑って江に) ほらほら、女の子を怒らせてしまって。

単語

好多 hǎoduō ［形］たくさんの。

做菜 zuò cài ［組］料理を作る。

酱汤 jiàngtāng ［名］みそ汁。

口福 kǒufú ［名］口の幸せ。おいしいものに出会う喜び。

跟他有什么关系 gēn tā yǒu shénme guānxi ［組］彼とどんな関係があるというのか→何の関係もない。反語文。

没劲 méi jìn ［組］つまらない。面白くない。

高兴 gāoxìng ［形］機嫌がよい。楽しい。

姑娘 gūniang ［名］娘。

惹恼 rěnǎo ［動］相手を怒らせる。

Key Sentence

CD1-96

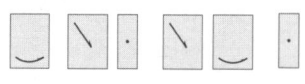

你 去过 日本 吗？
Nǐ qùguo Rìběn ma?

日本に行ったことがありますか

　中国に行くと，よくこの文を使います。「日本に行ったことがありますか」は日本人と中国人の話題としては最適この上ありません。
　文法上のポイントは動詞"去"qù の後ろについている"过"guo です。軽声に発音し，過去の経験を表します。「～したことがある」です。アスペクト助詞と言います。
　この文は疑問文ですが，このほか反復疑問の形も可能です。

　　　你去没去过日本？　　Nǐ qù méi qùguo Rìběn?

　　　你去过日本没有？　　Nǐ qùguo Rìběn méiyou?

意味はどちらも「日本に行ったことがありますか」です。
　これに否定で答える時にも"过"は残り，

　　　我没去过日本。　Wǒ méi qùguo Rìběn.

となることはご存じでしょう。

●この文の重点は"去过"qùguo と"日本"Rìběn です。
はじめの"去"qù は十分な高さが確保されています。
それに対して"日本"の"日"rì のほうは，やや低いことが分かります。これは"去"のほうが有気音であり，"日"のほうはこもった摩擦音ということが影響しているためでしょう。
しかし，発音に際しては"日本"を最も明瞭に発声する心構えが必要です。
人間の意図的な努力が，必ずしも機械の上で物理的にも明らかに示されるとは限らないのです。

活用 Key Sentence   CD1-97

いろいろな地名を入れましょう。

你去过 | 香港 Xiānggǎng
       | 上海 Shànghǎi | 吗？
       | 北京 Běijīng

あるいは国名でもよいですね。

你去过 | 美国 Měiguó | （アメリカ）
       | 中国 Zhōngguó | 吗？ （中国）
       | 法国 Fǎguó | （フランス）

答は簡単にすますことができます。

去过。　　Qùguo.　　（行ったことがあります）

没去过。　Méi qùguo.　（行ったことがありません）

～文法レッスン～

1. お口の幸せ

美味しいものを口にする機会が多い人，そういう人にはこう言ってあげることができます。

　　你可真有口福啊！ Nǐ kě zhēn yǒu kǒufú a!

これはうまく日本語に訳すことができませんが，おいしいものにありつくことを一種の「福」と見なしているところが中国的ですね。

福があるのは"有口福"yǒu kǒufú と言いますが，反対に福が薄いのは"口福浅" kǒufú qiǎn と"浅"を使います。

　　这孩子口福浅，一吃海鲜就过敏。
　　Zhè háizi kǒufú qiǎn, yì chī hǎixiān jiù guòmǐn.
　　　（この子は可哀想だよ，魚類を食べるとアレルギーがでるんだから）

"浅"を活用して，"口福不浅"kǒufú bù qiǎn と言えば，これは「口の福浅からず」ということで"有口福"の意味です。めったに口にできないような珍味を食べた時は，

　　今天我口福不浅。 Jīntiān wǒ kǒufú bù qiǎn.

です。

このほか"～福"と言えるものは，"眼福"yǎnfú と "耳福"ěrfú ぐらいでしょうか。それぞれ「目の楽しみ」と「耳の楽しみ」です。"口福"と同じように使いますが，動詞"饱"bǎo を使い，"大饱眼福"dà bǎo yǎnfú（大いに目を楽しませる）などと言います。飽きるほど，十分堪能するということでしょう。

　　今天的音乐会使我大饱耳福。
　　Jīntiān de yīnyuèhuì shǐ wǒ dà bǎo ěrfú.
　　　（今日のコンサートではすっかり耳を楽しませてもらった）

単語6姉妹 CD1-98　　**好きな日本の食べ物**

寿司 shòusī（すし）

| 生鱼片 shēngyúpiàn（刺身） | 酱汤 jiàngtāng（みそ汁） | 饭团 fàntuán（おにぎり） | 日式拉面 rìshì lāmiàn（ラーメン） | 天妇罗 tiānfùluó（天ぷら） |

2．反語は反対のことが言いたい

女心が分からない江旭に，好恵さんが思わず吐いたセリフ：

跟他有什么关系？ Gēn tā yǒu shénme guānxi？

（彼とどういう関係があるのか）

これは「高橋君とどういう関係があるの→何の関係もない」ということです。つまり表面上は疑問文の形をとっていますが，疑問は表していません。

むしろ話し手は自分の考えをきっぱり断定的に表明する，それが反語文です。

その時，文字上，形が肯定なら言いたい本音は否定になり，形の上で否定なら，言いたいことは肯定になります。要するに反対になるわけです。

   ＜肯定＞   ＜否定＞

有什么关系？ 没有关系

ここでは疑問詞を用いた反語文をいくつか示しましょう。

我怎么知道？ Wǒ zěnme zhīdao？

（おれが知ってるはずないだろ）

他哪儿有时间啊？ Tā nǎr yǒu shíjiān a？（彼に時間なんかあるものか）

这么冷谁去游泳啊？ Zhème lěng shéi qù yóuyǒng a？

（こんなに寒くてだれが泳ぎに行くものか）

哪个演员不想成名？ Něige yǎnyuán bù xiǎng chéngmíng？

（有名になりたいと思わぬ俳優はいない）

那么远的路半个小时怎么能到呢？
Nàme yuǎn de lù bàn ge xiǎoshí zěnme néng dào ne？

（その距離を30分で行けるものか）

これも大丈夫
纳豆
nàdòu
（納豆）

㊗三郎の文字なぞ

これもセンスが試される問題。ごらんください。

  大于， 小于， 等于。
  Dàyú, xiǎoyú, děngyú.
  （より大きい，より小さい，等しい）

ヒント：いずれも数学のある記号に置き換えることができます。

ことばの道草

私の作ったみそ汁

好恵さんは江旭に、日本人らしく「私の作ったみそ汁はおいしいのよ」と自己アピールしています。

我做的酱汤可好喝了。
Wǒ zuò de jiàngtāng kě hǎohē le.

みそ汁は私も大好きですが、みそ汁に限らず、日本食はいまや世界に進出中。中国でも味わえるお店が増えてきました。上海や北京には回転寿司のお店もあります。

寿司はちょっと前は"四喜"sìxǐ などとも言っていましたが、最近はそのまま"寿司"shòusī ですね。

お刺身はもう御存じでしょう、"生鱼片"shēngyúpiàn です。

おにぎりは"饭团"fàntuán、のり巻きは"紫菜卷"zǐcàijuǎn と言います。

日本そばは"荞麦面"qiáomàimiàn と、難しい漢字そのままです。後につく"面"miàn は「麺」のことです。

ラーメンは文字通り"拉面"lāmiàn とすると、中国の"拉面"（両手で引っぱって細長くのばした手打ち麺）とまぎれやすいので"日式拉面"rìshì lāmiàn などとメニューには書いてあります。

ソースたっぷりのやきそばも中国のと区別して"日式炒面"rìshì chǎomiàn などと書きます。

鰻は"烤鳗鱼"kǎományú。"烤"kǎo（あぶる）をつけるのがいかにも中国語。ただの"鳗鱼"mányú では料理名じゃなくて、生の鰻。これは食べられません。

互 hù

"大于"は「>」、"小于"は「<」、そして"等于"は「=」と、いずれも数学の記号で表せる。そこでこの三つの記号を組合わせる。なかなかの難問。

❖ ここほれ中級 ❖

♣ 「経験」の"过"と「終了済み」の"过"

「経験」の"过"は，よく見かけます。

　　你吃过北京烤鸭（kǎoyā）吗？（北京ダックを食べたことがありますか）
　　这个节目（jiémù）你看过吗？（この番組，ごらんになったことがありますか）

同じくアスペクトを表す助詞でも，否定の時，"了"は消えますが，"过"は消えないこともご存じでしょう。

　　我没吃过河豚（hétún）。（ふぐを食べたことがありません）
　　我从来没有告诉过别人。（私はこれまで人に話したことはありません）

"过"は過ぎ去りです。現在と切り離された過去です。それに対して"了"は現在との関わりが生じます

　　他去过上海（今は上海にはいない）
　　他去了上海（今上海にいる）

以上のような"过"を"过₁"と呼べば，"过"にはもう一つ，これとまぎれやすい"过₂"があります。例えば次の文は「経験」には訳せません。

　　早上吃过饭没有？　　　（朝ご飯は済ませましたか）
　　这些衣服都洗过了吗？　（これらの服はみな洗濯んでいるの？）
　　检查过行李才能上飞机。（荷物検査が済まないと搭乗できません）

これらは「終了済み」を表します。結果補語の"过₂"です。「経験」の"过₁"は永遠に軽声ですが，結果補語の"过₂"は，強調したければ原声調で読むことも可能です。

また「経験」の"过₁"はよく副詞"曾经"céngjīngと一緒になりますが，「終了済み」の"过₂"はよく副詞"已经"yǐjingと共に現れます。

　　我曾经爱过一个不应该爱的女人。
　　　（私はかつて愛してはいけない女を愛してしまった）
　　樱花（yīnghuā）已经开过了。（桜の花はすでに過ぎた）
　　我已经吃过饭了。（もうご飯は済んだ）

また"过₁"は"了"と一緒に使われませんが，"过₂"は"了"と一緒になれます。

239

第21話 切符を買う

（上海駅で）　　　　　　　　　　　　　　　　　　　CD2-1

刘欣欣：最 早 的 是 6 点 钟。
Liú Xīnxīn：Zuì zǎo de shì liù diǎn zhōng.

田村：太 早 了！ 我 起不来。 8 点、9 点
Tiáncūn：Tài zǎo le！ Wǒ qǐbulái. Bā diǎn、jiǔ diǎn

左右 的 没有 吗？
zuǒyòu de méiyou ma？

刘欣欣：9 点 半 还 有 一 趟，是 特快，
Jiǔ diǎn bàn hái yǒu yí tàng, shì tèkuài,

怎么样？
zěnmeyàng？

田村：行， 就 买 这 趟 的。
Xíng, jiù mǎi zhèi tàng de.

刘欣欣：买 两 张 到 杭州 的，T 7 1 5 次
Mǎi liǎng zhāng dào Hángzhōu de, T qī yāo wǔ cì

特快 的 票。
tèkuài de piào.

劉：一番早いのは6時だね。

田村：早すぎる！　私起きられないよ。8時，9時ごろのはないのかな？

劉：9時半にもう1本ある，特別快速だけど，どう？

田村：いいね，これを買おう。

（切符売り場に行く）

劉：杭州行き，Ｔ７１５号特急の切符を２枚ください。

単語

最早的 zuì zǎo de ［組］最も早いの。"的"によって全体が体言化されている。

点钟 diǎn zhōng ［名］時。2時とか3時というまとまった時刻の時に使われる。分や秒があれば使えない。"3点钟14分"などとは言えない。

起不来 qǐbulái ［動］起きられない。反対は"起得来"qǐdelai（起きることができる）

左右 zuǒyòu ［名］ぐらい。（おおよその数，概数を表す）

趟 tàng ［量］列車やバスの発着便を数える。

特快 tèkuài ［名］特別快速。

怎么样 zěnmeyàng ［代］どうですか。評価をたずねる。

241

售票员：**要 哪 天 的？**
shòupiàoyuán：Yào něi tiān de?

刘欣欣：**后天 的。 有 软座 的 吗？**
Hòutiān de. Yǒu ruǎnzuò de ma?

售票员：**卖完 了。 你们 可以 乘坐 其它 的**
Màiwán le. Nǐmen kěyǐ chéngzuò qítā de

空调车 去。 又 快 又 舒服。
kōngtiáochē qù. Yòu kuài yòu shūfu.

刘欣欣：**是 那 种 双层车 吗？**
Shì nèi zhǒng shuāngcéngchē ma?

售票员：**对。**
Duì.

刘欣欣：**要 多 长 时间？**
Yào duō cháng shíjiān?

售票员：**两 个 小时 左右。**
Liǎng ge xiǎoshí zuǒyòu.

刘欣欣：**那 好。**
Nà hǎo.

発音のポイント ……… iとnにはさまれたa——何も言えん（ian）

　aはふつうは「ア」のように発音しますが，iとnにはさまれた時は特別です。

　　-ian

これはイエンのように発音されます。一方-iangならば「ィヤン」のように発音します。これらが単独で音節をなす時にはiをyに書き換えますから

　　yan　yang

のようになります。声調をつけて発音しましょう。

　　　言　yán　　　　羊　yáng
　　　钱　qián　　　　强　qiáng
　　　时间　shíjiān　　将来　jiānglái

係員：何日のですか？

劉：あさっての。グリーン席ありますか？

係員：売り切れました。ほかのクーラー車に乗られたらいいですよ。速くて快適です。

劉：例の二階建ての車両のですか？

係員：そうです。

劉：**どれぐらい時間がかかりますか？**

係員：2時間ぐらいです。

劉：いいわ。

単語

要哪天的 yào něi tiān de ［組］何日のですか。"要"は「要る，ほしい」。"要哪一天的"の"一"が省略されている。

后天 hòutiān ［名］あさって。

软座 ruǎnzuò ［名］一等座席。グリーン車。↔ "硬座" yìngzuò（普通座席）

乘坐 chéngzuò ［動］乗る。

空调车 kōngtiáochē ［名］クーラー車。

又快又舒服 yòu kuài yòu shūfu ［組］速いし快適だ。"又～又～"は「～でもあるし，～でもある」。

双层车 shuāngcéngchē ［名］二階建て車両。

多长时间 duō cháng shíjiān ［組］どのぐらいの時間。

两个小时 liǎng ge xiǎoshí ［組］2時間。

243

Key Sentence

CD2-2

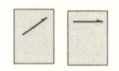

要　多　长　时间？
Yào　duō　cháng　shíjiān？

どのぐらい時間がかかりますか

"要" yào は動詞です。「要る，必要だ」という意味です。その目的語が後ろに続く"多长时间" duō cháng shíjiān 全体です。

まず"多长" duō cháng は「どのぐらい長い」ということで，これだけでも疑問文になりえます。"多"は疑問詞の一種です。

"多长" duō cháng はその後ろの"时间" shíjiān にかかり，連体修飾語になっています。「どのぐらいの長さの時間」です。

どのぐらいの時間がかかりますかとたずねるにはこの文が一番便利です。これ以外ですと，例えば「何時間かかりますか」は

> **要几个小时？**
> Yào jǐ ge xiǎoshí？

ですし，「何日かかりますか」は

> **要几天？**
> Yào jǐ tiān？

です。「何週間かかりますか」は

> **要几个星期？**
> Yào jǐ ge xīngqī？

となります。もちろん"几"のかわりに"多少"を使ってもかまいません。

"时间"を使うなら Key Sentence の形です。しかし，"小时"や"天"，"星期"など個別の時間単位を使う時には別の言い方になるという点が要注意です。

●文頭の"要"yào はかなり明瞭に形が出ています。一般に最初の音はそれを発音するエネルギーもたっぷりあるのではっきり出る傾向にあります。

次の"多长"では"多"のほうが強いようです。

単独で"多长?"Duō cháng? と言う時には"长"が強いのですが，このように後に言葉が続く時は"长"はあまり強くありません。

最後の"时间"shíjiān は特徴があります。"时"が"间"にくらべて非常に短いという点です。これは常にそうですから，"时间"は"间"のほうを長くはっきり発音してください。

◆ 活用 Key Sentence　　　　　　　　　　　　　　　CD2-3

"多长"は英語の *how long* ～?と似ています。

「"多"＋形容詞」の例です。形容詞はふつう積極的なほうを使います。

多高？　Duō gāo？　（どのぐらい高いか）

多大？　Duō dà？　（どのぐらい大きいか）

多远？　Duō yuǎn？　（どのぐらい遠いか）

多宽？　Duō kuān？　（どのぐらい幅があるか）

具体的にはこんな風に使います。

他多高？　Tā duō gāo？（彼はどのぐらい背が高いの）

你多大？　Nǐ duō dà？（あなたはお幾つですか）

离这儿多远？　Lí zhèr duō yuǎn？

（ここからどのぐらいありますか）

那条路多宽？　Nèi tiáo lù duō kuān？

（その道路はどのぐらいの幅ですか）

~文法レッスン~

1. 概数の言い方

好恵さん、「8時か9時ごろの列車はないか」と言っていましたね。

8点、9点左右的没有吗？　Bā diǎn、jiǔ diǎn zuǒyòu de méiyou ma？

"左右"とは「～ころ」の意味をあらわします。さらに「2時間ぐらいかかります」という時にも"左右"が使われていました。

两个小时左右。　Liǎng ge xiǎoshí zuǒyòu.

このように"左右"は時の長さにも，時の点すなわち時刻にも用いられます。

　　　＜時の長さ＞　　　　　　＜時の点＞

四天左右　Sì tiān zuǒyòu　　　5点左右　wǔ diǎn zuǒyòu

（4日間ぐらい）　　　　　　　（5時ごろ）

ただし，時の点といっても次のような場合には使えません。

×春节左右　　×元旦左右

つまり"左右"は数量表現としか結合しないのです。「春節のころ，春節前後」と言いたい時には"前后"を使います。

春节前后　Chūnjié qiánhòu　　　元旦前后　Yuándàn qiánhòu

「六一」や「十一」も一見，数を表しているように見えますが，これらはそれぞれ子供の日や国慶節を表しているので，やはり"左右"でなく"前后"を使います。

×六一左右　→　○六一前后　　×十一左右　→　○十一前后

このように"前后"は時の点を表すものとなら結合が自由です。"12点前后"ももちろん大丈夫です。しかし，"前后"はそのほかは融通がききません。それに対して"左右"はいろいろな数量とかなり広く結びつきます。

17岁左右　shíqī suì zuǒyòu　　　100个左右　yìbǎi ge zuǒyòu

単語 6 姉妹　CD2-4　　［私の旅じたく］

照相机　zhàoxiàngjī　（カメラ）

钱包　qiánbāo　（財布）

写生本儿　xiěshēngběnr　（スケッチブック）

地图　dìtú　（地図）

糖　táng　（キャンディー）

阳伞　yángsǎn　（日傘）

2．起きられない——可能補語

好恵さんが，あまりに早すぎる列車の時間を聞いて，

太早了！ 我起不来。（早すぎる！私は起きられない）

と言っていました。"起不来"とは「起きられない」ということ。"起来"の間に"不"を入れて不可能を表します。この反対は"得"を入れて"起得来" qǐdelái といい，「起きられる」という可能の意味を表します。

このような形を可能補語と呼んでいます。さまざまな可能補語があります。

进得来 jìndelái（入ってこられる） **进不来** jìnbulái（入ってこられない）
上得去 shàngdequ **上不去** shàngbuqù
（あがって行ける） （あがって行けない）
买得到 mǎidedào（買える） **买不到** mǎibudào（買えない）

以上は"进来"とか"上去"のように後ろに方向補語がきたもの。次は後ろに結果補語がくるもので，同じように"得"や"不"を入れて可能補語になります。

听得懂 tīngdedǒng（聞いて分かる）**听不懂** tīngbudǒng（聞いて分からない）
看的清 kàndeqīng（はっきり見える）**看不清** kànbuqīng（はっきり見えない）

補語の定義も思い出してください。動詞の後にあり，その補足説明をするものでした。すなわち可能補語とは"得"や"不"以下を指します。

车上人太多了，上不去。 Chēshang rén tài duō le, shàngbuqù.
（バスは込んでいて乗れない）
我听不懂。 Wǒ tīngbudǒng.（私は聞いても理解できません）
还买得到吗？ Hái mǎidedào ma？（まだ手に入りますか）
这么小的字你看得清吗？ Zhème xiǎo de zì nǐ kàndeqīng ma？
（こんなに小さな字あなた見えるの）

可能補語は否定形のものがよく使われます。上の例でも，肯定形が使われているのは疑問文のみです。

これがないと
枕头
zhěntou
（まくら）

您 三郎の文字なぞ

これは知性が試される字謎。

山东省　下　雨。
Shāndōngshěng xià yǔ.
（山東省に雨が降る）

ヒント：「山東省」を別の言葉で言い換えること。孔子の出身地「山東省」，漢字1字でなんと言いましたか？

ことばの道草

中国の朝

　中国人は早起きです。

　旅行でも留学でも，中国に行く機会があれば，一度思いきって早起きしてみることをおすすめします。5時ごろ起きて，街へ出かけてみる。

　公園には"遛鸟的"liū niǎo de といって鳥かごを手にしている老人がいます。最近は犬を散歩させる人"遛狗的"liū gǒu de も増えてきました。

　もちろん"跑步"pǎobù，ジョギングをしている人もいますし，"做操锻炼身体"zuòcāo duànliàn shēntǐ, 体操らしきものをして身体を動かしている人もいます。

　それから"打太极拳"dǎ tàijíquán や"练太极剑"liàn tàijíjiàn の人にも必ずと言ってよいほどお目にかかります。

　公園のあずま屋には，楽器を手に京劇の一段を演奏しているグループがいます。それに合わせて唱っている人もいます。"吊嗓子"diào sǎngzi と言いますが，京劇の発声練習です。愛好者が曜日を決めて集まっているようです。

　そして人々から離れたところにぽつんと若者がいます。学生でしょう。教科書のようなものを手に，ぶつぶつ外国語をつぶやいています。"背外语"bèi wàiyǔ, 外国語の暗唱です。

　通りのそこかしこには郊外からやってきた農民でしょう，とれたての野菜を並べています。"早市"zǎoshì と言い，ここで安くて新鮮な野菜を手に入れることができます。

　そろそろ出勤する人も増えてきました。野菜売りの傍らにはいつの間にか"油条"yóutiáor を売るお店も出ています。

　元気な中国の一日がはじまります。

渔 yú　「山東省」は"鲁"lǔ の国。次に"下雨"。雨が降っているのですから，太陽は出ていません。"鲁"の下の"日"を取り去り，"鱼"という字ができます。これも正解にしてもいいと思いますが，中国では「雨が降っている」のだからと，さんずいを加えるのが普通です。かくて"渔"が答え。

✤ ここほれ中級 ✤

♣ "又～又～" yòu ～ yòu ～の文法

「Aでもあり，Bでもある」と言いたい時に"又～又～"というパターンを使います。

「高くて大きい」	又高又大	yòu gāo yòu dà
「やせていて小さい」	又瘦又小	yòu shòu yòu xiǎo
「さっぱりとしてきれい」	又干净又漂亮	yòu gānjìng yòu piàoliang

二つの性質や状態が同時に存在することを表します。似たような意味グループに属する語が並びます。

以上は形容詞ですが，動詞も可能です。

| 「飲んだり食べたりする」 | 又吃又喝 | yòu chī yòu hē |
| 「泣いたりののしったりする」 | 又哭又骂 | yòu kū yòu mà |

"吃"と"喝"は日本語と順序が違いますね。

具体的な例文をごらんください。

　　他长得又高又大。　Tā zhǎngde yòu gāo yòu dà.
　　　（彼は背も高いし身体も大きい）

　　干活就得又快又好。　Gànhuó jiù děi yòu kuài yòu hǎo.
　　　（仕事は早くきちんと）

　　爸爸一看见他就讨厌，说他又野又笨。
　　Bàba yí kànjian tā jiù tǎoyàn, shuō tā yòu yě yòu bèn.
　　　（父は彼を一目見るなり嫌った，乱暴でおろかだというのだ）

"又～又～"に現れる形容詞は同類で，評価についても一致しています。

　　那个店的菜又贵又不好吃。　Nèige diàn de cài yòu guì yòu bù hǎochī.
　　　（あのレストランは高いしまずい）

　　那个店的菜又便宜又好吃。　Nèige diàn de cài yòu piányi yòu hǎochī.
　　　（あのレストランは安くておいしい）

第22話 ホテル到着 ～杭州の旅1～

（田村と劉はあるホテルに入る）

CD2-5

田村 ： 这儿 真 不 错，你 说 呢？
Tiáncūn : Zhèr zhēn bú cuò, nǐ shuō ne?

刘欣欣 ： 嗯， 挺 漂亮 的。
Liú Xīnxīn : Ng, tǐng piàoliang de.

服务员 ： 欢迎 光临。
fúwùyuán : Huānyíng guānglín.

刘欣欣 ： 这里 有 空 房间 吗？
Zhèlǐ yǒu kòng fángjiān ma?

服务员 ： 有 双人 房间。 你们 住 几 天？
Yǒu shuāngrén fángjiān. Nǐmen zhù jǐ tiān?

刘欣欣 ： 三 天。
Sān tiān.

服务员 ： 请 填 一下儿 住宿单。
Qǐng tián yíxiàr zhùsùdān.

服务员 ： 谢谢。 先 交 1000 块 押金。
Xièxie. Xiān jiāo yìqiān kuài yājīn.

刘欣欣 ： 这么 多 啊。
Zhème duō a.

田村：ここいいんじゃない？

劉：うん，とてもきれいだね。（二人，フロントに向かう）

係員：いらっしゃいませ。

劉：こちらに空き部屋はありますか？

係員：ツインの部屋がございます。何日間お泊まりですか？

劉：3日間。

係員：（用紙を取り出し）宿泊カードにご記入願います。

（記入後係員にわたす）

係員：ありがとうございます。先に保証金を1000元お預かりします。

劉：そんなにたくさん。

単語

你说呢 nǐ shuō ne［組］あなたの意見は？　あなたはどう思う？

挺漂亮的 tǐng piàoliang de［組］結構きれいだ。"挺"は「予想外，意外」な語気を表す。後ろに"的"の呼応があることにも注意。

服务员 fúwùyuán［名］服務員。係員。

欢迎光临 huānyíng guānglín［組］いらっしゃいませ。

空房间 kòng fángjiān［組］空いている部屋。

双人房间 shuāngrén fángjiān［組］ツインルーム。

住几天 zhù jǐ tiān［組］何泊するのか。

填 tián［動］（枠内に字や数字を）記入する。

住宿单 zhùsùdān［名］宿泊カード。

交1000块押金 jiāo yìqiān kuài yājīn［組］1000元の保証金を支払う。

田村： 这里 能 不 能 用 信用卡？
Zhèlǐ néng bù néng yòng xìnyòngkǎ?

服务员： 当然 可以。
Dāngrán kěyǐ.

田村： 请 刷 卡。
Qǐng shuā kǎ.

刘欣欣： 不 好意思 啊。
Bù hǎoyìsi a.

田村： 别 客气。
Bié kèqi.

服务员： 这 是 两 把 钥匙。 电梯 在 那儿。
Zhè shì liǎng bǎ yàoshi. Diàntī zài nàr.

発音のポイント "先" Xiān と "西安" Xī'ān

"先" xiān は1音節ですが，"西安" Xī'ān は2音節です。"西安"のピンイン表記には音節間に[']という符号が入っています。これは"隔音符号" géyīn fúhào といい音節の切れ目を示すもの。

中国語では「a, o, eで始まる音節が他の音節に後続する場合，もし音節の境界に紛れが生じる場合は，"隔音符号"を用いる」ことになっています。

皮袄 pí'ǎo　　飘 piāo

"天安门" Tiān'ānmén のような場合は，音節境界に紛れは生じない（Tiā＋nān＋mén とはならない）ので"隔音符号"を使わなくてもよいのですが，習慣上分かりやすさを計りこれを入れています。

天鹅　　　tiān'é　　　（白鳥）
海鸥　　　hǎi'ōu　　　（カモメ）
一路平安　yílù píng'ān　（道中ご無事で）

田村：ここはクレジットカード使えますか？
係員：もちろん使えます。
田村：カードでお願いします。
　劉：悪いね。
田村：気にしないで。
係員：こちら鍵二つです。エレベーターはあちらです。

単語

信用卡 xìnyòngkǎ［名］クレジットカード。

当然 dāngrán［形］もちろん。当然だ。

刷卡 shuā kǎ［組］カードを機械に通す。カードで支払う。

不好意思 bù hǎoyìsi［組］申し訳ない。すみません。

两把钥匙 liǎng bǎ yàoshi［組］2本のキー。"把" bǎ はキーを数える量詞。

电梯 diàntī［名］エレベーター。

Key Sentence

CD2-6

\　│　⌣　\　／　─　・

这里　有　空　房间　吗？
Zhèlǐ　yǒu　kòng　fángjiān　ma？

こちらに空き部屋はありますか

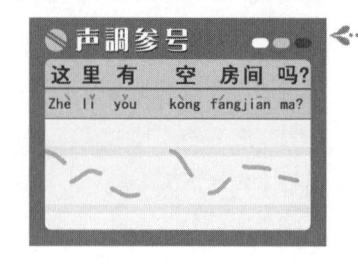

"这里有～吗？"は「ここには～がありますか」という常用の構文です。例えば，

 这里有银行吗？　Zhèlǐ yǒu yínháng ma?
 （ここには銀行がありますか）

"空房间"はホテルの「空き部屋」ですが，kòng fángjiān と発音します。"空"には kōng と kòng の二つの発音があります。

「使われていない，利用されていない」という時には kòng です。

 空房间　kòng fángjiān　（空き部屋）
 空时间　kòng shíjiān　（空いている時間）
 空地　　kòngdì　　　（空き地）

それに対して，「からっぽの，中身がない」という時は kōng です。

 空口袋　kōng kǒudai　（からっぽのポケット）
 空钱包　kōng qiánbāo　（からの財布）
 空话　　kōnghuà　　　（内容のない話）

- ●文頭の"这里有"zhèlǐ yǒu は第3声の連続のために"里"lǐ が第2声に変化したと考えられます。

  ここは人によっては"zhèli"のように"里"は軽声に発音するようです。

  "有"は低く低くおさえればよいでしょう。

  この文のポイントは"空房间"kòng fángjiān にあります。ここは明瞭に発音する必要があります。"空"は kòng と第4声のほうです。

✦ 活用 *Key Sentence*　　　　　　　　　　　　　　　　　　CD2-7

"这里有～吗?"の構文を使ってたずねてみましょう。

这里有人吗？ Zhèlǐ yǒu rén ma?

これは席などを指して「ここ空いていますか，だれかいますか」という意味。次はホテルでも使える用例です。

这里 Zhèlǐ	有 yǒu	小卖部 xiǎomàibù	吗? ma?	（売店）
		中餐厅 Zhōngcāntīng		（中華レストラン）
		游泳池 yóuyǒngchí		（プール）

～文法レッスン～

1．"挺～的" tǐng ～ de

「結構，なかなか～だ」という時に"挺～的"を使います。

自分の予想とちょっと違っていたり，ズレがあった時にこう言います。最後は"挺"と呼応して"的"でしめます。

挺干净的。	Tǐng gānjìng de.	（なかなかきれいだ）
挺好吃的。	Tǐng hǎochī de.	（結構いける）
挺有意思的。	Tǐng yǒu yìsi de.	（結構面白いよ）
你挺开心的嘛。	Nǐ tǐng kāixīn de ma.	（おや案外元気じゃないか）

"挺～的"は常用語の一つですがニュアンスを理解して使いたいものです。

2．"不好意思" bù hǎoyìsi

"不好意思" bù hǎoyìsi もなかなかニュアンスがつかみにくい言葉です。基本的には「立場がない，面子がない」ということでしょう。そこから

1）恥ずかしい

　　那时我说错了，现在想起来真不好意思。
　　Nà shí wǒ shuōcuò le, xiànzài xiǎngqilai zhēn bù hǎoyìsi.
　　（あの時私は言い間違えてしまいました，いま思い出しても本当に恥ずかしい）

　　你怎么不说话了？　你不是喜欢他吗？　不好意思了？
　　Nǐ zěnme bù shuō huà le?　Nǐ bú shì xǐhuan tā ma?　Bù hǎoyìsi le?
　　（どうして黙っているの？　彼のこと好きなんでしょ？　恥ずかしいの？）

単語 6 姉妹　CD2-8　［財布の中には］

信用卡 xìnyòngkǎ （クレジットカード）

| 优惠卡 yōuhuìkǎ （優待カード） | 月票 yuèpiào （定期券） | 钥匙 yàoshi （鍵） | 电话卡 diànhuàkǎ （テレホンカード） | 口香糖 kǒuxiāngtáng （ガム） |

2)（人から好意を受けて）申し訳ない，すみません

真不好意思，又让您破费了。
Zhēn bù hǎoyìsi, yòu ràng nín pòfèi le.
（本当にすみません，またあなたに散財させてしまいました）

よく使うのはこの二つの用法です。

3．"单" dān と "双" shuāng

こういう対になる語に着目すると，意外に語彙を増やせます。

单人床 dānrénchuáng（シングルベッド）	双人床 shuāngrénchuáng（ダブルベッド）
单人沙发 dānrén shāfā（一人掛けソファ）	双人沙发 shuāngrén shāfā（二人掛けソファ）
单打 dāndǎ（卓球などのシングル）	双打 shuāngdǎ（ダブルス）
单眼皮 dānyǎnpí（一重まぶた）	双眼皮 shuāngyǎnpí（二重まぶた）
单数 dānshù（奇数）	双数 shuāngshù（偶数）
单人旁 dānrénpáng（にんべん）	双人旁 shuāngrénpáng（ぎょうにんべん）

そして……

男朋友的照片
nán péngyou de zhàopiàn
（彼の写真）

您三郎の文字なぞ

たまにはゆったり解いて快感を味わいたいもの。それならこちらです。

明中有一个，暗里有两个
Míng zhōng yǒu yí ge, àn lǐ yǒu liǎng ge.
（明るい所では一つ，暗い所には二つあるもの）

まずは素直な問題です。

ことばの道草

ホテルにて

「いらっしゃいませ」は中国でもよく耳にするようになりました。

　　欢迎光临！　Huānyíng guānglín！

ところで「ありがとうございました」は何と言うかご存じですか。これも最近聞くようになりました。

　　谢谢光临！　Xièxie guānglín！

テキストの場面はホテルです。ホテルにはまた独特の言葉があります。

特に，ホテルに着いて手続きを済ませて「やれやれ」とほっとしていると，保証金を現金で2000元払えなどと要求されますから，「クレジットカードが使えますか」という一言は重要です。

　　这里能不能用信用卡？　Zhèlǐ néng bù néng yòng xìnyòngkǎ？

カードをシュッと機械を通す動作の"刷"shuā，それを使った"刷卡"shuā kǎ（カードで支払う）というのも新しい言葉です。

ほかにも"钥匙"yàoshi（鍵，キー）とか"退房"tuìfáng（チェックアウトする），それから"结账"jiézhàng（勘定をする）などは必須の単語です。

もう一つ，ちょっとしたホテルでも今は"商务中心"shāngwù zhōngxīn（ビジネスセンター）があります。日本にファックスを送ったり，パソコンの原稿をプリントアウトしたりする時に利用できます。場所を聞いておくとよいでしょう。

　　请问，商务中心在哪儿？　Qǐngwèn, shāngwù zhōngxīn zài nǎr？
　　（すみませんが，ビジネスセンターはどちらにありますか）

日 rì　　"明"という字の中には"日"は一つしかありません。ところが"暗"という字には"日"が二つ含まれています。日が二つもあるのに暗いとは。

❖ ここほれ中級 ❖

♣ いろいろな「書く」——"填"tián,"写"xiě,"画"huà,"记"jì

中国語には「書く」とか「描く」とか「記録する」といういくつかの言い方があります。はっきりと使い分けましょう。

1) 書類などに書き込む，記入するのが"填"tián です。枠があったり，（ ）があったりします。書く字数にもふつう制限があります。書くのは文字や数字です。

  填表 tián biǎo （表に記入する）
  填空 tián kòng （空欄を埋める）

2) "写"xiě も文字や数字を書きますが，決まった枠や表，（ ）などはありません。手紙や小説などを書くのも"写"です。

  写字 xiě zì   （字を書く）
  写信 xiě xìn   （手紙を書く）
  写小说 xiě xiǎoshuō （小説を書く）

また"写生"xiěshēng（スケッチする）とか"写真"xiězhēn（肖像画を描く）のような語もあり，絵を描く時にも使うことができます。

3) もっぱら絵や図を描くのが"画"huà です。

  画画儿 huà huàr （絵を描く）
  画油画儿 huà yóuhuàr （油絵を描く）
  画地图 huà dìtú （地図を描く）

4) "记"jì は記録することです。耳にしたことや事実を記録にとどめるために書きます。

  他讲得太快，记不下来。Tā jiǎngde tài kuài, jìbuxiàlai.
  （彼は話すのが速くて書ききれない）
  记日记 jì rìjì （日記を書く）
  记笔记 jì bǐjì （ノートをとる）

第23話 西湖湖心亭 ～杭州の旅2～

（田村と劉が西湖の湖心亭を見物していると，一組のカップルがやってくる） **CD2-9**

田村： **麻烦 您，帮 我们 照 一下，好 吗？**
Tiáncūn : Máfan nín, bāng wǒmen zhào yíxià, hǎo ma?

男： **好 的。**
nán : Hǎo de.

好，笑一笑！好！
Hǎo, xiàoyixiào! Hǎo!

田村： **谢谢！**
Xièxie!

刘欣欣： **我们 去 那边 看看 吧。**
Wǒmen qù nèibiān kànkan ba.

田村： **好 啊。**
Hǎo a.

刘欣欣： **这儿 景致 不错 啊，我 给 你 照 一 张 吧。**
Zhèr jǐngzhì búcuò a, wǒ gěi nǐ zhào yì zhāng ba.

田村： **我 给 你 照 吧。哎呀，相机 忘在 亭子 里 了。**
Wǒ gěi nǐ zhào ba. Āiyā, xiàngjī wàngzai tíngzi li le.

田村：すみません，写真をお願いしたいのですが，いいですか？
男性：いいですよ。（カメラを受け取る）
　　　撮りますよ，笑って！　はい！
田村：ありがとうございました！
（田村は座り，カメラをそばに置く）
　劉：あっちに見に行こうよ。
田村：うん。（立ち上がる時にカメラを持たずに，別の景色のよい場所へ行く）
　劉：ここ景色がいいから，一枚写真を撮ってあげる。
田村：私が撮ってあげる。あっ，カメラをあずまやに忘れてきちゃった。

単語

帮　bāng　[動]「手伝う」という意味だが，ここでは「私たちを手伝って
　　　→私たちのために」のように意味が軽くなっている。

照一下　zhào yíxià　[組] ちょっと写真を撮る。

笑一笑　xiàoyixiào　[組] ちょっと笑う。

景致　jǐngzhì　[名] 景色。

哎呀　āiyā　[感] しまった，あれ。驚いたり困った時，おもわず出る言
　　　葉。

亭子　tíngzi　[名] あずまや。

刘欣欣：那　我们　快　回去　找　吧。
　　　　Nà　wǒmen　kuài　huíqu　zhǎo　ba.

男　：哎，是　不　是　你　丢了　东西？
　　　Ài,　shì　bú　shì　nǐ　diūle　dōngxi?

田村：**我　的　相机　丢　了。**
　　　Wǒ　de　xiàngjī　diū　le.

女　：那　是　这个　吧？我　觉得　像　是　你　的。
nǚ　：À,　shì　zhèige　ba?　Wǒ　juéde　xiàng　shì　nǐ　de.

　　　如果　你们　再　不　回来　的　话，我们　就
　　　Rúguǒ　nǐmen　zài　bù　huílai　de　huà, wǒmen　jiù

　　　交到　公园　管理处　去　了。
　　　jiāodào　gōngyuán　guǎnlǐchù　qù　le.

刘欣欣：谢谢　你们　特意　在　这儿　等着。
　　　　Xièxie　nǐmen　tèyì　zài　zhèr　děngzhe.

田村：太　谢谢　你们　了，让　你们　费心　了。
　　　Tài　xièxie　nǐmen　le,　ràng　nǐmen　fèixīn　le.

発音のポイント ……… 二つ以上読み方のある漢字

中国の漢字は基本的には1字1音ですが，なかにはいくつか読み方があるものもあります。読み方が異なると意味や用法が違ってくるので要注意です。

方便	fāngbiàn	（便利だ）	便宜	piányi	（安い）
参加	cānjiā	（参加する）	人参	rénshēn	（チョウセンニンジン）
长期	chángqī	（長期）	校长	xiàozhǎng	（校長，学長）
银行	yínháng	（銀行）	自行车	zìxíngchē	（自転車）
空气	kōngqì	（空気）	空房间	kòng fángjiān	（空き部屋）
少数	shǎoshù	（少数）	少年	shàonián	（少年）
互相	hùxiāng	（互いに）	照相	zhàoxiàng	（写真をとる）
中央	zhōngyāng	（中央）	中毒	zhòngdú	（毒にあたる）
还是	háishi	（やはり）	还书	huán shū	（本を返す）
大学	dàxué	（大学）	大夫	dàifu	（医者）

劉：すぐに探しに戻ろう。
（二人が慌てて戻ると，さっきのカップルがそこに座っている）
男性：何かなくしたんじゃないんですか？
田村：**私のカメラがないんです。**
女性：ああ，これでしょう？　あなたのじゃないかと思っていたんですよ。もし戻ってこなかったら，公園の管理事務所に届けようと思っていました。
劉：わざわざ待っていてくださってありがとう。
田村：どうもありがとうございました，ご心配をおかけしました。

単語

是不是 shì bú shì　[組]　〜でないか？　反復疑問文の形。
丢东西 diū dōngxi　[組]　物をなくす。
像 xiàng　[動]　〜のようである。まるで〜のようだ。
如果 rúguǒ　[接]　もしも。
再不回来的话 zài bù huílai de huà　[組]　もう戻ってこないなら。
公园管理处 gōngyuán guǎnlǐchù　[名]　公園管理所。
特意 tèyì　[副]　わざわざ。特に。
让 ràng　[動]　（人に）〜させる。
费心 fèixīn　[動]　気を使う。心をわずらわす。

Key Sentence

我 的 相机 丢 了。
Wǒ de xiàngjī diū le.

私のカメラがないんです

"我的相机"は「私のカメラ」。カメラは"照相机"zhàoxiàngjī とも言いますが，話しことばで簡単に"相机"とも言います。これが主語です。

述語は"丢了"，「なくなった」。

"丢"diū とか"忘"wàng という動詞はちょっと変わっています。物がなくなったり，物を忘れたことに気づいてはじめて"丢"や"忘"という動詞を使いますから，ほぼ必ず"丢了"，"忘了"という"了"を伴った形で言われます。

丢了一辆自行车。 Diūle yí liàng zìxíngchē.
（自転車がなくなってしまった）

他忘了告诉我。 Tā wàngle gàosu wǒ.
（彼は私に告げるのを忘れた）

「なくさないように」「忘れないように」も"了"を伴った形です。

别丢了。 Bié diū le.

别忘了。 Bié wàng le.

●はじめの"我的"wǒ de は軽い感じで発音してよいでしょう。特に軽声の"的"de は短いですね。文末の"了"le と同じ感じです。
　次の"相机"xiàngjī は紛失物ですから明瞭に発音します。特に"相"の介音 i もきちんと意識して発音することが大切です。
　最後の"丢"diū は第1声。高さを最後までキープすることが必要です。

◆ 活用 Key Sentence

CD2-11

「なくなった」は"不见了""没了"とも言います。

我 的 相机
Wǒ de xiàngjī

不 见 了。
bú jiàn le.

没 了。
méi le.

次のようなものはなくなったら困りますね。

　　　我的护照（hùzhào）丢了。　　（パスポートが）

　　　我的钥匙（yàoshi）不见了。　（キーが）

　　　我的钱包（qiánbāo）没了。　　（財布が）

～文法レッスン～

1. "这儿景致不错" zhèr jǐngzhì búcuò ——ここは景色がいい。

こういう文を主述述語文といいます。日本語にもあり，中国語にもある特徴的な文型です。「彼は体が元気だ」「父は仕事が忙しい」などもそうです。

这儿景致不错。 Zhèr jǐngzhì búcuò.
他身体很好。 Tā shēntǐ hěn hǎo.
爸爸工作很忙。 Bàba gōngzuò hěn máng.

なぜ主述述語文と呼ぶのか。この文の述語をごらんください。

このように述語がまた「主語＋述語」からできていますね。そこで，主述述語からなる述語→主述述語文と呼ばれます。

二重主語文とも言います。大きな主語と小さな主語の二つがあるからです。ところで，この大主語（他）と小主語（身体）

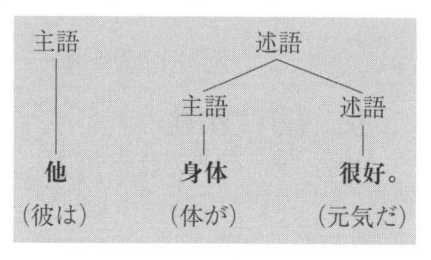

```
主語              述語
 |        ┌────┴────┐
 |       主語        述語
 |        |          |
 他      身体        很好。
(彼は)   (体が)     (元気だ)
```

の関係に注目してください。小主語は大主語の一部です。小主語は大主語に含まれます。

大主語⊃小主語

こういう関係があるのが典型的な主述述語文です。「象は鼻が長い」「私は頭が痛い」などすべてそうです。

这孩子眼睛真大。 Zhè háizi yǎnjing zhēn dà.
（この子は本当に目が大きい）

衣服样子很新颖。 Yīfu yàngzi hěn xīnyǐng. （服は形がとても斬新だ）

しかし，次のように大主語が単なる主題であるような文も，この文タイプに含めます。ここには「大主語⊃小主語」という関係はありません。

単語6姉妹
CD2-12

〜机
jī

收音机 shōuyīnjī（ラジオ）

录像机 lùxiàngjī（ビデオカメラ）
复印机 fùyìnjī（コピー機）
吹风机 chuīfēngjī（ドライヤー）
打火机 dǎhuǒjī（ライター）
洗衣机 xǐyījī（洗濯機）

这件事儿我没意见。　Zhè jiàn shìr wǒ méi yìjian.
（この件は私は異存ありません）

他家的电话号码我也不知道。　Tā jiā de diànhuà hàomǎ wǒ yě bù zhīdào.
（彼の家の電話番号は僕も知らない）

2．わざわざ

「わざわざ，特に」は中国語で"特地"tèdì とか"特意"tèyì，"专门"zhuānmén などを使って言います。用法は基本的には日本語と同じです。

谢谢您特地来接我。　Xièxie nín tèdì lái jiē wǒ.
（わざわざお迎えいただきましてありがとうございます）

你这么忙还特意来看我，太谢谢你了!
Nǐ zhème máng hái tèyì lái kàn wǒ, tài xièxie nǐ le!
（お忙しいのにわざわざ会いに来ていただき本当にありがとうございます）

ところが，一つ異なるところがあります。日本では「近くまで来たのでついでに顔を出したよ」などと言いますが，中国語ではこういう場合も"特地"（わざわざ）と言います。

我今天特地来看你的。　Wǒ jīntiān tèdì lái kàn nǐ de.
（私は今日はわざわざあなたに会いにきました）

考えてみれば，日本語は「ついでに」来たと言うのですから，相手にちょっと失礼です。中国語は誠意をストレートにアピールします。あなたのために，そしてあなたのためだけに私は行動します，というのです。

为你的事儿我特地去了一趟。　Wèi nǐ de shìr wǒ tèdì qùle yí tàng.
（あなたのことで私はわざわざ足をはこびました）

相手に気を配り，心理的負担軽減をはかる日本との違いは小さくありません。

こんなのもあるよ
游戏机
yóuxìjī
（ゲーム機）

您 三郎の文字なぞ

だんだんと字謎に慣れてきましたね。今日はこんな問題です。

多　一　人　有　肉　吃。
Duō yì rén yǒu ròu chī.
（一人多くなると食べる肉がある）

このぐらいはもうノーヒントで解けるでしょう。

ことばの道草

はい「チーズ」！

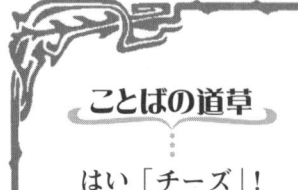

　中国の人は写真好きです。
　よく公園などで撮っているのを見かけましたが，ちょっとこちらが恥ずかしくなるようなポーズで構えていました。最近はどうなのでしょうか。
　写真を撮る時の常用表現です。覚えておけば便利です。

　　好，笑一笑！　　Hǎo, xiàoyixiào !　（はい，笑って）
　　自然点儿！　　　Zìrán diǎnr !　　　（自然に）
　　照啦，别动！　　Zhào la, bié dòng !（撮るよ，動かないで）
　　大家再往中间靠拢点儿！　Dàjiā zài wǎng zhōngjiān kàolǒng diǎnr !
　　　（みんなもう少しまん中につめて）
　　先别动，再来一张。　Xiān bié dòng, zài lái yì zhāng.
　　　（まだ動かないで，もう一枚）
　　都看镜头，好！　Dōu kàn jìngtóu, hǎo !
　　　（みんなレンズを見て，はい）

「はいチーズ」はこう言います。チーズではなくて，なんと「茄子」です。

　　大家一起说"茄子"！　Dàjiā yìqǐ shuō "qiézi" !　（はい「チーズ」）

"茄子" qiézi を発音すると，なるほどきれいな笑顔になります。
　私の学生達はこんな風にやっています。

　　私は中国語で？　―"我！"　Wǒ !
　　あなたは中国語で？―"你！"　Nǐ !　（ここでパチリ）

内 nèi　　"人"が多いと"肉"になるのなら，もとの形は"肉"から"人"を一つ差し引いた字，すなわち"内"。

♣ ここほれ中級 ♣

♣ "相机忘在亭子里了"

「カメラをあずまやに忘れてしまった」という文です。この文は

  〈主語〉〈動詞〉 〈在〉 〈場所〉
   相机 忘 在 亭子里 了。

という形をしています。次の文も同じです。

  他住在北京。Tā zhùzai Běijīng.

ところがこの文は次のように変えることができます。

  他在北京住。

同じような例をいくつかあげましょう。

A		B
他在上海死了。	Tā zài Shànghǎi sǐ le.	他死在上海。
姐姐在门口站着。	Jiějie zài ménkǒu zhànzhe.	姐姐站在门口。
他在椅子上坐着。	Tā zài yǐzi shang zuòzhe.	他坐在椅子上。
在黑板上写字。	Zài hēibǎn shang xiě zì.	字写在黑板上。

両方の文型をとることができます。さてB文はいずれも「ある動作を通じてある場所に動作の結果ヒトまたはモノが定着する」という意味的特徴をもっています。

そうでないものは〈定着〉構文にはなりません。

他在飞机上看书。	Tā zài fēijī shang kàn shū.	→×他书看在飞机上。
爸爸在公司工作。	Bàba zài gōngsī gōngzuò.	→×爸爸工作在公司里。
我在家吃饭。	Wǒ zài jiā chīfàn.	→×我饭吃在家。

逆に、〈定着〉構文しかないものもあります。

×在亭子里忘了相机。	←相机忘在亭子里了。
	Xiàngjī wàngzai tíngzi li le.
×在旁边顺手放相机。	←顺手把相机放在旁边。
	Shùnshǒu bǎ xiàngjī fàngzai pángbiān.

こちらは意図的でなく、うっかり忘れたとか、無意識に傍らに置いたというような意味を表しますが、それが関係しているのでしょう。

第24話

今どこ？
～杭州の旅3～

CD2-13

刘欣欣： 累 不 累？ 要 不 要 休息 一下？
Liú Xīnxīn： Lèi bú lèi？ Yào bú yào xiūxi yíxià？

田村： 我 不 累。
Tiáncūn： Wǒ bú lèi.

哎， 你 的 手机！
Ài, nǐ de shǒujī！

刘欣欣： 喂。 哎， 是 我。 江 旭 啊！
Wéi. Ài, shì wǒ. Jiāng Xù a！

我们 都 挺 好 的。
Wǒmen dōu tǐng hǎo de.

江旭： 你们 现在 在 哪儿 呢？
Jiāng Xù： Nǐmen xiànzài zài nǎr ne？

刘欣欣： 我们 在 西湖 呢。 没 事儿， 挺 安全 的。
Wǒmen zài Xīhú ne. Méi shìr, tǐng ānquán de.

她 挺 好 的， 你 等 一下。
Tā tǐng hǎo de, nǐ děng yíxià.

是 江 旭， 他 要 跟 你 说话。
Shì Jiāng Xù, tā yào gēn nǐ shuōhuà.

田村： 喂， 你 好。 我 很 好。 对， 在 西湖。
Wéi, nǐ hǎo. Wǒ hěn hǎo. Duì, zài Xīhú.

很 漂亮。 玩儿得 很 好。
Hěn piàoliang. Wánrde hěn hǎo.

劉：疲れた？　休もうか？

田村：疲れてない。（突然劉の携帯電話が鳴る）

　　　あ，あなたの携帯！

劉：もしもし？（相手の声を聞き）ああ，私。江旭！うん，元気。

江：**君たち今どこにいるの？**

劉：私たち西湖にいるの。大丈夫，安全なところよ。彼女も元気，ちょっと待って。

　　　（田村に向かって）江旭から，あなたと話したいって。

田村：もしもし？　元気？　私はすごく元気。そう，西湖にいる。とてもきれい。楽しんでます。

単語

累 lèi［形］疲れている。疲れる。

休息 xiūxi［動］休息する。休む。

手机 shǒujī［名］携帯電話。

喂 wéi［感］もしもし。本来第4声だが，電話ではwéiのように第2声で言われる。

安全 ānquán［形］危険がない。安全だ。

玩儿 wánr［動］遊ぶ。

对，我们 照了 很 多。好，你 放心 吧，
Duì, wǒmen zhàole hěn duō. Hǎo, nǐ fàngxīn ba,

有 事儿 马上 跟 你 联系。好，给 你
yǒu shìr mǎshàng gēn nǐ liánxì. Hǎo, gěi nǐ

带 好吃 的。好，再见。
dài hǎochī de. Hǎo, zàijiàn.

刘欣欣：他 可 真 细心。
Tā kě zhēn xìxīn.

田村：他 说，让 我们 好好儿 玩儿，多 照 些
Tā shuō, ràng wǒmen hǎohāor wánr, duō zhào xiē

相 给 他 看。还 让 我们 给 他 买
xiàng gěi tā kàn. Hái ràng wǒmen gěi tā mǎi

好吃 的 回去。
hǎochī de huíqu.

刘欣欣：喂！我们 在 西湖 呢。没 事儿 没 事儿！
Wéi! Wǒmen zài Xīhú ne. Méi shìr méi shìr!

哎呀，您 就 放心 吧！好，就 这样。
Āiyā, nín jiù fàngxīn ba! Hǎo, jiù zhèyàng.

田村：真 快！
Zhēn kuài!

刘欣欣：是 我 爸。跟 他 说 了，没 事儿 别
Shì wǒ bà. Gēn tā shuō le, méi shìr bié

来 电话，真是 的！
lái diànhuà, zhēnshi de!

田村：跟 我 爸爸 一样。总 是 不 放心。
Gēn wǒ bàba yíyàng. Zǒng shì bú fàngxīn.

そう，写真はたくさん撮った。うん，心配しないで。何かあったらすぐに連絡する。分かった，何かおいしいものを買って帰る。それじゃあまたね。

劉：よく気のつく人だね。

田村：たっぷり遊んで，たくさん写真を撮ってきて見せてだって。それとおいしいものを買ってきてほしいって。

（携帯電話が再び鳴る）

劉：もしもし。西湖にいるの。大丈夫，大丈夫。もう心配しないで！　うん，それじゃあね。

田村：もう終わり!?

劉：父さんよ。用事がないなら電話しないでって言ったのに，まったく！

田村：うちの父と一緒。いつも心配してばっかり。

単語

有事儿马上跟你联系 yǒu shìr mǎshàng gēn nǐ liánxì ［組］何かあったらすぐにあなたに連絡します。"有事儿"は「ことがある→何かあったら」。反対は"没事儿"（何ごともない，無事だ）。

细心 xìxīn ［形］よく気がつく。

多照些相 duō zhào xiē xiàng ［組］たくさん写真を撮る。動詞の前につく"多"は「多く，よけいに，たくさん」という意図的な意味を表し，後によく数量詞が続く。

别来电话 bié lái diànhuà ［組］電話をよこさないで。

真是的 zhēnshi de ［組］まったくもう。親しい人にいう不満の言葉。

跟我爸爸一样 gēn wǒ bàba yíyàng ［組］私の父と同じだ。

总是 zǒng shì ［組］いつも。

Key Sentence

CD2-14

ˇ ·	ヽ ヽ	ヽ	ˇ	·
你们	现在	在	哪儿	呢？
Nǐmen	xiànzài	zài	nǎr	ne？

あなたたちはいまどこにいますか

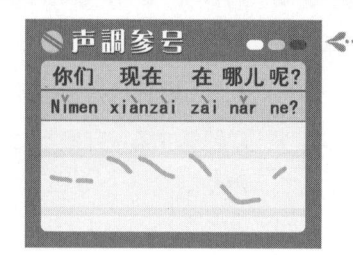

　これは携帯電話の普及とともによく使われるようになりました。
　相手が複数だから"你们"ですが，ふつうは"你"です。「あなた，今どこにいるの？」です。
　簡単に，

　　你在哪儿？　Nǐ zài nǎr?

と言ってもかまいません。"现在"は言わなくても明らかだからです。
　「どこにいるの？，何しているの？」ぐっと親しい人になら，こう言います。

　　你在哪儿？　干吗呢？
　　Nǐ zài nǎr？　Gànmá ne？

　"干吗"の発音にご注意ください。gànmáです。意味は"干什么"（何をする）です。

●文頭の"你们"nǐmenは第3声＋軽声ですから、"们"menの高さもかなり上です。前回の"我的相机丢了"冒頭の"我的"wǒ deも第3声＋軽声ですから、ほぼ同じ形です。ご確認ください。

　"现在"xiànzàiは後ろの音節のほうが強いので、前よりも後ろの"在"zàiを強く発音することが必要です。

　"在哪儿呢"zài nǎr neでは疑問詞の"哪儿"nǎrが重要です。これは単音節の疑問詞ですから音形のくずれもなく明瞭に発音されます。なお、文末の"呢"neはその直前が第3声ですので、その影響でやはりかなり高い位置にあります。

活用 Key Sentence

CD2-15

　あなたの携帯に「今どこ？」と電話がかかってきました。返事をしましょう。いろいろな状況がありそうです。

我刚到车站。　Wǒ gāng dào chēzhàn.
（今、駅に着いたところ）

现在在车上，待会儿我给你打。
Xiànzài zài chēshang, dāi huìr wǒ gěi nǐ dǎ.
（今バス／地下鉄、後でかけるよ）

还在公司，快完了。　Hái zài gōngsī, kuài wán le.
（まだ会社なの、もうすぐ終わるけど）

我在家呢。没事儿看电视呢。
Wǒ zài jiā ne. Méi shìr kàn diànshì ne.
（お家、暇なのでテレビ見てる）

〜文法レッスン〜

1．"多" duō の位置

"多"は動詞の前にも，後にもくることができます。

　　多照些相给他看。（写真をたくさん撮って彼に見せてあげる）

このように前についた時は「よけいに，多めに」という意図的な意味を表します。

　　多吃点儿　　　duō chī diǎnr　　　　（たくさん召し上がれ）

　　多买几件衣服　duō mǎi jǐ jiàn yīfu　（何枚か多く服を買う）

　　多去几次　　　duō qù jǐ cì　　　　　（何回か余分に足を運ぶ）

　　多看几遍　　　duō kàn jǐ biàn　　　（何回か多く見る）

特徴としては後ろに数量表現が続くことです。「どのぐらい多く〜するのか」が数量で示されます。上の例はすべて未実現のものばかりですが，実現済みの場合も同じです。

　　多买了两张票　duō mǎile liǎng zhāng piào　（チケットを2枚余分に買った）

　　多待了三天　　duō dāile sāntiān　　　　　　（3日間多く待った）

数量表現，今度は「どのぐらい多く〜したのか」という意味を表しています。数量が続かない場合もあります。あいさつ語などの慣用句です。

　　请多关照　qǐng duō guānzhào　（どうぞよろしく）

　　请多指教　qǐng duō zhǐjiào　（ご教示のほどお願いいたします）

"多"が動詞の後にくる場合を見ましょう。これは結果補語になります。つまりあ

単語6姉妹　CD2-16

[雨の休日には]

打扫房间 dǎsǎo fángjiān（部屋の掃除をする）

看电视 kàn diànshì（テレビを見る）

擦眼泪 cā yǎnlèi（涙をふく）

写信 xiě xìn（手紙を書く）

画画儿 huà huàr（絵を描く）

喝茶 hē chá（お茶を飲む）

る動作の結果，図らずもこういうことになってしまった，ということを表します。

我吃多了，有点儿不舒服。 Wǒ chīduō le, yǒudiǎnr bù shūfu.
（食べ過ぎました，少し気分が悪い）

书看多了眼睛疼。 Shū kànduō le yǎnjing téng.（本を読み過ぎると目が痛くなる）

まとめましょう。

"多"が前→「意図的に」　　　"多"が後→「図らずも」

2．介詞 "跟" gēn

介詞の "跟" は動作の対象を導きます。大きく三つの用法があります。

1) 一つは「～と」＝ "同" tóng。

跟大家商量一下　gēn dàjiā shāngliang yíxià（みんなとちょっと相談する）

跟他见面　gēn tā jiànmiàn（彼と会う）

跟朋友一起去外滩　gēn péngyou yìqǐ qù Wàitān（友だちと一緒に外灘に行く）

2) 次は「～に向かって，～から」＝ "向"。

跟你说话　gēn nǐ shuō huà　（あなたに話をする）

跟老师借书　gēn lǎoshī jiè shū　（先生に本を借りる）

跟别人学习　gēn biéren xuéxí　（人に学ぶ）

3) 最後は比較の対象です。この場合，異同を問題にします。

跟我爸爸一样　gēn wǒ bàba yíyàng（うちの父と同じ）

我的意见跟你差不多　wǒ de yìjian gēn nǐ chàbuduō
（私の意見はあなたと大体同じだ）

おしゃべりしたくなったら
给朋友打电话
gěi péngyou dǎ diànhuà
（友だちに電話をかける）

悠三郎の文字なぞ

今日はいつもと趣向を変えました。さて，おできになりますかね。

十
shí

漢字の"十"です。さあ，これで日本の元首相の名前を当ててください。

ことばの道草

携帯電話

"手机"shǒujīとは携帯電話のことです。正式には"手提移动电话"shǒutí yídòng diànhuàと言います。"手机"は一種の略称です。

ほかにも"手提"shǒutí とか"大哥大"dàgēdà などとも言いましたが、現在は"手机"が最も一般的です。

"BP机"BP jīは「ポケベル」ですね、"寻呼机"xúnhūjīのことです。こちらにかけるのは"呼"hū という特別な動詞を使います。呼び出すという感じです。

　　有事儿呼我。　Yǒu shìr hū wǒ.
　　（何かあったら僕をポケベルで呼び出してくれ）

などと使います。これに対して、携帯のほうは小さくても電話だという意識がありますから、動詞はやはり"打"dǎ を使います。

　　晚上我打你的手机。　Wǎnshang wǒ dǎ nǐ de shǒujī.
　　（夜、君の携帯に電話するよ）

"你的手机"nǐ de shǒujī のように所有者を入れます。"手机"は個人に属するモノなのです。こういう携帯やポケベルに対して、家にある旧式の電話のことを"固定电话"gùdìng diànhuà などという言い方も生まれてきました。

田中　Tiánzhōng

"十"という字は"田"の中にある。だから"田中"。これはヒントがないと解けない。逆に、問題が"田中"であれば答は"十"になる。"岸上"ànshang なら"山"shān だ。"天上"tiānshang なら"一"だ。"南京"Nánjīng ならどうか。これは"京"の南、南とは地図では下のほう、つまり"京"の下、答は"小"xiǎo だ。このあたりも字謎の基礎知識である。

❖ ここほれ中級 ❖

♣「何かあったら…」──条件文

　西湖に旅行に来ている田村さんたちに，江旭から電話がありました。安全を気づかっての電話でした。その会話で「何かあったらすぐに連絡します」という文が出てきました。

　　　有事儿马上跟你联系。　Yǒu shìr mǎshàng gēn nǐ liánxì.

　文頭の"有事儿"にご注目ください。日本語は「何かあったら」ですが，中国語は"有事儿"だけ，「事ガ有ル」と条件や仮定を示す何のマークもありません。
　実は中国語にはこのように文頭の成分は，ノーマークで条件や仮定を示す場合が非常に多いのです。

　　　下雨就不去了。　　Xià yǔ jiù bú qù le.　　（雨が降ったら行かない）
　　　赢了请客。　　　　Yíngle qǐngkè.　　　　（勝ったらおごるよ）
　　　没兴趣别勉强。　　Méi xìngqù bié miǎnqiǎng.（興味がなければ無理をしないで）
　　　有消息就告诉我。　Yǒu xiāoxi jiù gàosu wǒ.（知らせがあればすぐに教えてくれ）

日本語では「降ったら」とか「高ければ」のように末尾が条件や仮定を表していますが，中国語はそっけないものです。
　条件・仮定とそうでない場合とを対比して示しましょう。

1) a. **赢了请客。**（勝ったらおごるよ）
　　b. **他赢了，请了客。**（彼は勝ったのでおごった）
2) a. **不复习就忘了。**　Bú fùxí jiù wàng le.（復習しないと忘れてしまう）
　　b. **没复习所以忘了。**　Méi fùxí suǒyǐ wàng le.
　　　（復習しなかったので忘れてしまった）
3) a. **不够再买。**　Bú gòu zài mǎi.（足りなければまた買えばいい）
　　b. **不够就又买了一些。**　Bú gòu jiù yòu mǎile yìxiē.
　　　（足りなかったのでまた少し買った）
4) a. **贵就别买。**　Guì jiù bié mǎi.（高ければ買うな）
　　b. **太贵了就没买。**　Tài guì le jiù méi mǎi.
　　　（あまりに高かったので買わなかった）

第25話 龍井茶 ～杭州の旅4～

（田村と劉が龍井一帯を歩いている）　　　　　　　　　CD2-17

田村：**风景　真　美！**
Tiáncūn：Fēngjǐng zhēn měi!

这　是　乌龙茶　吗？
Zhè shì wūlóngchá ma?

刘欣欣：**可能　是　龙井茶，绿茶　中　的　一　种。**
Liú Xīnxīn：Kěnéng shì lóngjǐngchá, lǜchá zhōng de yì zhǒng.

田村：**中国　也　有　绿茶　吗？我　原　以为**
Zhōngguó yě yǒu lǜchá ma? Wǒ yuán yǐwéi

中国人　都　喝　乌龙茶　呢。
Zhōngguórén dōu hē wūlóngchá ne.

刘欣欣：**福建、广东人　喝　乌龙茶，江浙人　大都**
Fújiàn、Guǎngdōngrén hē wūlóngchá, Jiāng-Zhèrén dàdōu

喝　绿茶。
hē lǜchá.

田村：**我　想　买　一些。**
Wǒ xiǎng mǎi yìxiē.

田村：ああ，いい天気！

これはウーロン茶？

劉：たぶんロンジン茶。緑茶の一種ね。

田村：中国にも緑茶があるの？　私てっきり，中国人はみんなウーロン茶を飲むんだと思ってた。

劉：福建，広東の人はウーロン茶を飲むけど，江蘇，浙江の人はたいてい緑茶を飲むよ。

田村：少し買いたいな。

単語

风景　fēngjǐng　[名]　風景。景色。

乌龙茶　wūlóngchá　[名]　ウーロン茶。

可能　kěnéng　[副]　たぶん。おそらく。

龙井茶　lóngjǐngchá　[名]　ロンジン茶。

绿茶　lǜchá　[名]　緑茶。

原　yuán　[副]　元来は。もともとは。

以为　yǐwéi　[動]　〜と考える。（多く誤解していた時に用いられる）

江浙人　Jiāng-Zhèrén　[固]　江蘇，浙江の人。

大都　dàdōu　[副]　大体。ほぼ。（規範的には dàdū と読む）＝"大多" dàduō

田村：这个 怎么 卖 呀？
　　　Zhèige zěnme mài ya?

茶农：20 块 一 两。
chánóng：Èrshí kuài yì liǎng.

田村：**太 贵 了，便宜 点儿 行 不 行？** `Key` `文法`
　　　Tài guì le, piányi diǎnr xíng bù xíng?

茶农：你 多 买 可以 便宜 些。
　　　Nǐ duō mǎi kěyǐ piányi xiē.

田村：那么，来 二 两 吧。
　　　Nàme, lái èr liǎng ba.

………声調符号はどこにつける？

声調記号は母音の上につけます。
では，母音が複数あったらどうしましょう？
その時は，主母音の上につけます。主母音とは口の開きが一番大きな母音です。と言っても分かりにくいのが中国語の音節です。
そこで，次のような「声調記号のつけ方歌」を覚えてください。

① a があればのがさずに，　　⇨ māo guǎi
② a がなければ，e か o をさがし，⇨ yuè duō
③ i, u が並べば後ろにつけて　　⇨ jiǔ huì
④ 母音1つは迷わずに。　　　　⇨ tì lǜ
（なお，i につける時は上の点をとり yī, yí, yǐ, yì のように。）

田村：（茶農家の人に）これはいくらですか？
茶農家の人：50ｇで20元だよ。
　　田村：**高い，少し安くなりませんか？**
茶農家の人：たくさん買うなら，安くするよ。
　　田村：（ちょっと考えて）それじゃあ，100ｇください。
（茶農家の人がお茶を入れてきて，二人にすすめる）

単語

怎么卖 zěnme mài［組］どのように売るのか→いくらですか。（路傍などで売っている野菜など，値段表示のないものの値段を聞く時によく使われる表現）

一两 yì liǎng［組］"两"は重さの単位。1"两"は50g。2"两"はèr liǎngといい，✕liǎng liǎngは同音重複をきらって言わない。

便宜 piányi［形］安い。反対は"贵"guì。

Key Sentence

CD2-18

| \ | \ | . | / | . | ⌣ | \ | \ | / |

太 贵 了，便宜 点儿 行 不 行？
Tài guì le, piányi diǎnr xíng bù xíng?

高い，少し安くなりませんか。

"太〜了" tài〜le はもう学習ずみでしょう。程度が並外れて高いことを表します。

一つはプラスの場合です。

　　太好了！　Tài hǎo le！　（すばらしい！　やった！）

もう一つはマイナスの場合です。こちらは「〜すぎる」と訳してもよいでしょう。

　　太大了！　Tài dà le！　（大きすぎる）

マイナスの場合は"了"を省いてもかまいません。

次の"便宜点儿"は形容詞の命令形です。後に"点儿"をつけます。こんなふうに使います。

　　快点儿！　Kuài diǎnr！　（はやく！）

最後に"行不行" xíng bù xíng です。「よいかどうか」許可を求めています。文末のこの表現，"好不好" hǎo bù hǎo などもよく使われます。

●はじめの"太贵了"ですが，ここはちょっとびっくりしたように言います。「ええっ，高いなあ！」という感じです。調型もはっきりと出ています。

"贵"は guì です。u と i の間に隠れている＜消える e ＞を響かせましょう。

次の"便宜"も要注意の発音です。piányi と後ろが軽声であること。それから pián の発音。i と n にはさまれた a ですから「i と n にはさまれて何も言えん（ian）！」です。

次の"点"diǎn はこのままですと「i と n にはさまれた a」なのですが，ここでは r 化しています。舌をひょいと立たせる r は n と相性が悪く，n は脱落します。おさえの n が消えることによって a は「何も言えん（ian）」の [ɛ] から元の [a] に復活します。"点儿"diǎn（ディエン）から"点儿"diǎnr（ディアル）となるわけです。

最後の"行不行？"は比較的軽くなります。相手にたずねる気分ですばやく発音しましょう。

活用 Key Sentence　　　　　　　　　　　　　　　CD2-19

この文型は"贵"と"便宜"のように反対の形容詞を使います。

太快了，慢点儿行不行？
Tài kuài le, màn diǎnr xíng bù xíng ?
（速すぎます，少しスピードを落としてくれませんか）

太慢了，快点儿行不行？
Tài màn le, kuài diǎnr xíng bù xíng ?
（遅すぎます，少し急いでくれませんか）

太大了，小点儿行不行？
Tài dà le, xiǎo diǎnr xíng bù xíng ?
（大きすぎます，少し小さくしてくれませんか）

太高了，低点儿行不行？
Tài gāo le, dī diǎnr xíng bù xíng ?
（高すぎます，少し低くしてくれませんか）

太咸了，淡点儿行不行？
Tài xián le, dàn diǎnr xíng bù xíng ?
（塩からすぎます，少し薄味にしてくれませんか）

～文法レッスン～

1．"也" yě は副詞

　中国語の"也"は日本語の「も」のようなものですが，一つ気をつけたいのは"也"は副詞だということです。

　中国語の副詞は用言の前にしかおかれません。つまり動詞や形容詞の前にしかおかれません。おかれる場所がほぼ固定しているのです。

　例えば日本語で「私も妹がいます」と「私は妹もいます」とは違う言い方です。「も」の位置によって意味が変わります。ところが中国語ではともに，

　　我也有妹妹。　Wǒ yě yǒu mèimei.

になります。中国語の"也"は副詞。そうであればその位置は"有" yǒu の前しかありえないからです。しかし，実際には次のような文脈で使われますから，まず誤解することはありません。

　　他有妹妹，我也有妹妹。　　Tā yǒu mèimei, wǒ yě yǒu mèimei.
　　　（彼には妹がいます，私も妹がいます）

　　我有弟弟，（我）也有妹妹。 Wǒ yǒu dìdi, (wǒ) yě yǒu mèimei.
　　　（私は弟がいます，妹もいます）

　同じような例をペアであげておきましょう。"也"がどこにかかわるのか，主語か目的語かをご確認ください。

　　日本人喜欢喝绿茶，中国人也喜欢喝绿茶吗？
　　Rìběnrén xǐhuan hē lǜchá, Zhōngguórén yě xǐhuan hē lǜchá ma?
　　　（日本人は緑茶が好きですが，中国人も緑茶が好きですか）

　　中国有乌龙茶、花茶、普洱茶，中国也有绿茶吗？
　　Zhōngguó yǒu wūlóngchá、huāchá、pǔ'ěrchá, Zhōngguó yě yǒu lǜchá ma?
　　　（中国にはウーロン茶，ジャスミン茶，プーアル茶がありますが，緑茶もあり

単語 6 姉妹
CD2-20

椅子を運んで

搬椅子 bān yǐzi （椅子を運ぶ）

坐椅子上 zuò yǐzi shang （椅子に坐る）

戴眼镜 dài yǎnjìng （メガネをかける）

打开书 dǎkāi shū （本を開く）

看书 kàn shū （本を読む）

吃零食 chī língshí （間食する）

ますか)

他去看电影了，我也想去看电影。
Tā qù kàn diànyǐng le, wǒ yě xiǎng qù kàn diànyǐng.
（彼は映画に行きました，私も映画を見に行きたいです）

我想去听音乐会，也想去看电影。
Wǒ xiǎng qù tīng yīnyuèhuì, yě xiǎng qù kàn diànyǐng.
（私は音楽会に行きたいですが，映画を見にも行きたいです）

2．"便宜点儿" piányi diǎnr ——形容詞＋数量

動詞なら，そのままで命令文を作ることができます。

说！ Shuō！（言え！）　　**吃！** Chī！（食べなさい！）

しかし，形容詞はそのままでは命令文になりません。後に"点儿"や"些"をつけることになります。

快点儿！ Kuài diǎnr！（はやく！）　**慢点儿！** Màn diǎnr！（ゆっくり！）

ふつうはさらに"再"を前につけます。

声音再大点儿！ Shēngyīn zài dà diǎnr！（声をもっと大きく！）
再高点儿！ Zài gāo diǎnr！（もっと高く！）

同じく「形容詞＋数量」ですが，次は命令文ではありません。街で買い物をしている場面で，はかりで野菜を量っています。お客さんからは"1斤"ほしいと言われたのですが少しオーバーしました。「少し多いけど，いいですか」という時のセリフです。その反対「ちょっと少ないですが，いいですか？」もありです。

多点儿，行吗？ Duō diǎnr, xíng ma？

少点儿，行吗？ Shǎo diǎnr, xíng ma？

しばらくすると
打哈欠
dǎ hāqian
（あくびをする）

您 三郎の文字なぞ

今回の問題はちょっぴり難問です。

外面　四角，里面　十角。
Wàimiàn sìjiǎo, lǐmiàn shíjiǎo.
（外は四角，中は十角）

ヒント：中の"十角"の処理ですね。

ことばの道草

お茶の話

　中国人はみんなウーロン茶を飲む。こんな思い込みは田村さんばかりではないようです。

　私はウーロン茶が日本ではやり出す前に中国に行きました。北京でした。そこでの見聞から，中国の人はみんなジャスミン茶を飲むと思い込んでいました。

　実際，北京や天津，山東や東北といった地方では"花茶" huāchá（ジャスミン茶）がよく飲まれています。

　"乌龙茶" wūlóngchá（ウーロン茶）をよく飲むのは福建省や広東省のあたりです。それから台湾もそうですね。ともかく南方です。

　上海では"绿茶" lǜchá（緑茶）です。上海を中心に杭州や蘇州のあたりも緑茶が一番よく飲まれているようです。水が豊富でなんとなく日本と近い感じがします。

　内蒙古やチベット，雲南のあたりでは"砖茶" zhuānchá といって，レンガのような形状をしたお茶。これは"绿茶" lǜchá や"红茶" hóngchá の粉や大きな葉を圧縮して固めたお茶ですが，それを愛飲するそうです。

　料理だけじゃなく，それに合わせてお茶も各地方でバラエティに富んでいます。

圆 yuán　"十角"の"角"をお金の単位と気がつくかどうかが鍵。"十角"は1"元" yuán である。つまり四角い国構えの中に一つ"元"を入れて"园"ができる。

❖ ここほれ中級 ❖

♣ "以为" yǐwéi と "认为" rènwéi

どちらも「思う，考える」ですが，違いがあります。

"以为" yǐwéi のほうは個人的な考えです。しかもあまり根拠も確かでないような，主観的なものです。

"认为" rènwéi のほうはよりしっかりした考えです。熟慮されたもので，客観的な理由があるという感じです。

　　我以为你今天不来呢。　Wǒ yǐwéi nǐ jīntiān bù lái ne.
　　（僕は君は今日来ないものだと思っていたよ）

　　我一向认为教育是一国之根本。　Wǒ yíxiàng rènwéi jiàoyù shì yì guó zhī gēnběn.
　　（私は一貫して教育は一国の根本をなすものと考えております）

"以为" は考える主体は個人ですが，"认为" は団体や組織，国家などを主語にとることができます。

　　中国政府历来认为：Zhōngguó zhèngfǔ lìlái rènwéi:
　　（中国政府は一貫して次のように考えてきた）

一番大きな違いは，"以为" は判断が誤っていたり，事実と合わない場合によく用いられることです。

　　我以为你跟我开玩笑呢。　Wǒ yǐwéi nǐ gēn wǒ kāi wánxiào ne.
　　（僕は君が冗談を言っていると思っていたよ）

　　你以为我喝醉了，是吗？　Nǐ yǐwéi wǒ hēzuì le, shì ma?
　　（お前はおれが酔っぱらっていると思ってんだろう，え？）

"认为" のほうはこういう使い方はほとんどされません。

　　我认为这个问题太复杂。　Wǒ rènwéi zhèige wèntí tài fùzá.
　　（この問題は非常に複雑だと思います）

　　我认为你不应该这样做。　Wǒ rènwéi nǐ bù yīnggāi zhèyàng zuò.
　　（あなたはこんなふうにするべきではないと考えます）

「あなたはどう思いますか」というのは相手に考えをたずねているわけですから，当然 "认为" のほうで聞きます。

　　你怎么认为？　Nǐ zěnme rènwéi?

第26話 旅の写真

（キャンパスで，劉が江に熱心に写真を見せている） CD2-21

刘欣欣：你 看， 这 张 的 风景 不错 吧？
Liú Xīnxīn： Nǐ kàn, zhèi zhāng de fēngjǐng búcuò ba?

江旭：嗯， 不错， 这 几 张 照得 都
Jiāng Xù： Ǹg, búcuò, zhèi jǐ zhāng zhàode dōu

很 有 水平。
hěn yǒu shuǐpíng.

刘欣欣：这 几 张 是 好惠 照 的。
Zhèi jǐ zhāng shì Hǎohuì zhào de.

田村：哪 几 张？
Tiáncūn： Něi jǐ zhāng?

江旭：没 想到， 你 还 有 这个 才能 呢。
Méi xiǎngdào, nǐ hái yǒu zhèige cáinéng ne.

田村：我 还 有 好 多 优点 你 没 发现 呢。
Wǒ hái yǒu hǎo duō yōudiǎn nǐ méi fāxiàn ne.

江旭：其实 主要 是 风景 美， 模特儿 漂亮。
Qíshí zhǔyào shì fēngjǐng měi, mótèr piàoliang.

劉：ほら，この景色，いいでしょ？

江：うん，いいね。この何枚かはみんなよく撮れてるね。

劉：全部好恵が撮ったんだよ。

田村：どの写真？（見にやってくる）

江：驚いた，君にはこんな才能もあったんだ。

田村：あなたがまだ気づいていないような長所が私にはまだいっぱいあるんだよ。

江：でも，まあ景色がきれいなためだし，あとモデルが美人だからねえ。

単語

不错 búcuò［形］悪くない。よい。すばらしい。

很有水平 hěn yǒu shuǐpíng［組］レベルが高い。「"有"＋抽象名詞」は"很"の修飾をよく受ける。"很有钱" hěn yǒu qián ＝とてもお金持ちだ。

没想到 méi xiǎngdào［組］思いもつかなかった。考え到らなかった。

才能 cáinéng［名］才能。

好多 hǎo duō［組］たくさんの。多くの。

优点 yōudiǎn［名］長所。すぐれているところ。

其实 qíshí［副］実際は。その実。

模特儿 mótèr［名］モデル。（音訳語）

刘欣欣：别 瞎说。还是 好惠 技术 高。
　　　　Bié xiāshuō. Háishi Hǎohuì jìshù gāo.

　　　　这 张 我 最 满意。
　　　　Zhèi zhāng wǒ zuì mǎnyì.

江旭：哪 张 哪 张？给 我 看看。
　　　Něi zhāng něi zhāng? Gěi wǒ kànkan.

刘欣欣：喏。
　　　　Nuò.

江旭：是 不错，这 张 送给 我 吧。
　　　Shì búcuò, zhèi zhāng sònggěi wǒ ba.

刘欣欣：不行 不行，还是 给 你 那 张
　　　　Bùxíng bùxíng, háishi gěi nǐ nèi zhāng

　　　　风景照 吧。
　　　　fēngjǐngzhào ba.

江旭：我 就 要 这 张 了。
　　　Wǒ jiù yào zhèi zhāng le.

劉：ばかなこと言わないで。やっぱり好恵の腕がいいからよ。
　　（自分が写っている写真を取り上げてながめて）これが一番好きだな。
江：どれどれ？　ちょっと見せてよ。
劉：（写真を江に渡して見せる）はい。
江：いいね。これもらうよ。
劉：（取り戻そうとしながら）だめだめ，あっちの風景のをあげるから。
江：（写真を高く上げて劉に渡さないようにする）これがほしいんだよね。

単語

瞎说 xiāshuō［動］ばかなことを言う。でたらめを言う。

还是 háishi［副］やはり。

技术 jìshù［名］技術。テクニック。腕前。

满意 mǎnyì［形］満足である。

喏 nuò［感］相手の注意をうながす時に言う言葉。ほら。（辞書では第4声だが，多く第2声のように言われる）。

就要这张了 jiù yào zhèi zhāng le［組］この1枚がほしいんだ。"就"は「他でもないこれ」という語気を表す。

Key Sentence

CD2-22

给 我 看看。
Gěi wǒ kànkan.

私に見せてください

    "给我" gěi wǒ は「私のために～」ということです。

    "给" gěi は本来動詞「与える」です。ふつうは利益，ためになることを「与える」のです。ここでは「私に〈私が見る〉ということを与えてください」つまり「私に見せてください」となります。

    このような"给"はもはや動詞の意味が薄れているとして，介詞「～に（させる）」と解釈するのがふつうです。言い換えるなら"让" ràng になります。

    かくて"给我"という介詞フレーズが後ろの動詞にかかっていきます。

    動詞"看" kàn は重ね型で現れます。ここは一種の命令文です。重ね型にすることによって「ちょっと～」という感じが出ます。つまり，命令の語気をやわらげ，軽い感じを出しています。

●"给我"gěi wǒは第3声の連続です。
ルール通りに第2声＋第3声に変調されます。
ところで"我"は目的語になっている人称代詞です。一般に人称代詞が目的語になった時は軽く発音されます。この"我"も軽く短くなっています。一見 wǒは急激に下がっているように見えますが，これは"给"が第2声になり，高いところから急に軽く短く"我"を発音したためです。
後半の"看看"は動詞の重ね型です。セオリー通りに後ろのほうが kànkanと軽く短くなっています。
この文は結局4字からなり，重軽重軽というアクセントであることが特徴です。

◆ 活用 Key Sentence

CD2-23

動詞を入れ替えましょう。

给我听听。 Gěi wǒ tīngting.
（私に聞かせてください）

给我用用。 Gěi wǒ yòngyong.
（私に使わせて）

"给"のかわりに"让"を使うこともできます。

让我看看。 Ràng wǒ kànkan.
（私に見せてください）

让我试试。 Ràng wǒ shìshi.
（私にやらせてください）

让我尝尝。 Ràng wǒ chángchang.
（私に味をみさせてください）

～文法レッスン～

1．"不" bù のつく言葉

写真を何枚か見せられて江旭，「うん，いいね」と応えていました。それが，

　　嗯，不错。Ǹg, búcuò.

です。"不错"は本来「誤りでない」ということですが，そこから「悪くない，よい」という意味が派生しました。今では"不错"で1語です。

　このように"不"がついて1語のようになり，よく会話で使われる言い方があります。「いいね」が"不错"なら，「ダメだ」「いけない」は"不行"bùxíng や"不成"bùchéng です。

　　这张画儿怎么样？　Zhèi zhāng huàr zěnmeyàng?
　　――不错。Búcuò.
　　（この絵はどうですか――いいね）

　　今天可以喝酒吗？　Jīntiān kěyǐ hē jiǔ ma?
　　――不行。Bùxíng.
　　（今日はお酒を飲んでいいですか――いけません）

　　妈妈，我想出去玩儿一会儿。　Māma, wǒ xiǎng chūqu wánr yíhuìr.
　　――不成。Bùchéng.
　　（お母さん，ちょっと遊びに出かけたいんだけど――いけません）

　この他にも「違う，いいえ」は"不是"bú shì ですし，「正しくない，合っていない」という"不对"bú duì もあります。

　　他是你男朋友吗？　Tā shì nǐ nán péngyou ma?
　　――不是。Bú shì.
　　（あの人，あなたの彼？――いいえ）

単語**6**姉妹
CD2-24

[r化する単語]

小孩儿 xiǎoháir（子ども）

冰棍儿 bīnggùnr（アイスキャンデー）
月牙儿 yuèyár（三日月）
花儿 huār（花）
拐弯儿 guǎiwānr（カーブを曲がる）
聊天儿 liáotiānr（おしゃべりする）

是这么写吗？　Shì zhème xiě ma？
——不对。　Bú duì.
（こう書くの？——違う）

さらに"不要紧" bú yàojǐn や"不好意思" bù hǎoyìsi，"不客气" bú kèqi，"不敢当" bù gǎndāng，"不像话" bú xiànghuà などなど。"不"のつく言葉はよく会話に出てきますから，要チェックです。

2．いや，思いもよらなかった。

予想外のことに軽く驚く，それが"没想到" méi xiǎngdào です。
まず"没想到"と言い，そのあと何に驚いたのか，内容が続きます。

没想到他不是中国人。　Méi xiǎngdào tā bú shì Zhōngguórén.
（彼が中国人じゃないとは思いもよらなかった）

没想到你在这儿呢。　Méi xiǎngdào nǐ zài zhèr ne.
（君がここにいるなんて思いもよらなかった）

没想到你的汉语进步得这么快。
Méi xiǎngdào nǐ de Hànyǔ jìnbùde zhème kuài.
（あなたの中国語の進歩のはやさは，想像以上だよ）

我没想到他都有孩子了。　Wǒ méi xiǎngdào tā dōu yǒu háizi le.
（彼が子持ちだなんて私は想像すらしなかった）

以上，"没想到"の主体はいずれも話し手ですが，次のように他のケースも可能です。

你没想到我会来吧？　Nǐ méi xiǎngdào wǒ huì lái ba？
（僕がくるなんて考えもつかなかったでしょう）

これもr化……
玩儿
wánr
（遊ぶ）

🈂 三郎の文字なぞ

今回はやさしいでしょう。たまにはいい
気持ちになることも必要です。

无它就买，有它就卖。
Wú tā jiù mǎi, yǒu tā jiù mài.
（これがないと買い，これがあると売る）
日本語の意味に惑わされてはいけません。
これは字谜，文字の形に着目します。

ことばの道草

"别瞎说。" Bié xiāshuō.

「ばかなこと言わないで」。これをなかなか"别瞎说。"とは中国語で言えませんね。

"瞎" xiā とは「視力を失っている，目が見えない」ことですが，これが副詞として使われると，「わけもなく，根拠もなく，でたらめに，やみくもに」といった意味を表します。

  瞎写 xiā xiě （でたらめに書く）
  瞎指挥 xiā zhǐhuī （いいかげんに指揮をする）
  瞎花钱 xiā huāqián （やみくもにお金を使う）
  瞎担心 xiā dānxīn （むやみに心配する）

こういう表現ですから，いきおい"别" bié を冠して禁止命令の例が多くなります。

  别到外边瞎跑！ Bié dào wàibian xiā pǎo！
    （外であちこち駆け回ってはダメだよ）

このほかに"乱" luàn も同じように「でたらめに，いいかげんに」という意味で使われます。

  别乱放。 Bié luàn fàng.（でたらめに置いちゃいけない）
  别乱跑。 Bié luàn pǎo.（駆け回っちゃダメ）

もう一つ"胡" hú もそうです。

  别胡说。 Bié hú shuō.（でたらめを言うな）
  他不会跳舞，胡跳呢。 Tā bú huì tiàowǔ, hú tiào ne.
    （彼はダンスができない，ただ勝手に飛び跳ねているだけだ）

"瞎，乱，胡"は「デタラメ3兄弟」です。

十 shí "无它"とか"有它"という問題では，求める答えは"它"である。こいつがないと"买"になり，こいつがあると"卖"になる。二つの字をくらべてみれば「こいつ」が何かは明らか。

❖ ここほれ中級 ❖

♣ "很有水平" hěn yǒu shuǐpíng

　"有"の後に抽象的な意味を表す目的語がきて，前にはしばしば"很"による修飾がつきます。

　　很有水平　　hěn yǒu shuǐpíng　　（とてもレベルが高い）

文字面はただ"水平"があると言っているだけなのですが，意味は「レベルが高い」です。同じように

　　很有经验　　hěn yǒu jīngyàn

もただ「経験がある」と言っているだけなのですが，意味は「経験が豊富だ」です。すべてこのように，"有"の目的語は抽象的で，それらは"高，大，远，多"というプラス方向に意味を拡大して考えることができます。

　例を多くあげておきますので，そのへんの感覚を会得してください。

　　很有手腕儿　　hěn yǒu shǒuwǎnr　　（腕がある）
　　很有头脑　　　hěn yǒu tóunǎo　　　（頭がきれる）
　　很有知识　　　hěn yǒu zhīshi　　　（知識が豊富だ）
　　很有才能　　　hěn yǒu cáinéng　　　（才能にめぐまれている）
　　很有礼貌　　　hěn yǒu lǐmào　　　（とても礼儀正しい）
　　很有办法　　　hěn yǒu bànfǎ　　　（打つ手が多い）
　　很有本事　　　hěn yǒu běnshì　　　（とても能力がある）
　　很有志气　　　hěn yǒu zhìqi　　　（やる気に満ちている）
　　很有见识　　　hěn yǒu jiànshi　　　（見識が高い）
　　很有前途　　　hěn yǒu qiántú　　　（前途洋々だ）
　　很有钱　　　　hěn yǒu qián　　　（とてもお金持ちだ）

最後の"钱"も具体的な「お札」などではなくて，抽象的な「財産」です。だからこそ「金持ちだ」という意味になるわけです。

　具体的なものはこれません。髪の毛がふさふさしているからと言って，"很有头发"などとは言いませんから。

第27話 仮病

（留学生寮，管理人が手紙と新聞を配っている。突然ある部屋からテレビの音が聞こえてくる。不思議に思い，ドアをノックする）

CD2-25

田村： **谁　呀？**
Tiáncūn： Shéi　ya?

大爷： **是　我　呀。**
dàye： Shì　wǒ　ya.

田村： **您　等　一下。**
Nín　děng　yíxià.

大爷： **你　怎么　了？怎么　没　去　上课　呀？**
Nǐ　zěnme　le? Zěnme　méi　qù　shàngkè　ya?

田村： **我，我　有点儿　不　舒服。**
Wǒ, wǒ　yǒudiǎnr　bù　shūfu.

大爷： **哪儿　不　舒服？去　医务室　看　了　没有？**
Nǎr　bù　shūfu? Qù　yīwùshì　kàn　le　méiyou?

田村： **没有。就　是　有点儿　头疼，没事儿。**
Méiyou. Jiù　shì　yǒudiǎnr　tóuténg, méishìr.

大爷： **是　不　是　着凉　了？我　去　拿　点儿　板蓝根　来，一　喝　就　好。**
Shì　bú　shì　zháoliáng　le? Wǒ　qù　ná　diǎnr　bǎnlángēn　lái, yì　hē　jiù　hǎo.

300

田村：どなた？

おじさん：私だよ。

田村：ちょっと待ってください。

（田村はベッドの上をちょっと整え，ベッドに寝ていた格好をして，ドアを開けに行く）

おじさん：どうした？　どうして授業に行かないんだい？

田村：わ，わたしちょっと気分が悪いんです。

おじさん：どこが具合悪い？　保健室には行ったのかい？

田村：いいえ。ちょっと頭が痛いだけですから，大丈夫です。

おじさん：風邪じゃないかな？　板藍根(ばんらんこん)を持ってきてあげよう。
　　　　　飲んだらすぐ治るよ。（そう言いながら外に行こうとする）

単語

怎么了　zěnme le　［組］どうしたんだ。

上课　shàngkè　［動］授業に出る。授業をする。

不舒服　bù shūfu　［組］気分がよくない。

医务室　yīwùshì　［名］医務室。保健室。

头疼　tóuténg　［動］頭痛がする。

着凉　zháoliáng　［動］寒さにあたる。風邪をひく。

板蓝根　bǎnlángēn　［名］薬の名前。

一喝就好　yì hē jiù hǎo　［組］飲めばすぐよくなる。"一～就 ～"の形。

301

田村：**不用 了， 大爷。**
Búyòng le, dàye.

大爷， 您 看， 这个 人 像 不 像 江 旭？
Dàye, nín kàn, zhèige rén xiàng bú xiàng Jiāng Xù?

大爷：**姑娘， 你 千里 迢迢 来 这里 留学 不**
Gūniang, nǐ qiānlǐ tiáotiáo lái zhèli liúxué bù

容易， 你 父母 供 你 上学 更 不 容易，
róngyì, nǐ fùmǔ gōng nǐ shàngxué gèng bù róngyì,

要 好好儿 注意 身体， 珍惜 这个 机会。
yào hǎohāor zhùyì shēntǐ, zhēnxī zhèige jīhuì.

✽ ················ "有点儿" yǒudiǎnr の謎

発音のポイント

"有点儿"には発音のポイントがつまっています。

1）第3声の連続です
　　有＋点儿　→　有＋点儿
　　yǒu diǎnr　　yóu diǎnr

2）iとnにはさまれたa―何も言えん（ian）
　　（有）点（儿）　　便宜　(aは [ɛ]（エ）の発音)
　　　　diǎn　　　　piányi

3）r化による音変化
　　iとnにはさまれ「何も言えん(ian)」だったa[ɛ]がa[a]に復活します。
　　（有）点儿 diǎn r　→　diǎ r（nが脱落して押さえがなくなる）
　　　　玩儿 wán r　→　wá r（こちらはもともと[a]）

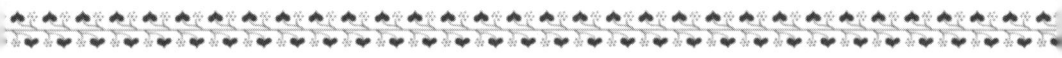

田村：ほんとに大丈夫です，おじさん。

（突然テレビを見つめ，元気そうに）おじさん，この人江旭に似てませんか？

（管理人は何か悟った様子）

おじさん：あなたが，ここまで千里はるばる留学に来ているのは大変なことだ。あなたの両親があなたを学校に通わせるのはもっと大変なんだよ。体には十分気をつけて，この機会を大事にしなくてはね。

単語

不用　búyòng　［動］不要である。その必要はない。

您看　nín kàn　［組］見てください。ほら，ご覧。

像　xiàng　［動］似ている。～に似る。

千里迢迢　qiānlǐ tiáotiáo　［成］道のりが遠い形容。

供你上学　gōng nǐ shàngxué　［組］あなたを学校に通わせる。

珍惜　zhēnxī　［動］大切にする。

Key Sentence

CD2-26

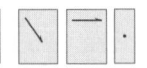

我　有点儿　不　舒服。
Wǒ　yǒudiǎnr　bù　shūfu.

私はちょっと気分が悪いんです

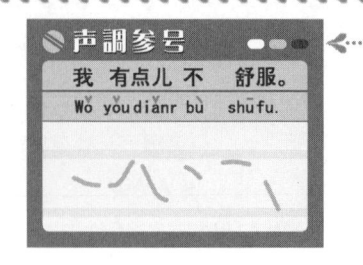

　"有点儿"は「ちょっと，いささか」という意味の副詞です。これ全体で1語です。後に続くのは，たいてい話し手にとって「好ましくない」状況を表す語です。ですから，

　　有点儿不舒服　　yǒudiǎnr bù shūfu

とは言えますが，

　　×有点儿舒服　　yǒudiǎnr shūfu

とは言えません。同じように，

　　有点儿危险　　yǒudiǎnr wēixiǎn　　（少し危険だ）
　　×有点儿安全　　yǒudiǎnr ānquán　　（少し安全だ）

「好ましくない」ほうは言えますが，「好ましい」ほうには"有点儿"をつけません。

　単語自身にプラスとかマイナスといった評価の色合いのない語もあります。例えば"大"dàや"小"xiǎoは大きいからプラス，小さいからマイナスということはありません。いわば中性的な語です。これらが"有点儿"の後にくると，やはり「好ましくない」意味を付与されることになります。

　　有点儿大　　yǒudiǎnr dà　　（ちょっと大きくてよくない）
　　有点儿小　　yǒudiǎnr xiǎo　　（ちょっと小さくて不都合だ）

●はじめの"我有点儿"にご注目ください。ここは第3声が三つも連続しています。しかしその発音は

  我　有点儿　→　我　有点儿
  wǒ yǒudiǎnr　→　wǒ yóudiǎnr

のようになり，はじめの"我"は変調しません。これは["我"＋"有点儿"]という構造だからです。つまり"有点儿"はこれで1語の副詞。変調はまずこの単語内部で起こります。すると wǒ の後は yóu ですから，もはや第3声連続はありません。
　最後の"不舒服"bù shūfu は"不"bù が短く，"舒"shū が長く，そしてまた"服"fu が短くです。長短のメリハリをつけた発音が必要です。
さらにここは韻母がすべてuです。u は唇をまるめて突き出し，口の奥から声を出します。

✤ 活用 Key Sentence　　　　　　　　　　　　　　　　CD2-27

「わたしはちょっと～」と言ってみましょう。

	累。lèi.	(疲れた)
我　有点儿 Wǒ yǒudiǎnr	困。kùn.	(眠い)
	忙。máng.	(忙しい)

いろいろなものについて苦情を呈しましょう。

房间 Fángjiān		小。xiǎo.	(部屋が小さい)
菜 Cài	有点儿 yǒudiǎnr	咸。xián.	(料理が塩からい)
饭 Fàn		硬。yìng.	(ご飯がかたい)

～文法レッスン～

◆「ちょっと，少し」の表し方

1) 「ちょっと待って」なら"等一下"děng yíxià と言います。動詞の後に"一下"を添え，動作が軽く，短いことを表します。「ちょっと」の位置が日中で違う点に注意してください。

  给我看一下 gěi wǒ kàn yíxià （私にちょっと見せてください）
  我来介绍一下 wǒ lái jièshào yíxià （私がちょっとご紹介しましょう）

2) もう一つ，動詞を重ねるやり方があります。やはり「ちょっと～する」と訳すことができます。

  看看 kànkan （ちょっと見る）
  商量商量 shāngliangshāngliang （ちょっと相談する）
  出去散散步 chūqu sànsan bù （ちょっと散歩にでる）

3) 次は形容詞の「少し」です。前に"有点儿"yǒudiǎnr をつけます。これは副詞でした。あまり好ましくないことに使うのでした。

  有点儿不舒服 yǒudiǎnr bù shūfu （ちょっと気分が悪い）
  有点儿贵 yǒudiǎnr guì （ちょっと高い）
  有点儿大 yǒudiǎnr dà （すこし大きい）

単語6姉妹　CD2-28　［いろいろな薬］

| 止疼片 zhǐténgpiàn（痛み止め） |
| 胃药 wèiyào（胃薬） | 创可贴 chuāngkětiē（ばんそうこう） | 眼药水 yǎnyàoshuǐ（目薬） | 润喉片 rùnhóupiàn（のど薬） | 晕车宁 yùnchēníng（車酔いの薬） |

4) 形容詞の後に「少し」がくることもあります。"一点儿" yìdiǎnr とか "一些" yìxiē がきますが，この場合は比較を表します。それまで，あるいは現状とくらべて「少し～」ということです。

病好一点儿了	bìng hǎo yìdiǎnr le	（病気は少しよくなった）
雨小点儿了	yǔ xiǎo diǎnr le	（雨が小降りになった）
我想买便宜一点儿的	wǒ xiǎng mǎi piányi yìdiǎnr de	
		（もう少し安いのを買いたい）

5) 次は名詞の「少し」です。「少しのお金」なら "一点儿钱" です。これは "一本书" と同じ構造です。前に "有" を加えましょう。すると形の上では "有一点儿钱" →（"一" を省略して）"有点儿钱" となりますが，この "有点儿" yǒu diǎnr は副詞の "有点儿" yǒudiǎnr とは違います。動詞 "有" プラス量詞 "点儿" です。

有点儿钱	yǒu diǎnr qián	（少しのお金がある）
有点儿能力	yǒu diǎnr nénglì	（少し能力がある）
很有点儿水平	hěn yǒu diǎnr shuǐpíng	（なかなかレベルが高い）

6) "一点儿" yìdiǎnr が前にくることもあります。これは「少しも～」という言い方で，後に必ず否定形が続きます。

一点儿也不累	yìdiǎnr yě bú lèi	（少しも疲れてない）
一点儿也不好吃	yìdiǎnr yě bù hǎochī	（ちっともおいしくない）
一点儿都不知道	yìdiǎnr dōu bù zhīdào	（少しも知らない）

これは飲みやすいよ
止咳 糖浆
zhǐké tángjiāng
（せき止めシロップ）

您 三郎の文字なぞ

この問題，答は二つです。
两 山 在 一 块 儿。
Liǎng shān zài yíkuàir.
（二つの山が一緒）
山が二つ。一つはすぐお分かりでしょうが，答は二つ。あとの一つ，工夫が要ります。

ことばの道草

風邪を引いたら……

授業をさぼって，部屋にいた好恵さん。管理人さんに見つかってしまいました。風邪を引いたのではと心配したおじさんが言いました。

我去拿点儿板蓝根来，一喝就好。
Wǒ qù ná diǎnr bǎnlángēn lái, yì hē jiù hǎo.
（板藍根を取ってこよう，飲めばすぐによくなるよ）

ここに出てくる"板蓝根"bǎnlángēnとは，中国の家庭の常備薬と言ってよいもので，風邪のかかりかけのころに飲めば，即効とのこと。

薬と言えば，私は喉が弱いので，北京ではよく"西瓜霜"xīguāshuāngなどを買いました。トローチ状の喉の薬で，気休めによくしゃぶります。

本格的な風邪なら"感冒冲剂"gǎnmào chōngjìでしょう。一度飲んだことがあります。量の多さには辟易しました。

こめかみなどに塗りつける万能薬がありますね，塗るとスースーする。"清凉油"qīngliángyóuですね。容器のデザインが面白いので昔よく買いました。

"晕车宁"yùnchēníngといったら乗り物酔いの薬です。"眼药水"yǎnyàoshuǐは目薬。"止痛片"zhǐtòngpiànは痛み止めです。

傷口に貼り付けるあらかじめカットしてあるばんそうこう。中国語では"创可贴"chuāngkětiēと言います。

赤チンにあたるのが"红药水"hóngyàoshuǐです。日本の赤チン同様，今じゃそんなの使わないよと，中国の友人に笑われてしまいました。

出/击
chū/jī

一つは"出"chū。これはやさしい。もう一つは"击"jī。"两山"すなわち"二山"である。"二山"が合体して"击"を得る。これは「攻撃」の「撃」の簡体字。

ここほれ中級

♣飲めば効く——"一喝就好" yì hē jiù hǎo

おじさんが中国の薬"板蓝根" bǎnlángēn を好恵さんにすすめていました。よく効く薬なのでしょう。「飲めばすぐ効く」と言ってましたが，それが"一喝就好"です。

"一A就B"とはAB二つの動作が時間的に密接につながっていること，「飲めば」即「よくなる」，つまりAすれば即Bということです。

"一～就～"という呼応型はよく使われます。

一喝就醉	yì hē jiù zuì	（飲めばすぐ酔う）
一看就懂	yí kàn jiù dǒng	（見ればすぐ分かる）
一倒就睡	yì dǎo jiù shuì	（横になるとすぐ眠ってしまう）
一呼就到	yì hū jiù dào	（呼べばすぐ馳せ参じる）
一凉就犯	yì liáng jiù fàn	（寒くなるとすぐ病気になる）
一学就会	yì xué jiù huì	（学べばすぐできる）
一用就坏	yí yòng jiù huài	（使うとすぐ壊れる）
一说就懂	yì shuō jiù dǒng	（言えばすぐ分かる）
一叫就醒	yí jiào jiù xǐng	（呼ぶとすぐ目を覚ます）
一擦就灵	yì cā jiù líng	（塗れば即効く——薬）

主語をつけた形でも例をあげましょう。ぐっと分かりやすくなります。

这种话我一听就烦。　Zhèi zhǒng huà wǒ yì tīng jiù fán.
（こういう話は耳にするだけでいやになる）

我的皮肤一晒就红。　Wǒ de pífu yí shài jiù hóng.
（私の皮膚はちょっと日にあたると赤くなる）

这点儿灰一洗就掉。　Zhèi diǎnr huī yì xǐ jiù diào.
（こんなほこりは洗えばすぐ落ちる）

第28話

コンサートと試験

(学校の教室，劉が勉強していると，田村が入ってくる。手にはチラシ)

田村 : 欣欣，你 在 这儿 呢！我 到处 找 你。
Tiáncūn : Xīnxīn, nǐ zài zhèr ne! Wǒ dàochù zhǎo nǐ.

刘欣欣 : 找 我 有 事儿 吗？
Liú Xīnxīn : Zhǎo wǒ yǒu shìr ma?

田村 : **咱们 一起 去 听 音乐会，好 不 好？**
Zánmen yìqǐ qù tīng yīnyuèhuì, hǎo bù hǎo?

刘欣欣 : 什么 时侯 的？
Shénme shíhou de?

田村 : 今天 晚上 7 点 半 的，出场 的 都
Jīntiān wǎnshang qī diǎn bàn de, chūchǎng de dōu

是 有名 的 歌星。
shì yǒumíng de gēxīng.

刘欣欣 : 真 的？
Zhēn de?

唉！
Ài!

田村 : 怎么 了？你 不 想 去 吗？
Zěnme le? Nǐ bù xiǎng qù ma?

田村：欣欣，ここにいたんだ。あちこち探し回っちゃった。
　劉：何か用事？
田村：**一緒にコンサートに行かない？**
　劉：いつの？
田村：今夜7時半，出演するのはみんな有名な歌手なんだよ。
　劉：ほんと？（初めはとても興奮するが，すぐにあきらめのため息）あーあ。
田村：どうしたの？　行きたくないの？

単語

到处 dàochù ［副］いたるところ。

音乐会 yīnyuèhuì ［名］音楽会，コンサート。

什么时侯的 shénme shíhou de ［組］いつのか。"的"で全体が体言化している。

出场 chūchǎng ［動］出演する。

歌星 gēxīng ［名］歌手。

刘欣欣：我 太 想 去 了！可是 明天 有 英语
　　　　Wǒ tài xiǎng qù le! Kěshì míngtiān yǒu Yīngyǔ

　　　　小 测验，我 还 没 复习好 呢。
　　　　xiǎo cèyàn, wǒ hái méi fùxíhǎo ne.

田村：不 就 是 小 测验 嘛，没 关系 的。
　　　Bú jiù shì xiǎo cèyàn ma, méi guānxi de.

刘欣欣：对不起！我 还是 不 能 去。非常 遗憾。
　　　　Duìbuqǐ! Wǒ háishi bù néng qù. Fēicháng yíhàn.

田村：你 可 真 认真。
　　　Nǐ kě zhēn rènzhēn.

刘欣欣：我 比不了 你 呀。大学 毕业 后 想
　　　　Wǒ bǐbuliǎo nǐ ya. Dàxué bìyè hòu xiǎng

　　　　留学 就 能 留学。我 现在 不 努力，
　　　　liúxué jiù néng liúxué. Wǒ xiànzài bù nǔlì,

　　　　将来 没有 人 帮 我 呀。听 音乐会
　　　　jiānglái méiyou rén bāng wǒ ya. Tīng yīnyuèhuì

　　　　以后 还 有 机会。
　　　　yǐhòu hái yǒu jīhuì.

発音のポイント

・・・・・・・・・・ 3音節の単語

中国語は2音節の単語が一番多いのですが，中には3音節の語もちらほら混じっています。3音節の名詞には独特の発音パターンがあります。今，軽を○，中を◎，重を●と表しましょう。すると次のような2パターンがあります。

◎◎● 　　　　　　　○○●
音乐会　yīnyuèhuì　　動物园　dòngwùyuán
照相机　zhàoxiàngjī　医务室　yīwùshì
乌龙茶　wūlóngchá　　洗衣机　xǐyījī

ともかく最後の音をしっかりということです。

劉：すごく行きたい。でも明日英語の小テストがあって，まだ復習が終わってないんだ。

田村：ただの小テストでしょ，大丈夫だよ。

劉：(固く決心した様子で) ごめん！　私やっぱり行けない。残念だけど。

田村：ほんとに真面目だね。

劉：私はあなたと違うもの。あなたは大学を卒業して，留学したいと思えばすぐ留学できる。私は今努力しなかったら，この先だれも助けてくれない。コンサートはまた機会があるし。

(田村は劉のそばを離れ，去る。回りはすべて真面目に勉強に励む中国人学生)

単語

小测验 xiǎo cèyàn ［組］小テスト。

复习 fùxí ［動］復習する。

不就是～嘛 bú jiù shì ～ ma ［組］～ということではないか。つまり～ということだろう。

遗憾 yíhàn ［形］残念だ。遺憾だ。

认真 rènzhēn ［形］真面目である。真剣である。

机会 jīhuì ［名］機会。チャンス。

Key Sentence

CD2-30

咱们 一起 去 听 音乐会，
Zánmen yìqǐ qù tīng yīnyuèhuì,

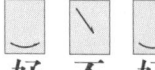

好 不 好？
hǎo bù hǎo?

一緒にコンサートに行かない？

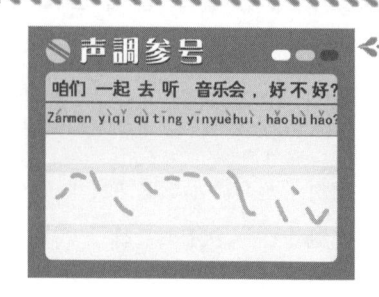

  "咱们" zánmen は聞き手をもふくむ「私たち」です。一緒に何かしましょうと誘う時によく使います。
  "咱们一起去～" zánmen yìqǐ qù～で常用の定型表現，「私たち一緒に～しに行きましょう」。
  何をしに行くのか，それがその後にきます。映画を見に行く，食事に行く，講演を聞きに行くなどなど，さまざまです。

  咱们一起去看电影，好不好？
  Zánmen yìqǐ qù kàn diànyǐng, hǎo bù hǎo?
  （一緒に映画を見に行かない？）

  最後に"好不好？"hǎo bù hǎo?を添えます。これは「いいですか？」と相手の意向をたずねています。
  "好不好？"のほかにも，"好吗？"hǎo ma?，"怎么样？"zěnmeyàng? も同じように使えます。

  咱们一起去看电影，好吗？
  咱们一起去看电影，怎么样？

●"咱们"zánmenはすばやく発音します。特に"们"は軽声ですが，かなりの高さが実現されています。

その後の"一起"yìqǐの部分のほうがむしろハッキリと発音されます。いずれにしろ"咱们一起"で一まとまりですから，ここは一気に言います。

肝心のコンサート"音乐会"yīnyuèhuìですが，これは3音節の名詞です。こういう時は一般に3音節目の"会"が最も強く発音されます。これは中・中・重というアクセントパターンです。

最後の"好不好"hǎo bù hǎoは相手への問いかけ。一呼吸おいてきちんと発音します。ここははじめの第3声と文末最後の第3声の調型の違いに注目してください。半3声と第3声の違いがよく表れています。

◆ 活用 Key Sentence

CD2-31

いろいろなことに「一緒に行かない？」と誘ってみましょう。動詞を忘れないようにしてください。

咱们 一起 去	逛　商店 guàng shāngdiàn	, 好 不 好？	（ウインドー・ショッピングに）
Zánmen yìqǐ qù	看　画展 kàn huàzhǎn	, hǎo bù hǎo？	（絵の展覧会に）
	唱 卡拉OK chàng kǎlāOK		（カラオケに）

いきなり地名でもかまいません。

| 咱们 一起 去 | 杭州 Hángzhōu | , 好 不 好？ | （杭州に） |
| Zánmen yìqǐ qù | 外滩 Wàitān | , hǎo bù hǎo？ | （外灘に） |

～文法レッスン～

1．午後7時半と言えない！

　コンサートは午後7時30分でしたが，好恵さんは"晚上七点半"wǎnshang qī diǎn bàn と言っていました。"下午"xiàwǔ ではなく"晚上"を使っていました。

　日本では「午前」「午後」を使えば時間が言い表せます。ところが，中国語では，

「午後8時」は：**晚上八点**　　wǎnshang bā diǎn　　（夜の8時）

「午前7時」は：**早上七点**　　zǎoshang qī diǎn　　（朝の7時）

と言います（"点 diǎn"は時）。つまり"下午八点"xiàwǔ bā diǎn（午後8時）とか"上午七点"shàngwǔ qī diǎn（午前7時）とは日常生活ではまず言いません。中国人の時間帯意識は私たちと違うのです。大まかに言えば，次のような図で表すことができます。

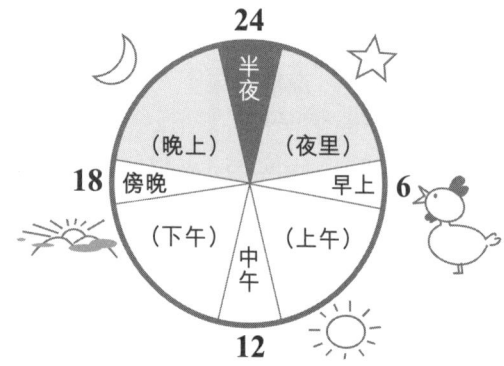

```
                    24
                   半夜
            （晚上）│（夜里）
        18 傍晚 ────┼──── 早上 6
            （下午）│（上午）
                   中午
                    12
```

zǎoshang	shàngwǔ	zhōngwǔ	xiàwǔ
早上（朝）	上午（午前）	中午（昼）	下午（午後）
bàngwǎn	wǎnshang	bànyè	yèlǐ
傍晚（夕方）	晚上（夜）	半夜（真夜中）	夜里（深夜）

単語 6 姉妹　CD2-32　　[日曜日には]

- **听 音乐会** tīng yīnyuèhuì（コンサートに行く）
- **看 画展** kàn huàzhǎn（絵の展覧会に行く）
- **排戏** páixì（芝居の稽古をする）
- **出去 写生** chūqu xiěshēng（外へスケッチに行く）
- **逛 商店** guàng shāngdiàn（お店をぶらつく）
- **约朋友喝茶** yuē péngyou hē chá（友達とお茶をする）

これらの時間帯のあとに具体的な時刻をつけて，次のように言います。

上午九点	shàngwǔ jiǔ diǎn	（午前9時）
中午十一点半	zhōngwǔ shíyī diǎn bàn	（昼の11時半）
下午两点	xiàwǔ liǎng diǎn	（午後2時）
傍晚六点	bàngwǎn liù diǎn	（夕方6時）
夜里三点	yèli sān diǎn	（深夜3時）

このほかにも"深夜两点"shēnyè liǎng diǎn と言えば「深夜2時」ですし，明け方のころを"凌晨四点"língchén sì diǎn（明け方の4時）などとも言います。また"一大早"yídàzǎo と言えば早朝の5，6時ごろを指します。日本でも黄昏時(たそがれどき)などと言いますが，中国語でも"黄昏的时候"huánghūn de shíhou という言葉があり，同じように夕方の5，6時を指します。

2．コンサートに行く──"去听音乐会"qù tīng yīnyuèhuì

日本語と中国語をくらべてください。そうです，中国語は動詞が入っています。

カラオケに行く	去唱卡拉OK qù chàng kǎlā OK
ゴルフに行く	去打高尔夫球 qù dǎ gāo'ěrfūqiú
ディスコに行く	去跳迪斯科 qù tiào dísikē

晴れていたら……
在 家 洗 衣 服
zài jiā xǐ yīfu
（家でお洗濯）

您三郎の文字なぞ

中国の知識人ならだれでもたしなむと言われる字謎。これができればあなたもまずは一人前。ご覧ください。

　一　上　就　同。（あがれば同じ）
　Yí shàng jiù tóng.
日本語訳では解けません。

ことばの道草

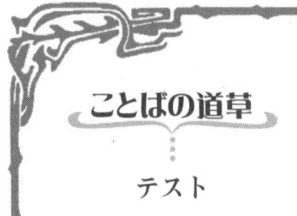

テスト

　明日は英語の小テスト"小测验"xiǎo cèyàn があるのでと，誘いを断った劉さん。小テストとはいえ，テストはテスト，やっぱり気になりますよね。

　小さいテストは"测验"cèyàn と言います。例えば1単元終わってテストなどというときも"单元测验"dānyuán cèyàn と"测验"を使います。

　中間テストとか，期末試験となると，"期中考试"qīzhōng kǎoshì，"期末考试"qīmò kǎoshì のように"考试"kǎoshì になります。さらに"毕业考试"bìyè kǎoshì もあります。"考试"のほうが重大で正式の試験という感じがします。

　中国では試験といっても"口试"kǒushì と"笔试"bǐshì に大きく分かれるのも特徴です。"口试"とは会話力をテストするもの，"笔试"は筆記試験です。面接試験は"面试"miànshì と言います。

　大学入試は"高考"gāokǎo で，大学入試を受けるのなら"考高考"kǎo gāokǎo といいます。高校入試ではありません，間違えないように。もちろん"考大学"kǎo dàxué とも言います。

　さらに大学院を受けるなら，"考研究生"kǎo yánjiūshēng です。"研究生"とは大学院生のこと，日本語の「研究生」という意味ではありませんからこれも要注意。博士課程を受けるのなら"考博士"kǎo bóshì です。さらにこのあとには"论文答辩"lùnwén dábiàn（論文の口頭試問）が待っています。

　なかなか試験からは解放されませんね。

回 huí　"一上就同"を「"一"が上がれば"同"という字になる」と読む。そういう字は何だろう。上がれば"同"なのだから，"一"を下におろしてみればよい。"一"を下におろしてできる字はすなわち"回"だ。逆にこういう問題もできる。"一下就回"。Yí xià jiù huí. 今度は「"一"が下がれば"回"という字になる」ものを求める。答は"同"だ。

✤ ここほれ中級 ✤

♣大学を卒業する

「大学を卒業する」は"大学毕业"と言います。"毕业大学"とは言いません。つまり"毕业"は後ろに目的語をとることができないのです。

理由は御存じでしょう。"毕业"が「動詞＋目的語」構造ですから，この後にさらに目的語はとれないのでした。

　×我毕业北京大学。

ではどうすればよいのでしょうか。次のような言い方をすることになります。

　我是从北京大学毕业的。　Wǒ shì cóng Běijīng dàxué bìyè de.
　我是在北京大学毕业的。　Wǒ shì zài Běijīng dàxué bìyè de.
　我毕业于北京大学。　　　Wǒ bìyè yú Běijīng dàxué.

介詞の"从"や"在"を使って目的語を前においたり，あるいは"于"を使ってともかく"毕业"の直後に目的語がこないよう工夫しています。

これで思い出すのは"帮忙"bāngmáng です。これも「動詞＋目的語」構造のため，やはり直後に目的語をさらにとることはできませんでした。

　×我帮忙他。

次のように言い換えました。

　我给他帮忙。
　我帮他的忙。
　我来帮他。

最後は"帮"という違う動詞を使った例です。ほかにも同じような例があります。

　×散步公园　→在公园散步　zài gōngyuán sànbù
　　（公園を散歩する）
　×问好你父母→向你父母问好　xiàng nǐ fùmǔ wènhǎo
　　（あなたの両親によろしく）

ただし次のように「動詞＋目的語」構造の動詞でもさらに目的語をとることのできるものもあります。

　驰名中外　chímíng zhōngwài （世界に名を馳せる）
　关心学生　guānxīn xuésheng （学生に関心を寄せる）

319

第29話 待ち合わせ

（劉が田村に電話している）　　　　　　　　　　　　CD2-33

劉欣欣：**真的不用我去接你吗？**
Liú Xīnxīn： Zhēn de búyòng wǒ qù jiē nǐ ma?

田村：**不用。**
Tiáncūn： Búyòng.

劉欣欣：**那十点半咱们在陆家嘴站。**
　　　　Nà shí diǎn bàn zánmen zài Lùjiāzuǐzhàn.

田村：**好，一会见。**
　　　 Hǎo, yíhuìr jiàn.

＊　＊　＊

劉欣欣：**你可来了。快急死我了。**
　　　　Nǐ kě lái le. Kuài jísi wǒ le.

田村：**对不起，我来晚了。不过才晚五分钟就把你急成这样。**
　　　 Duìbuqǐ, wǒ láiwǎn le. Búguò cái wǎn wǔ fēn zhōng jiù bǎ nǐ jíchéng zhèyàng.

劉欣欣：**我不是怕把你丢了嘛。**
　　　　Wǒ bú shì pà bǎ nǐ diū le ma.

劉：ほんとに迎えに行かなくていいの？

田村：いい。

劉：じゃあ10時半に陸家嘴駅で。

田村：うん，じゃあその時。

（地下鉄の出口で，劉はあたりを見回している）

（10時半。田村の姿はまだ見えない。10時35分，田村がようやく現れる）

劉：やっと来た。もう気をもませるんだから。

田村：**ごめんなさい。遅刻して。**（腕時計をちらっと見て）でも，たった5分遅れただけでそんなにあせるんだ。

劉：あなたがどこかへ行っちゃったんじゃないかと思うじゃない。

単語

接你 jiē nǐ ［組］あなたを出迎える。

一会儿见 yíhuìr jiàn ［組］しばらくしたら会おう。じゃあ後ほど。"一会儿" yíhuìr は「しばらくの間」。時間名詞＋"见"の形は他にも，"明天见"（明日また）など。

可 kě ［副］「ついに，やっと，なんと」等，話し手の感情を表す。

快～了 kuài ~ le ［組］もう少しで～になる。

急死我 jísǐ wǒ ［組］私をひどくあせらせる。"死"は程度をあらわす補語。

把你丢了 bǎ nǐ diū le ［組］あなたを失ってしまう→あなたを見失ってしまう。

田村：今天 人 可 真 多！
　　　Jīntiān rén kě zhēn duō!

　　　都 是 要 去 寺庙 吧？
　　　Dōu shì yào qù sìmiào ba?

刘欣欣：不 是。大概 是 去 亲戚 朋友 家 拜年 吧。
　　　Bú shì. Dàgài shì qù qīnqi péngyou jiā bàinián ba.

* * *

刘欣欣：到 了，请 进 吧。
　　　Dào le, qǐng jìn ba.

田村：你 看，你 急得 把 这个 都 贴倒 了。
　　　Nǐ kàn, nǐ jíde bǎ zhèige dōu tiēdào le.

刘欣欣：这个 就 要 倒着 贴 的。"贴倒 了" 的
　　　Zhèige jiù yào dàozhe tiē de. "Tiēdào le" de

　　　"倒" 和 "到来" 的 "到" 发音 相同，倒着
　　　"dào" hé "dàolái" de "dào" fāyīn xiāngtóng, dàozhe

　　　贴 的 意思 是 "福 到 了"。
　　　tiē de yìsi shì "fú dào le".

田村：嗯。"福" 到 了 吗？
　　　Ňg. "Fú" dào le ma?

刘欣欣：你 不 是 来 了 吗？
　　　Nǐ bú shì lái le ma?

田村：今日はほんとに人が多いね。
　　　みんなお寺に行くの？
　劉：ううん。たいてい，親戚や友達の家に新年のあいさつに行くの。
（劉家の入り口に到着）
　劉：着いた。さあ，入って。
田村：（入り口の上に張ってある"福"の字が逆さになっているのを見て，笑いながら）ほら，あなたがあわててこれ逆さに張ってるよ。
　劉：これは逆さにして張るものなの。"贴倒了"（逆さに張る）の"倒"と"到来"（来る）の"到"の発音は同じだから，"福"の字を逆さに張ると「福が来る」という意味になるからね。
田村：ふうん。福は来たの？
　劉：あなたが来たじゃない？
（そう言って二人で笑う）

単語

寺庙　sìmiào　［名］お寺。

亲戚朋友家　qīnqi péngyou jiā　［組］親戚友人の家。

拜年　bàinián　［動］新年のあいさつをする。

贴倒　tiēdào　［動］逆さに張る。「動詞＋結果補語」で「うっかり逆さに張ってしまった」という語感。

倒着贴　dàozhe tiē　［組］（意図的に）逆さにして張る。

福到了　fú dào le　［組］福がやってきた。

Key Sentence

CD2-34

对不起， 我 来晚 了。
Duìbuqǐ, wǒ láiwǎn le.

ごめんなさい，遅刻しました

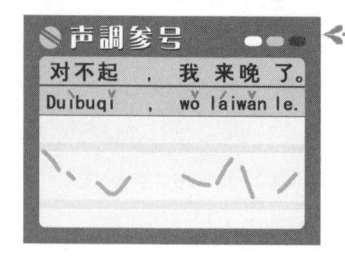

　人に謝る時の"对不起"duìbuqǐ はもう学習済みです。(第2話)
「すみません」と訳すと日本語と混乱して，おわびの時以外にも使ってしまいそうです。ここでは「ごめんなさい」としました。
　今日の表現では，具体的に「どういうことをしたのか」が"对不起"の後に述べられています。相手に迷惑をかけた行為です。
　"来晚了" láiwǎn le は「動詞＋結果補語」。結果として「遅れてしまった」ということで，図らずも遅刻したということです。
　これを"晚来了" wǎnlái le と逆にすれば「遅めに来ました」と意図的になってしまいます。おわびになりませんから，ご注意を。
　おわび表現としては，"对不起"のほかにも"抱歉" bàoqiàn や"不好意思" bù hǎo yìsi もあります。

真抱歉，明天我不能去了。
Zhēn bàoqiàn, míngtiān wǒ bù néng qù le.
（まことにすみませんが，明日は私行けなくなりました）

真不好意思，我有事先走一步。
Zhēn bù hǎo yìsi, wǒ yǒu shì xiān zǒu yí bù.
（本当に申し訳ありませんが，用事でお先に失礼します）

●最初の"対不起"duìbuqǐ，これをきちんと発音しましょう。"対"は duì ですから，u と i の間に隠れている e を意識して発音します。"起"qǐ の第3声もきれいに出ています。

　それからおもむろに"我来晩了"wǒ láiwǎn le を言いますが，これがおわびの具体的内容ですから，ごまかさずにきちんと説明する気持ちで発音しましょう。

　特に"晩了"のところは直前の"来"の高いところからゆっくり下げ続けます。もうこれで十分だろうという見当をつけて最後の"了"のフィニッシュにもっていきます。

　グラフをご覧ください。"晩"と"了"の間が空いています。これは機械にはかからなかったけれども発音努力としては「低く低く声をおさえている」第3声が気持ちのうえでは存在しているのだと考えてください。

　声調とは，時には機械には表示されない「主観的努力」でもあるのです。

✦ 活用 Key Sentence　　　　　　　　　　　　　　　CD2-35

遅刻以外にも，いろいろおわびを言うケースはありそうです。

対不起，我 { 打错 dǎcuò （電話をかけ違えた）
　　　　　　　走错 zǒucuò 了。（道を間違えた）
Duìbuqǐ, wǒ   说错 shuōcuò le.（言い間違えた）

いずれも動詞がついています。動詞がないと「まるごと」間違いになります。

対不起，我错了。 Duìbuqǐ, wǒ cuò le.

（申し訳ありません，私の責任です）

〜文法レッスン〜

◆縁起をかつぐ

"福" fú の字をわざとひっくり返して（倒 dào）張る。その心は"福到了" fú dào le でした。"倒" dào すなわち"到" dào で，これは縁起をかついだ一種のかけ言葉です。

日本語でも「めでたい」からお祝いの席の魚はタイだったり，昆布を「よろこぶ」から縁起のよいものとして珍重するのと通じます。

年画のモチーフとしてよく使われる"年年有鱼" niánnián yǒu yú，この"有鱼" yǒu yú は"有余" yǒuyú にかけています。毎年穀物やお金が余りますように，です。

"金鱼" jīnyú（金魚）なら文字どおり"金余" jīn yú，お金が余る。切り絵などによく金魚が取り上げられるゆえんです。

春節の時，日本のおもちにあたる"年糕" niángāo を食べますが，これも"年年高" niánnián gāo，年ごとに高くあれとの希望が表されています。

"蝙蝠" biānfú（コウモリ）は気味が悪い動物ですが，中国では吉祥のシンボルとしてよく見かけます。"蝙蝠"すなわち"遍福" biànfú（あまねく福がある）です。

面白いのは誤って食器などを割ってしまった時です。すぐに"岁岁平安" suìsuì píng'ān（毎年平安無事であれ）と言います。"碎碎"を同音の"岁岁"と言い換えるのです。いやなことが一瞬にしておめでたいことに転化されました。

近年，携帯電話が爆発的に普及しましたが，この番号では8や6が大人気。車のナンバープレートもそうです。8は bā で"发" fā に通じ，6は liù で"禄" lù に通じます。"发"とは"发财" fācái（お金をもうける）のこと，"禄"とは「禄」ですからサラリーです。

逆に縁起でもないと嫌う語呂合わせもあります。梨を食べる時二つに分けてはいけません。特に恋人同士ならそうです。"分梨" fēn lí（梨を分ける）は"分离" fēnlí（離ればなれになる）に通じるからです。贈り物でも「置き時計」は避けます。"送钟" sòng zhōng（置き時計を贈る）＝"送终" sòngzhōng（人の死を送る）です。

単語 6 姉妹　　私の健康法
CD2-36

| 多喝茶 duō hē chá（お茶をたくさん飲む） | 常运动 cháng yùndòng（よく運動する） | 细嚼慢咽 xì jiáo màn yàn（よく噛んで食べる） | 多睡觉 duō shuìjiào（よく寝る） | 冬天常漱口 dōngtiān cháng shùkǒu（冬はよくうがいする） | 夏天常洗手 xiàtiān cháng xǐshǒu（夏はよく手を洗う） |

◇中国語のしゃれ言葉――"歇后语"xiēhoùyǔ

　こういう語呂合わせの集大成とも言うべきものが，"歇后语"xiēhoùyǔ という「しゃれ言葉」です。これは前半と後半二つに分かれた独特の言い回しで，例えば前半で

　　　孔夫子搬家　―― Kǒng fūzǐ bānjiā ――

と言います。「孔子様のお引っ越し」さて何でしょう。後半が続きます。

　　　竟是书。　jìng shì shū.

なるほど「本ばかり」というわけです。これがしかし"竟是输"jìng shì shū と音通ですから「負けばかり」という意味にかけているのです。実際はこんなふうに使われます。

　　　这场比赛我们是孔夫子搬家――竟是书（输）。
　　　Zhèi chǎng bǐsài wǒmen shì Kǒng fūzǐ bānjiā ―― jìng shì shū.
　　　（今度の試合はわれわれは孔子様の引っ越し――負けばっかりだ）

　語呂合わせですから，うまく翻訳できないところはご容赦を。もう一つご紹介しましょう。

　　　英语都忘了，所以我又当了理发师的徒弟――从头学起了。
　　　Yīngyǔ dōu wàng le, suǒyǐ wǒ yòu dāngle lǐfàshī de túdì ― cóng tóu xuéqǐ le.
　　　（英語はすっかり忘れちゃったから，また床屋さんの見習いだ
　　　　　　　　　　　　　　　　　　　――頭からやりなおしさ）

お分かりですね。"从头学起"が「はじめから学ぶ」と「床屋さんが頭から学ぶ」の両方に解釈できることを利用しているわけです。
　なお語呂合わせ，中国語では"双关语"shuāngguānyǔ と言います。

そして何と言っても……
无忧无虑
wú yōu wú lǜ
（くよくよしない）

🎈三郎の文字なぞ

但し書きつきの問題です。

　　石　字　出　头　不　猜　"右"。
　　Shí zì chū tóu bù cāi "yòu".

"石"の字の頭を出す。これで"右"なら簡単ですが，それはダメとあらかじめ断られています。別の答えをお考えください。
ヒント："出头"のところを一ひねり。

ことばの道草

新年のあいさつ

"元旦"Yuándàn は1月1日。ですが，これはあっけないもの。せいぜい2, 3日休みで，すぐに出勤です。

本当の正月はほぼ1ヶ月遅れでやってくる"春节"Chūnjié，旧正月です。年始回りをするならこの時です。

元旦不拜年，春节才拜。Yuándàn bú bàinián, Chūnjié cái bài.

春節の1週間ぐらいの間に互いに訪問しあい"给您拜年了！"Géi nín bàinián le! とあいさつを交わします。

正月の子どもの楽しみ，お年玉は中国も同じです。"压岁钱"yāsuìqián と言いますが，昔は5元とか10元だったのが，最近は50元, 100元に跳ね上がっているそうです。

ここ数年流行しているのが"电话拜年"diànhuà bàinián です。わざわざ相手を訪ねることもなく，いながらにしてあいさつが済んでしまいますから，便利ですが，味気なくなりました。

春節の時，たまたま不在という人もいます。そういう方はこう言って，早めに正月のあいさつを済ませておきます。

给您拜个早年！ Gěi nín bài ge zǎo nián!

不在者投票のようなものです。

岩 yán　　"出头"を"出"の"头"，つまり"出"という字の頭と解釈する。すると"山"だ。これを"石"の上に載せれば"岩"のできあがり。

✥ ここほれ中級 ✥

♣禁止表現

「～してはいけない」という禁止表現。いくつかありますが，微妙な使い分けも心得ておきたいものです。

"不要"と"別"，この二つは大体同じと考えておいて結構です。以下の"不要"はいずれも"別"で置き換えられます。

  不要害怕。 Búyào hàipà. （怖がるな）
  不要抽烟。 Búyào chōu yān. （たばこを吸うな）
  不要告诉他。 Búyào gàosu tā. （彼に話すな）

"不要"も"別"も「～するな」，主観的な禁止命令です。

これに対して"不能"は「～してはいけない」です。つまり，客観的な根拠，理由があり「してはいけない」「することは許されない」です。

  这儿不能照相。 Zhèr bù néng zhàoxiàng.（ここでは撮影禁止です）
  你身体不好，不能抽烟。 Nǐ shēntǐ bù hǎo, bù néng chōu yān.
  （あなたは体がよくないのだから喫煙はいけません）
  现在不能告诉他，等他考完再说吧。
  Xiànzài bù néng gàosu tā, děng tā kǎowán zàishuō ba.
  （今彼に話しちゃいけない，試験が終わってからにしよう）

"不用"は「～する必要がない」「～するには及ばない」です。これは禁止ではありませんね。

  不用换车，直接就到了。 Búyòng huàn chē, zhíjiē jiù dào le.
  （乗り換えなくてもいい，一本で着くよ）
  不用担心，他马上来。 Búyòng dānxīn, tā mǎshàng lái.
  （心配いらないよ，彼はすぐ来るから）
  不用着急，时间还早呢。 Búyòng zháojí, shíjiān hái zǎo ne.
  （急がなくても大丈夫，まだ時間がある）

第30話

おもてなし

（劉家。劉の両親が入り口で田村を出迎える）　　　　　　　　CD2-37

田村：**叔叔、阿姨，过年 好！**
Tiáncūn：Shūshu, āyí, guònián hǎo!

刘父母：**过年 好！过年 好！**
Liú fùmǔ：Guònián hǎo! Guònián hǎo!

刘母：**快 里边儿 坐。**
Liú mǔ：Kuài lǐbianr zuò.

田村：**阿姨，这 是 我 妈妈 从 日本 寄来 的**
　　　Āyí, zhè shì wǒ māma cóng Rìběn jìlai de

日本 煎饼。请 你们 尝尝。
Rìběn jiānbing. Qǐng nǐmen chángchang.

刘母：**咳，你 这么 客气 干 什么？留着 自己**
　　　Hài, nǐ zhème kèqi gàn shénme? Liúzhe zìjǐ

吃 吧。
chī ba.

田村：**我 还 有 呢。**
Wǒ hái yǒu ne.

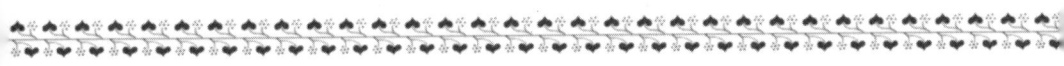

田村：おじさま，おばさま，新年おめでとうございます！

劉の父母：新年おめでとう！　おめでとう！

劉の母：**さあ，中へどうぞ。**

田村：(田村はお土産を取り出し，劉の母親に手渡す) おばさま，これは母が日本から送ってきたおせんべいです。どうぞ召し上がってください。

劉の母：あら，そんなに気を遣わないでください。自分のところに置いておいてお食べなさい。(また贈り物を田村に返す)

田村：私のところにはまだありますから。(返された贈り物を手にどうしたらよいか分からない)

単語

过年好 guònián hǎo ［組］新年おめでとうございます。(春節のときに言う)

里边儿 lǐbianr ［名］(家の) なか。

寄来 jìlai ［動］郵便で送ってくる。

日本煎饼 Rìběn jiānbing ［名］日本のせんべい。

留着自己吃 liúzhe zìjǐ chī ［組］自分のところに留めておいて自分で食べる。

刘欣欣：那 就 谢谢 了。走，到 我 的 房间
Liú Xīnxīn: Nà jiù xièxie le. Zǒu, dào wǒ de fángjiān
去 吧。
qù ba.

刘母：欣欣，给 客人 倒 茶。
Xīnxīn, gěi kèren dào chá.

刘欣欣：请 喝 茶。
Qǐng hē chá.

田村：谢谢。
Xièxie.

刘欣欣：这儿 还 有 瓜子。
Zhèr hái yǒu guāzǐ.

刘欣欣：皮 不 能 吃。瓜子 应该 这样 嗑。
Pí bù néng chī. Guāzǐ yīnggāi zhèyàng kè.

刘母：欣欣，不 是 告诉过 你 吗？茶壶 嘴儿
Xīnxīn, bú shì gàosuguo nǐ ma? Cháhú zuǐr
不 能 对着 客人。
bù néng duìzhe kèren.

刘欣欣：对不起。我 又 忘 了。欸，好惠，你
Duìbuqǐ. Wǒ yòu wàng le. Ēi, Hǎohuì, nǐ
听过 这个 歌儿 吗？
tīngguo zhèige gēr ma?

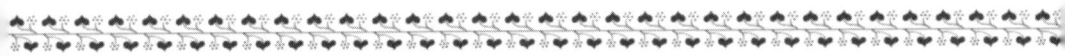

劉：じゃ，いただいておく。さあ，私の部屋に行こう。

劉の母：欣欣，お客さんにお茶をお出しして。

（劉がお茶と瓜子(クワズ)を運んでくる）

劉：お茶をどうぞ。

田村：ありがとう。

劉：クワズもあるよ。

（田村は一つそのまま口に入れ，かんで飲み込もうとする）

劉：皮は食べられないよ。クワズはこうやってかじるの。

劉の母：欣欣，急須の口をお客さんに向けちゃいけないって言ったでしょ？

劉：ごめんなさい。私また忘れてた。ねえ，好恵，この歌聴いたことある？

単語

倒茶 dào chá ［動］お茶を入れる。

瓜子 guāzǐ ［名］スイカやカボチャなどウリ類の種。"瓜子"のほかにヒマワリの種もある。塩などで味付けがしてある。（よくr化する）

嗑 kè ［動］歯で固いものをかみ割る。

茶壶嘴儿 cháhú zuǐr ［名］急須の口。

对着客人 duìzhe kèren ［組］お客のほうを向いている。

333

Key Sentence

CD2-38

快 里边儿 坐。
Kuài lǐbianr zuò.

さあ，中へどうぞ

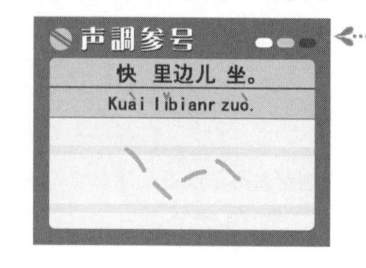

　日本では近所の家でもあまり中へあがり込んだりしません。外で立ち話というのがふつうでしょう。ところが中国の人は，ともかく中へとすすめます。日本人のように玄関で長いこと立ち話などもってのほかです。
　「さあ，中へどうぞ」とすすめるのが今日の表現です。
　"快" kuài は形容詞ですが，ここでは文頭にあり，連用修飾語として後ろにかかっていきます。「はやく」です。
　"里边儿坐" lǐbianr zuò はちょっと変わった構造をしています。場所を表す名詞 "里边儿" がぽつんとあるだけで，その後に "坐" が続きます。この動詞，たいてい単音節です。
　次のように言っても同じです。

　　　里边儿坐。 Lǐbianr zuò.

　　　屋里坐。　 Wūli zuò.

「中でお話しましょう」ならこう言います。やはり同じ構造です。

　　　屋里谈。　 Wūli tán.

２音節場所名詞＋１音節動詞，これはもう決まり文句です。

●このフレーズは一気に最後まですばやく言います。いかにも「さあさあはやく中に」という気持ちを込めます。

はじめの"快"kuài から"里"lǐ とすばやく続け，その後の"边儿"bianr は軽声ですが，第3声の後の軽声ですから理屈どおりにかなり高い位置になります。しかもはやく言うため，次の"坐"zuò の高はじまりに引かれ，自身も後ろが上昇ぎみになっています。

グラフをみながら"里边儿"lǐbianr の感じをつかんでください。

"里边儿"lǐbianr の r 化も要注意。n が脱落します。

最後の"坐"zuò ははっきりと発音します。高さも一番高いところから始まっています。無気音です。

活用 Key Sentence　　　　　　　　　　　　　　CD2-39

基本は2音節の場所名詞プラス1音節の動詞です。これで人に対する誘いや命令を簡潔に表すことができます。

前边儿坐。　Qiánbianr zuò.　（前にお座りください）

这边儿请！　Zhèibianr qǐng !　（こちらにどうぞ）

外边儿抽！　Wàibianr chōu !　（タバコは外でお吸いください）

那边儿去！　Nèibianr qù !　（あっちへ行け）

～文法レッスン～

◆日本と中国——異文化コミュニケーション

◇もののやりとり

　劉欣欣の家に招かれた好恵さん。いろいろな日中の異文化コミュニケーションを体験することになります。

　玄関先でお土産を手渡そうとして「そんなに気を遣わないでください。どうぞ自分で食べてください」と戻されてしまい，途方にくれる好恵さんでした。

　そこに助け舟をだしたのが劉欣欣。さっと受け取って自分の部屋に好恵さんを案内しました。

　中国では人からのお土産をまず一度は断るのが礼儀です。日本のように「当然」という顔をしてすぐに手をだして受け取るのはきわめて少ないようです。

　中国でもほんとうに断るのではありません。互いに，「いらぬ，どうぞ」とやりあって，最後には受け取るわけです。

　あげるほうはまた，これはあなたのために"特地"tèdì（わざわざ，特に）買ったんですよなどと，誠意のあるところを堂々と見せます。

　贈り物といえば，中国には日本のような盆暮れにものを贈る習慣はありません。それから「義理チョコ」もありませんね。

　大体，日本ではお世話になったあの方に贈りますが，中国ではこれからお世話になりそうな方に贈ります。これは中国のほうが合理的です。

◇たべもの

　お客さんが家に訪ねてきた時は，中国ではたいてい食事をすすめます。夕方ごろならば引き止めてご飯を食べていけと本気で説得にかかります。しかもなかなかのご馳走をだします。日本じゃ，手作りのビスケットにお茶ぐらいですませますが，とんでもありません。

単語6姉妹
CD2-40

中国のおやつ

| 瓜子 guāzǐ（クアズ） |
| 糖葫芦 tánghúlu（タンフール） |
| 月饼 yuèbing（月餅） |
| 萨其马 sàqímǎ（サチマ） |
| 山楂片 shānzhāpiàn（さんざしチップス） |
| 果脯 guǒfǔ（ドライフルーツ） |

久しぶりに友人と外で食事。そんな時は中国人どうし，自分が勘定を払うと言って争っているのをよく見かけます。日本では久しぶりの友達でも割り勘（"AA制"）ですが，まだまだ中国ではこういう場面では割り勘じゃ水臭いという感覚があります。

　テーブルを囲んでの食事でも日中は違います。中国ではホストがひっきりなしに料理をとって客のお皿に入れてくれます。乾杯も4，5回は繰り返しますね。それからスープが出てくるのが最後というのも中国式食事の特徴でしょう。驚いたのはトマトに砂糖をたっぷりかけて食べる食べ方です。甘党の私は結構気に入りましたけど。

　誕生日の過ごし方では，中国でも都市部では"生日蛋糕" shēngri dàngāo（バースデーケーキ）を食べるようになりましたが，一般には"长寿面" chángshòumiàn という麺をたべます。

　たべものと言えば日中，漢字は同じでも実物は大違いというのがあります。"馒头" mántou は中国のそれは白くて，中には何も入っていません。日本の饅頭とは別ものです。日本の饅頭にあたるのは"肉包子" ròubāozi とか"豆包" dòubāo です。肉マンとあんマンです。好恵さんの手土産，せんべいもそうですね。中国語の"煎饼" jiānbing は大きなクレープみたいなものです。"拉面" lāmiàn も日本のラーメンではありません。

◇色と迷信

　中国人が日本に来て驚くことの一つに，結婚式に黒い服を着るということがあります。中国では結婚式のシンボルカラーは赤。おめでたい色です。黒は不吉な色です。出席者はみんなきれいな色の服を着ています。

　そういえば白もお祝いの時には身につけません。中国の伝統的な喪服の色は白ですから，あまり縁起のよい色ではありません。

　「急須の口をお客さんに向けてはいけない」などという迷信というかしきたりも面白いですね。日本でも昔，なかなか帰らない客を帰すにはほうきを逆さに立て掛けておくというのがありました。

これも好き
糖炒 栗子
tángchǎo lìzi
（甘栗）

悠 三郎の文字なぞ

旧暦で祝う中国の正月は春節と言います。

春节 三 天 在 屋里。
Chūnjié sān tiān zài wūli.
（春節の3日間家にいる）

これである字を当ててください。ヒント：日本語でも「三人の日」と書いて「春」，などというではありませんか。

ことばの道草

お茶を入れる

お客さんにお茶をお入れしなさい。一番ふつうの言い方はこうです。

给客人倒茶。Gěi kèren dào chá.

"倒" dào とは容器を傾けて中身を外を出すこと。お酒にでもコーヒーにでも使えます。

倒酒　dào jiǔ　　倒咖啡　dào kāfēi

どれもお茶やコーヒー，お酒がポットや瓶の中に入っているわけです。

インスタントコーヒーのような粉末に勢いよく熱湯を注いで作る時がありますね。ああいうのは"冲"chōng です。勢いがあります。

冲咖啡　chōng kāfēi　　冲奶粉　chōng nǎifěn（粉ミルクに湯を注ぐ）

コーヒーも本格的じゃないと気が済まないという向きには"煮"zhǔ です。サイフォンを使い，手間ひまかけて入れます。

煮咖啡　zhǔ kāfēi

手間ひまというなら，フルーツジュースだって，きっちり搾りたてをご所望なら"榨果汁"zhà guǒzhī ですね。

それから"泡茶" pào chá という言い方もあります。これはしばらくお湯につけておくのです。インスタントラーメンなら3分間待つわけです。

泡方便面　pào fāngbiànmiàn

ちょっと温めてというなら動詞の"热"rè を使い，"热杯牛奶"rè bēi niúnǎi。お酒の燗は"烫一壶酒"tàng yì hú jiǔ と言います。こちらは"烫"という動詞です。

このごろは自動販売機で手っ取り早くお茶でも何でも手に入ります。

来罐儿凉茶。Lái guànr liángchá.（冷たいお茶をくれ）

相棒がお金を入れながら，お前何にすると聞く。それにこうぶっきらぼうに答えます。缶入りですからね，量詞は"罐儿"guànr。

闪 shǎn

ポイントは"春节"の"节"の字。節約する，省くという意味がある。つまり"春节三天"を「"春"という字から"三天"を省く」と解釈する。すると残るのは"人"。これが「部屋の中にいる」。部屋の中とはドアの中。つまり"门"mén の中。かくて"闪"ができる。上級者向け。

ここほれ中級

♣ 口の動作――"嗑瓜子儿"

"瓜子儿" guāzǐr を縦にして歯で割る動作。これが"嗑" kè です。

中国語にはこういう独特な動作を表す動詞がたくさんあります。まさに中級のポイントです。

中国語で何というか。動詞を考えてください。

1．ガムをかむ　　　　　　　（　）口香糖 kǒuxiāngtáng
2．りんごを一口かじる　　　（　）一口苹果 yì kǒu píngguǒ
3．骨をかじる　　　　　　　（　）骨头 gǔtou
4．アメをしゃぶる　　　　　（　）糖 táng
5．舌をだす　　　　　　　　（　）舌头 shétou
6．唇をなめる　　　　　　　（　）嘴唇 zuǐchún
7．パイチュウを一口なめる　（　）一口白酒 yì kǒu báijiǔ
8．つばをのむ　　　　　　　（　）唾沫 tuòmo
9．たばこをすう　　　　　　（　）烟，（　）烟 yān
10．たんをはく　　　　　　　（　）痰 tán
11．口をゆすぐ　　　　　　　（　）口 kǒu
12．口をひらく　　　　　　　（　）嘴 zuǐ
13．息をふきつける　　　　　（　）气儿 qìr
14．ご飯をたべる　　　　　　（　）饭 fàn
15．水をのむ　　　　　　　　（　）水 shuǐ

[解答]

1．嚼 jiáo　2．咬 yǎo　3．啃 kěn　4．含 hán　5．伸 shēn　6．舔 tiǎn
7．抿 mǐn　8．咽 yàn　9．吸 xī 抽 chōu　10．吐 tǔ　11．漱 shù
12．张 zhāng　13．吹 chuī　14．吃 chī　15．喝 hē

第31話

正月の食卓

（劉欣欣の家。テーブルの上にたくさんの料理が並ぶ）　　　　　CD2-41

劉母　：**准备　吃饭　啦。**
Liú mǔ：Zhǔnbèi chīfàn la.

田村　　：**哇！　这么　多　菜　啊！**
Tiáncūn：Wā! Zhème duō cài a!

田村　：**我　来　帮　你　摆　筷子　吧。**
　　　　Wǒ lái bāng nǐ bǎi kuàizi ba.

劉欣欣　　：**好　的。**
Liú Xīnxīn：Hǎo de.

劉欣欣：**在　日本　筷子　要　横着　放　吗？**
　　　　Zài Rìběn kuàizi yào héngzhe fàng ma?

田村　：**对　呀。啊，在　中国　一般　都　是**
　　　　Duì ya. Ā, zài Zhōngguó yìbān dōu shì

　　　　竖着　放，是　吧？
　　　　shùzhe fàng, shì ba?

劉父　：**饺子　来　啦！**
Liú fù：Jiǎozi lái la!

田村　：**你　爸爸　也　会　做　饭　呢？**
　　　　Nǐ bàba yě huì zuò fàn ne?

劉の母：ご飯よ。

田村：わあ！　こんなにたくさんの料理！

(劉がせっせと食器を並べる)

田村：おはしを並べるの手伝いましょう。

劉：（おはしを彼女に手渡す）はい。

(田村はおはしを横にしてテーブルに並べる)

劉：日本ではおはしは横にして置くの？

田村：そうよ。あ，中国ではふつう縦にして置くんだよね？（すぐに置き直す）

劉の父：ギョーザができたよ！

田村：お父さんも料理ができるの？

単語

准备 zhǔnbèi［動］〜の支度をする。〜するつもりだ。

菜 cài［名］料理。

摆 bǎi［動］並べる。

筷子 kuàizi［名］はし。

横着放 héngzhe fàng［組］横にして置く。

竖着放 shùzhefàng［組］縦にして置く。

做饭 zuò fàn［動］ご飯を作る。

刘欣欣：我爸只会做饺子。我妈是南方人，
Wǒ bà zhǐ huì zuò jiǎozi. Wǒ mā shì nánfāngrén,

我爸是北方人。南方人过年的时候
wǒ bà shì běifāngrén. Nánfāngrén guònián de shíhou

不吃饺子，所以我妈不太会做。
bù chī jiǎozi, suǒyǐ wǒ mā bú tài huì zuò.

可我爸就爱吃饺子，只好他自己
Kě wǒ bà jiù ài chī jiǎozi, zhǐhǎo tā zìjǐ

做。
zuò.

田村：原来是这样。我以为中国人过年
Yuánlái shì zhèyàng. Wǒ yǐwéi Zhōngguórén guònián

时一定都要吃饺子呢。那，南方人
shí yídìng dōu yào chī jiǎozi ne. Nà, nánfāngrén

过年时吃什么呢？
guònián shí chī shénme ne?

刘欣欣：地区不同大概吃的东西也不太
Dìqū bù tóng dàgài chī de dōngxi yě bú tài

一样。我喜欢吃汤团和八宝饭。这
yíyàng. Wǒ xǐhuan chī tāngtuán hé bābǎofàn. Zhè

就是八宝饭。
jiù shì bābǎofàn.

刘父：欢迎田村小姐来我们家过年。来，
Huānyíng Tiáncūn xiǎojie lái wǒmen jiā guònián. Lái,

祝大家春节愉快！干杯！
zhù dàjiā Chūnjié yúkuài! Gānbēi!

大家：干杯！
dàjiā: Gānbēi!

劉：父はギョーザしか作れないのよ。うちは母が南方の人で，父が北方の人なの。南方の人はお正月にギョーザは食べないから，母はギョーザを作るのはあまり得意じゃないの。でも，父はギョーザが大好きだから自分で作るしかないの。

田村：**そういうことだったの。**私，中国人はお正月には必ずギョーザを食べるんだと思ってた。じゃあ，南方の人はお正月に何を食べるの？

劉：地方によって食べるものも違うんじゃないかな。私は"汤团"(タントゥアン)と"八宝饭"(パーパオファン)が好き。これがその"八宝饭"。

（みんな席につく。お酒をついで，杯を持ち）

劉の父：田村さん，我が家の新年にようこそ。さあ，新年おめでとう！乾杯！

一同：乾杯！

単語

只好 zhǐhǎo［副］〜するしかない。

地区不同 dìqū bù tóng［組］所が異なる。場所が異なる。

大概 dàgài［副］だいたい。およそ。

汤团 tāngtuán［名］あん入りの小ぶりの団子で，煮汁とともに食べる。"汤圆" tāngyuán とも言う。

八宝饭 bābǎofàn［名］もち米にハスの実やナツメなどを入れ，蒸したご飯。

Key Sentence

CD2-42

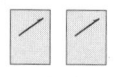

原来　是　这样。
Yuánlái　shì　zhèyàng.

そういうことだったのか

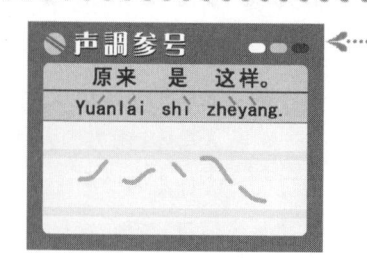

"原来" yuánlái は形容詞と副詞二つあります。

形容詞としては「本来の，もともとの」という意味です。

　　原来的计划　　yuánlái de jìhuà（もとの計画）

もう一つ，副詞としては「それまで気がつかなかったことに対して，事実が分かり合点がいく」ことを表します。何だ，そういうことだったのかという気分です。

　　我到处找那本书，原来江旭借去了。
　　Wǒ dàochù zhǎo nèi běn shū, yuánlái Jiāng Xù jièqu le.
　　（その本，あちこち探したのに，なんだ江旭が借りていったのか）

副詞ですから，後には用言，つまり動詞や形容詞がきます。そうでない場合はセンテンスがきます。

　　原来你是这么想的。　　Yuánlái nǐ shì zhème xiǎng de.
　　（なんだ君はそういう考えだったのか）

今日の表現の「なんだそういうことだったの」というフレーズは次のようにも言い換えることができます。

　　原来如此！　Yuánlái rúcǐ !

　　原来是这么回事！　Yuánlái shì zhème huí shì !

● "原来" yuánlái は2音節ですが，どちらかと言うと後ろが弱い単語です。グラフでも"来" lái のほうがややおさえぎみの調型です。むしろ"原来是" yuánlái shì と続けて発音するほうがよいでしょう。そして，この"是" shì は短めに言います。

この"是"は，声調は第4声ですが，よほど強調するのでない限りは軽く読まれます。と言って軽声とするわけにもいかないので第4声の記号をつけていますが，しばしば弱めに発音されます。

最後の"这样" zhèyàng にも同じことが言えます。これも最後が第4声ですが，グラフを見ればお分かりのように"这"に続けて"样"はそのまま下降しているだけです。つまり軽く発音されているということです。

声調は，デジタル表示です。つまり原声調か軽声かという二者択一です。ところが実際はちょっと弱めとか，軽声に近く軽くとか，もう少し細かな段階性があるのです。声調参号はそのへんの事情も見せてくれます。

活用 Key Sentence　　　　　　　　　　　　CD2-43

「なんだ～だったのか」と言ってみましょう。

　　原来是你！　Yuánlái shì nǐ !（なんだ君だったのか）

　　原来是他呀！　Yuánlái shì tā ya !（なんだ彼だったのか）

　　原来在这儿呀！　Yuánlái zài zhèr ya !（なんだここにいたのか）

　　原来你们早就认识啊！　Yuánlái nǐmen zǎojiù rènshi a !
　　（あなたがた実は知り合いだったのか）

～文法レッスン～

◆お祝いの言葉

　お祝いの言い方はいろいろあります。新年おめでとうというお祝いの言葉は「こ こほれ中級」に回すことにして，ここではそれ以外のものを学びましょう。
　まず"祝"zhù を使った言い方です。"祝"は基本的には未来指向です。「～であれ と祈る」ということです。まだ実現していないことを祈るものです。

　　祝你一路平安！　Zhù nǐ yílù píng'ān！（道中ご無事で）
　　祝你身体健康，工作顺利！　Zhù nǐ shēntǐ jiànkāng, gōngzuò shùnlì！
　　　（お元気で仕事も順調であることを祈ります）
　　祝你万事如意！　Zhù nǐ wànshì rúyì！
　　　（何ごともうまく行きますようお祈りいたします）
　　祝你成功！　Zhù nǐ chénggōng！（ご成功を祈ります）

例外もあります。「新年おめでとう」とか「お誕生日おめでとう」の場合です。これ は新年になっている，誕生日がきている状態で言うことができます。つまり「おめ でとう」という日本語訳が可能です。

　　祝你生日快乐！　Zhù nǐ shēngri kuàilè！（お誕生日おめでとう）
　　祝大家春节愉快！　Zhù dàjiā Chūnjié yúkuài！（新年おめでとう）

　これ以外の「おめでとう」，例えば「卒業おめでとう」とか「就職おめでとう」は 次のように"祝贺" Zhùhè を使います。"祝贺"は現在指向です。

　　祝贺你大学毕业！　Zhùhè nǐ dàxué bìyè！（大学卒業おめでとう）
　　祝贺你们取得了成功！　Zhùhè nǐmen qǔdéle chénggōng！
　　　（成功おめでとう）

単語6姉妹　CD2-44　　食卓の上

| 筷子 kuàizi（はし） |
| 调羹 tiáogēng（ちりれんげ） | 碟子 diézi（小皿） | 茶壶 cháhú（急須） | 刀子 dāozi（ナイフ） | 叉子 chāzi（フォーク） |

単に次のように言うこともできます。これは簡単でいいですね。

　　　祝贺你！　Zhùhè nǐ！（おめでとう）

"祝"の場合はこうはいきません。前に挙げた例からもお分かりのように、"祝"は必ず兼語式の文型をとります。

◇ "恭喜" gōngxǐ

このほかに知っておくと便利なのが"恭喜"gōngxǐ です。
例えば結婚式で「おめでとう」なら，

　　　恭喜恭喜！　Gōngxǐ gōngxǐ！

と言えばよいのです。もちろん，さきほどの"祝贺"を使って，

　　　祝贺你们！　Zhùhè nǐmen！

と言ってもかまいません。

"恭喜"は個人的な喜びごとなどに広く使うことができます。大学に合格したとか，子どもが生まれたとか，昇進したとか，新居に引っ越したとか，すべて"恭喜"が使え，"恭喜"こそがぴったりです。

"恭喜恭喜！"と繰り返すか，"恭喜你！"と言えばよいのですからぜひ覚えたい表現です。

そして大事な……
饭碗
fànwǎn
（ご飯茶わん）

😊 三郎の文字なぞ

日本人には解きやすい字謎もあるんですよ。
　　十　个　哥哥。
　　Shí ge gē ge.
　（十人のお兄さん）
これはやさしいでしょう。"哥哥"を1文字で表せばもうできます。

ことばの道草

縦と横

はしは日本では横に並べますが，中国では縦に置きます。

日本式のほうが手に取りやすく，目の前にある自分の料理を食べるには便利です。しかし，中国ではみんなで中央にある大皿の料理に手をのばしますから，はしも中央に向けて置くのも合理的かなと思います。それに，日本のはしは先がとがっていますが，中国のは長くて，先も平たいですね。

縦と横と言えば，急須の口も日本では取っ手と直角に横についていますが，中国では取っ手とまっすぐ，縦についています。これも日本式のほうが注ぎやすいのですが，テーブルの向こうの人にお茶をついでやろうとすると縦のほうがよくなりますね。中国のは客への心配りがあるような気がします。

接客と言えば，中国では主人と客がお互い目を合わさぬように横に並んで話ができるようにソファが並んでいます。これはよい知恵です。日本のようにテーブルをはさんで向き合うのはどうも私は好きではありません。こうしてみると，中国の縦と横はお客への心遣いという側面があるのではないでしょうか。

ところで，文章は中国はいま横書きが主流です。日本は縦と横，ふらふら定まりません。

毛沢東の書斎
ソファーは横に並んでいる。

克 kè　"哥哥"を"兄"と表す。それが十人だから"克"。ちょっと物足りないか。

❖ ここほれ中級 ❖

　春節を劉さんの家で迎えた好恵さん。食卓では「新年おめでとう」のお祝いの言葉が発せられました。

　　　祝大家春节愉快！　Zhù dàjiā Chūnjié yúkuài！

　本文でも「新年おめでとう！」と訳しましたが，これは厳密には「春節おめでとう！」とすべきなのかもしれません。なぜなら中国では新暦１月１日の元旦と，それからほぼ１ヶ月遅れでやってくる春節，旧暦の１月１日ですね，これははっきり区別され，「正月」というのはこの春節のほうだからです。
　そして「おめでとう」のあいさつも新年元旦用と春節用は使い分けられています。

　　＜新年元旦用＞
　　　新年快乐！
　　　新年愉快！
　　　新年好！

　　＜春節用＞
　　　过年好！
　　　春节好！
　　　春节愉快！
　　　恭禧发财！

　こうしてみると，春節のほうがいろいろなバリエーションがあることが分かります。"恭禧发财！" Gōngxǐ fācái！とは「商売繁昌，もうかってますか」というような縁起のよいあいさつです。
　これにくらべると新年元旦のほうはそっけないもので，そもそもあまりあいさつを交わしません。

第32話 "朋友"の意味

（帰り道。劉欣欣が田村を駅まで送る。歩きながら話している）

田村：**今天 真 高兴，太 谢谢 你们 了！**
Tiáncūn：Jīntiān zhēn gāoxìng, tài xièxie nǐmen le!

刘欣欣：**你 说到 哪儿 去 了。**
Liú Xīnxīn：Nǐ shuōdao nǎr qù le.

田村：**欸，我 可 没有 说到 哪儿 去 呀。**
　　　Éi, wǒ kě méiyou shuōdao nǎr qù ya.

刘欣欣：**噢，不 是 那个 意思，我 是 说 你 太 客气 了。**
　　　　Ō, bú shì nèige yìsi, wǒ shì shuō nǐ tài kèqi le.

田村：**不 知道 江 旭 是 怎么 过年 的。**
　　　Bù zhīdào Jiāng Xù shì zěnme guònián de.

刘欣欣：**你 想 他 了？**
　　　　Nǐ xiǎng tā le?

田村：**我 是 说 上海 和 北京 过年 不 太 一样 吧？**
　　　Wǒ shì shuō Shànghǎi hé Běijīng guònián bú tài yíyàng ba?

刘欣欣：**这个……，我 想 差别 不 会 很 大 吧。**
　　　　Zhèige……, wǒ xiǎng chābié bú huì hěn dà ba.

田村：今日はとても楽しかった，本当にありがとう。

　劉：まったく何を言ってるの。

田村：え，どこにも話をもっていってないけど。

　劉：そういう意味じゃなくて，そんなにあらたまらないでってこと。

田村：江旭はどんなふうに年越ししてるかなあ。

　劉：会いたくなった？

田村：いや，上海と北京では年越しが違うのかなと思って。

　劉：うーん，そんなに違わないと思うけど。

単語

你说到哪儿去了 nǐ shuōdao nǎr qu le ［組］直訳は「あなたはいったいどこに話をもっていくのか」，そこから「何を言っているのですか→何も遠慮はいりません」。相手の言うことがあまりに謙虚だったり遠慮深いと思われる時にこう言う。そんなに遠慮深く，他人行儀にしないでください。

想他 xiǎng tā ［組］彼のことを考える→彼が恋しい。

差别 chābié ［名］違い。差。

田村：欸，要是他不回去过年，他会来你家吗？
Éi, yàoshi tā bù huíqu guònián, tā huì lái nǐ jiā ma?

刘欣欣：我会请他一起来的。
Wǒ huì qǐng tā yìqǐ lái de.

欸，你怎么会想起问这个问题？
Éi, nǐ zěnme huì xiǎngqi wèn zhèige wèntí?

田村：你们不是那个……朋友吗？
Nǐmen bú shì nèige …… péngyou ma?

刘欣欣：对，我们是朋友，但只是一般的朋友。
Duì, wǒmen shì péngyou, dàn zhǐshì yìbān de péngyou.

田村：是吗？我还以为你们……
Shì ma? Wǒ hái yǐwéi nǐmen ……

刘欣欣：好惠，你想到哪儿去啦？
Hǎohuì, nǐ xiǎngdao nǎr qù la?

田村：我没有想到哪儿去呀！
Wǒ méiyou xiǎngdao nǎr qù ya!

刘欣欣：你是不是喜欢上他了？
Nǐ shì bú shì xǐhuanshang tā le?

田村：欣欣！
Xīnxīn!

田村：ねえ，もし彼が年越しで帰省してなかったら，あなたの家に来たかなあ？

劉：一緒に招待したわよ。

（少し間があって）ねえ，なぜそんなこと聞くの？

田村：（思い切って）あなたたち二人はその……つき合ってるの？

劉：そう，私たちは親しいの，でもただの友達。

田村：そうなの？　私はてっきりあなたたちは……

劉：好恵，何を考えてるの？

田村：何も考えてませんよ！（二人とも大いに笑う）

劉：彼のことが好きになったんでしょう？

田村：欣欣！

単語

要是 yàoshi ［接］もしも。

朋友 péngyou ［名］友達。しばしば「彼，彼女，恋人」の意味で使われる。ただの友達と断る時には"一般的朋友" yìbān de péngyou と言う。

是不是 shì bú shì ［組］〜ではないか。〜なんでしょ。

喜欢上 xǐhuanshang ［動］好きになる。後に"上"がついて，その動作が始まり継続することを表す。例：我爱上了中国 Wǒ àishangle Zhōngguó（中国が好きになった）

353

Key Sentence

CD2-46

你 是 不 是 喜欢 上 他 了？
Nǐ shì bú shì xǐhuanshang tā le?

彼のことが好きになったんでしょう

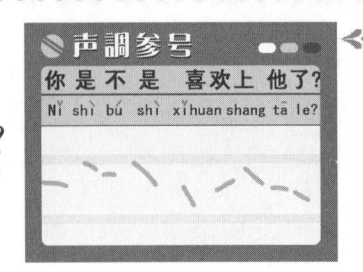

声調参号
你是不是 喜欢上 他了？
Nǐ shì bú shì xǐhuan shang tā le?

　この文の文法的ポイントは"是不是"shì bú shì です。
　"是"shì は言うまでもなく「～である」という話し手の判断を表す動詞です。"是"は後ろに体言性の目的語をとります。

这是你的。 Zhè shì nǐ de.

そしてこれを反復疑問文にすれば,

这是不是你的？ Zhè shì bú shì nǐ de?
（これは君のですか）

となるわけです。
　ところが体言性の目的語をとらない"是"も存在します。この場合は「確かに～だ」と強調する用法の"是"です。それが反復疑問文の"是不是"となることがあります。それがこのKey Sentence です。
　意味は純粋な疑問から派生して,「～なんでしょ？」「～じゃないの？」というような確認の意味合いが前面に出てきます。

他是不是病了？ Tā shì bú shì bìng le?
（彼は病気になったんじゃないの）

●はじめの"你"は低くおさえあまり強く言う必要はありません。
　"是不是" shì bú shì も軽くすばやく発音します。特にまん中の"你"は軽声に近く発音してよいものです。
　次の"喜欢上他" xǐhuanshang tā がこの文の発音の重点です。"喜"が第3声なので，その後がやや高くなっています。
　目的語の"他" tā は人称代名詞なのでふつうは軽く読まれますが，ここではわりと明瞭に発音されています。これは疑問文であること，「彼を好きになったの？」という文の意味上の重点であるためです。

◆ 活用 Key Sentence　　　　　　　　　　　　　　　　　CD2-47

はじめに「～じゃないの」という用法の"是不是"です。

你是不是误会了？　Nǐ shì bú shì wùhuì le ?
　（あなた誤解しているんじゃない？）

你是不是记错了？　Nǐ shì bú shì jìcuò le ?
　（君の記憶違いだろう）

他是不是不来了？　Tā shì bú shì bù lái le ?
　（彼は来ないことになったんじゃないの）

次は後ろが体言性目的語の"是不是"です。

前边儿那个人是不是小王？
Qiánbianr nèige rén shì bú shì Xiǎo-Wáng ?
　（前にいるあの人は王君ですか）

今天是不是星期六？　Jīntiān shì bú shì xīngqīliù ?
　（今日は土曜日ですか）

～文法レッスン～

◆助動詞の二つの用法

助動詞には基本的に2種類の用法があります。

例えば"会"。一つは「練習してできる」という意味です。

  我会说汉语。 Wǒ huì shuō Hànyǔ. （中国語が話せる）
  我会滑雪。 Wǒ huì huá xuě. （スキーができる）

もう一つの用法は「起こりうる」という蓋然性を表すものです。

  我不会骗你的。 Wǒ bú huì piàn nǐ de.
  （あなたを騙すことはありえない→あなたを騙したりしない）

  不会吧。 Bú huì ba.（起こるはずがない→まさか！）

最初の用法「できる」を原義用法、次の用法「起こりうる可能性がある」を認知的用法などと言います。前者をA用法、後者をB用法と呼びましょう。

とくに、認知的用法の"会B"は日本語にはっきりとでてこないので、作文の時などは落としがちです。

 ふかないと曇ります → **不擦会模糊不清。** Bù cā huì móhu bù qīng.

 大丈夫、落第はしないから → **不要紧，不会留级的。**
             Bú yàojǐn, bú huì liújí de.

 年をとると、だれでもそうなります → **上了年纪谁都会那样。**
             Shàngle niánjì shéi dōu huì nàyàng.

 年をとると、忘れっぽくなります → **上了年纪会健忘。**
             Shàngle niánjì huì jiànwàng.

単語6 姉妹
CD2-48

〜花 huā

烟花 yānhuā（花火）				
樱花 yīnghuā（桜の花）	菊花 júhuā（菊の花）	茶花 cháhuā（椿の花）	雪花 xuěhuā（ひらひら降る雪）	浪花 lànghuā（波しぶき）

助動詞にこのような2種類の用法があるということ，これは"会"だけではなく，いろいろな助動詞に広く見られる現象です。

①能A〈できる〉

我能游两千米。 Wǒ néng yóu liǎng qiān mǐ.

（私は2000メートル泳ぐことができる）

坐飞机三个小时能到北京。 Zuò fēijī sān ge xiǎoshí néng dào Běijīng.

（飛行機なら3時間で北京に着くことができる）

②能B〈起こりうる〉

我觉得他能答应。 Wǒ juéde tā néng dāying.

（彼は承知すると思いますよ）

他能来吗？ Tā néng lái ma?

（彼は来るでしょうか）

③该A〈すべきだ〉

我该走了。 Wǒ gāi zǒu le.

（もう行かなくては）

以前18岁就该结婚了。 Yǐqián shíbā suì jiù gāi jiéhūn le.

（かつては18歳になると結婚するべきだった）

④该B〈違いない〉

这时候他们该到上海了。 Zhè shíhou tāmen gāi dào Shànghǎi le.

（今ごろ彼らは上海に着いているに違いない）

你这么说，她该不高兴了。 Nǐ zhème shuō, tā gāi bù gāoxìng le.

（そんなことを言うと彼女機嫌を悪くするよ）

食べられる"花"
爆米花
bàomǐhuā
（ポップコーン）

您 三郎の文字なぞ

今回の問題はこちらです。サラリと解けるか？

两月在一块儿，不作"朋"字猜。
Liǎng yuè zài yíkuàir, bú zuò "péng" zì cāi.
（二つの月が一緒になる，しかし"朋"を答としてはいけない）

ことばの道草

花火と爆竹

花火，中国語では"烟花"yānhuā，あるいは"烟火"yānhuoと言います。

日本では花火は夏の風物詩。しかし，中国では花火はむしろ冬を連想させます。最もよく打ち上げられるのが，元旦や春節だからでしょう。

それ以外では国慶節やメーデーなどの時に天安門広場で花火を上げます。これはもちろん，お祝いのためです。日本のように花火自体をめでるためではありません。当然，「花火大会」のようなものもありません。

そう言えば，2008年のオリンピックが北京に決定した時も花火が上がり，祝賀気分を盛り上げていました。

中央ばかりではありません。地方の政府でも大きな祝い事や祝日の時は花火を打ち上げます。

花火と言えば，中国の"爆竹"bàozhú（爆竹）を忘れることはできません。これはいろいろな種類があります。バンとかバンバンと単発で鳴るものと，機関銃のように連続して鳴るものがあり，後者を"鞭炮"biānpàoと言います。動詞は"放"fàngを使い，"放烟花"（花火を上げる），"放鞭炮"（爆竹を鳴らす）などと言います。

爆竹は春節に欠かせませんが，都市では禁止というところも増えてきました。毎年怪我をする人が後を絶たないからです。

春節以外でも，結婚式で花嫁さんが新郎の家に到着するとお祝いの爆竹がはじけます。あるいはお店や会社の開店や創業の時も景気のいい爆竹の音は欠かせません。

音ばかりではありません。爆竹は外側が紅い紙でできています。威勢よくはじけた後はあたり一面紅い紙が散乱しています。まさに"満堂红"mǎntánghóng，縁起がよいのです。はじける音と紅い色，中国人の活力のシンボルのようです。

用 yòng　二つの"月"をぴったりくっつけましょう。"用"ができます。

❖ ここほれ中級 ❖

♣友達の話

友達は中国語で"朋友"です。しかし，中国語の"朋友"は一筋縄ではいきません。

まずはふつうの友達。仲よしです。

  她们是好朋友。 Tāmen shì hǎo péngyou.（彼女たちは仲よしです）
  我们是几十年的老朋友了。 Wǒmen shì jǐshí nián de lǎopéngyou le.
   （私たちは数十年も前からの友達だ）
  这是我刚认识的朋友。 Zhè shì wǒ gāng rènshi de péngyou.
   （こちらは知り合ったばかりの友達です）

小さな子供にも使えます。"小朋友！"Xiǎopéngyou！と呼びかけます。「お嬢ちゃん」とか「坊や」という意味になります。

見知らぬ男性に"朋友"と言って呼びかける人もいます。

  朋友，跟你打听一下。 Péngyou, gēn nǐ dǎtīng yíxià.
   （よう，ちょっと聞きたいんだけど）

以上が恋愛とは無関係な"朋友"です。

さて，異性の"朋友"は「彼，彼女」というニュアンスが色濃く出てきます。

  我们不是那种朋友，就是一般的好朋友。
  Wǒmen bú shì nèi zhǒng péngyou, jiù shì yìbān de hǎo péngyou.
   （私たちはそういう関係じゃなくて，ただの友達よ）

次は"男朋友"イコール「彼」，"女朋友"イコール「彼女」です。

  你有男朋友吗？ Nǐ yǒu nánpéngyou ma？（あなたは彼がいるの？）
  她是你女朋友吗？ Tā shì nǐ nǚpéngyou ma？
   （彼女はあなたの恋人？）

相手がその場にいない時は，自分からこう言ってもかまいません。

  昨天我跟女朋友吵架了。 Zuótiān wǒ gēn nǚpéngyou chǎojià le.
   （昨日は彼女とけんかしちゃった）

両親に紹介する時は直接名前を言います。

  爸妈，小丽来了。 Bà mā, Xiǎo-Lì lái le.
   （お父さんお母さん，麗さんです）

これは日本でも同じでしょう。

第33話

映画のチケット

（キャンパスで）

田村：江 旭，最近 忙 什么 呢？
Tiáncūn： Jiāng Xù, zuìjìn máng shénme ne?

老 没 见到 你。
Lǎo méi jiàndao nǐ.

江旭：没 忙 什么，写 一 篇 小 论文儿。
Jiāng Xù： Méi máng shénme, xiě yì piān xiǎo lùnwénr.

哎，我 正 要 找 你 呢。
Āi, wǒ zhèng yào zhǎo nǐ ne.

田村：找 我？我 也 要 找 你 呢。
Zhǎo wǒ? Wǒ yě yào zhǎo nǐ ne.

江旭：是 吗？
Shì ma?

田村：我 昨天 给 你 打 电话，没 人 接。
Wǒ zuótiān gěi nǐ dǎ diànhuà, méi rén jiē.

江旭：巧 了，昨天 我 也 给 你 打过 电话，
Qiǎo le, zuótiān wǒ yě gěi nǐ dǎguo diànhuà,

也 没 人 接。
yě méi rén jiē.

田村：是 吗？
Shì ma?

田村：(江旭が近づいてくるのを見て，声をかける) 江旭，最近忙しいの？
　　　ずっと会わなかったけど。
　江：べつに何も。ただ小論文を書いてる。そうだ，ちょうど君を探してたんだ。
田村：私を？　私もあなたを探してたところ。
　江：そう？
田村：昨日あなたに電話をしたけど，出なかったよ。
　江：偶然だな。昨日僕も君に電話をしたけど，出なかったよ。
田村：ほんと？

単語

忙什么 máng shénme ［組］何で忙しいのか。

老没见到你 lǎo méi jiàndao nǐ ［組］ずっとあなたに会っていない。"老"は「長い間，ずっと」。

小论文儿 xiǎo lùnwénr ［名］小論文。

没人接 méi rén jiē ［組］（電話に）出る人がいない。

巧了 qiǎo le ［組］偶然だ。

江旭、田村：**找 我 什么 事儿？**
Zhǎo wǒ shénme shìr?

田村：**你 先 说。**
Nǐ xiān shuō.

江旭：**好。我 买了 今晚 的 电影票，六 点 半 的。咱们 一起 去，怎么样？**
Hǎo. Wǒ mǎile jīnwǎn de diànyǐngpiào, liù diǎn bàn de. Zánmen yìqǐ qù, zěnmeyàng?

田村：**今晚 的 电影票？**
Jīnwǎn de diànyǐngpiào?

江旭：**对，怎么 了？有 空儿 吗？**
Duì, zěnme le? Yǒu kòngr ma?

田村：**有 空，有 空。**
Yǒu kòng, yǒu kòng.

江旭：**那 好，咱们 六 点 二十 在 电影院 门口 见面。**
Nà hǎo, zánmen liù diǎn èrshí zài diànyǐngyuàn ménkǒu jiànmiàn.

江旭：**晚上 见！不 见 不 散！**
Wǎnshang jiàn! Bú jiàn bú sàn!

江・田村：（同時に）何か用？（顔を見合わせて笑う）

田村：先に言ってよ。

江：ああ。今夜の映画のチケットを買ったんだ，6時半の。一緒に行かないか？

田村：（驚き，かつ喜び）今夜のチケット？

江：うん，どうかした？　時間ある？

田村：ある，ある。

江：よかった，じゃあ6時20分に映画館の入り口で会おう。

（江旭が一枚のチケットを田村に渡す。田村はそっと手を伸ばしてチケットを受けとる）

江：じゃあ夜に。**会えるまで待ってるからね。**

有空儿 yǒu kòngr ［組］時間がある。暇がある。

门口 ménkǒu ［名］入り口。

不见不散 bú jiàn bú sàn ［成］会えるまで待つ。

Key Sentence

CD2-50

不见不散！
Bú jiàn bú sàn !

会えるまで待ってるよ

人と会う約束をします。じゃ夕方6時に映画館の入り口で。そう言って最後にこのセリフを付け加えます。

"不见" bú jiàn は「会えない」，それならば "不散" bú sàn，つまり「その場を離れない」。すなわち「会えなければその場を離れない→会えるまで待つ」ということです。

この文のポイントは "不见不散" のように否定の "不" bù が連続していること。そして最初の "不见" と次の "不散" の関係を「条件・仮定」であることです。

こういうふうに何の印もないのに，その関係を「条件」や「仮定」に訳すというのはよくみられる現象です。すでに学んだものでも，

下雨就不去了。 Xià yǔ jiù bú qù le.
（雨が降ったら行かない）

有事儿马上跟你联系。 Yǒu shìr mǎshàng gēn nǐ liánxì.
（何かあったらすぐにあなたに連絡します）

があります。また "不～不～" の形はことわざなどによく現れます。

不见棺材不落泪。 Bú jiàn guāncai bú luòlèi.
（棺桶を見るまでは涙を流さない）

不打不成交。 Bù dǎ bù chéngjiāo.
（けんかしなければ仲よくなれない）

●はじめの"不"は声調変化を起こし，第2声になります。

次も同じですから，第2声＋第4声が2回繰り返されます。声調参号の調型をご覧ください。その結果，山，谷，山という輪郭ができています。これは非常に発音しやすい形です。この表現がよく使われるのもこういう発音のしやすさに一因があるかもしれません。

具体的な発音では"不"bù の母音に気をつけてください。日本語の「ウ」ではありません。口を丸めて突き出し，かつ口の奥から出す音です。

次に"见"jiàn のa音も要注意でした。iとnにはさまれて「何も言えん (ian)」です。

最後の"散"sàn はnで終わりますから，前寄りのaです。

◆ 活用 *Key Sentence*　　　　　　　　　　　　CD2-51

"不～不～"の形で同じように「条件・仮定」を表す文に慣れましょう。

不破不立。　Bú pò bú lì.
（古いものを壊さなければ新しいものは生まれない）

不吃光不礼貌。　Bù chīguāng bù lǐmào.
（きれいに全部食べなければ失礼になる）

不说实话不给。　Bù shuō shíhuà bù gěi.
（本当のことを言わなければあげない）

不好不要。　Bù hǎo bú yào.
（よくなければ要らない）

～文法レッスン～

1. "没人接" méi rén jiē

"没人接"とは「だれも電話にでる人がいない」ということです。"没"は"没有"ということですから，

  没有人接　méiyou rén jiē

と言っても同じです。そして反対は

  有人接　yǒu rén jiē

となります。「電話に出る人がいる」です。

この構文はまず動詞が"有"かその否定形"没有"であること。次にその後に名詞がつづき，そして最後に動詞（フレーズ）がきます。ごらんください。

  有钱花　yǒu qián huā **没钱花**　méi qián huā
   （使うお金がある）   （使うお金がない）
  有饭吃　yǒu fàn chī **没饭吃**　méi fàn chī
   （食べるご飯がある）   （食べるご飯がない）
  有时间去　yǒu shíjiān qù **没时间去**　méi shíjiān qù
   （行く時間がある）   （行く時間がない）

この構文が問題になるのは，俗に「後ろから訳す」と言われるように，日本語訳が変わっているからです。

また肯定形よりも否定形のほうがよく使われます。以下，文の形で用例を挙げておきましょう。

  你有机会来北京吗？　Nǐ yǒu jīhuì lái Běijīng ma？
   （あなたは北京へ来るチャンスがありますか）
  我最近根本没时间看书。　Wǒ zuìjìn gēnběn méi shíjiān kàn shū.
   （私は最近全然本を読む時間がありません）

単語 6 姉妹　CD2-52　［〜院　yuàn］

| 电影院 diànyǐngyuàn（映画館） |
| 医院 yīyuàn（病院） |
| 剧院 jùyuàn（劇場） |
| 学院 xuéyuàn（単科大学） |
| 国务院 Guówùyuàn（国務院） |
| 敬老院 jìnglǎoyuàn（養老院） |

我做的饭没人爱吃。　Wǒ zuò de fàn méi rén ài chī.
　　（私の作った食事は喜んで食べる人がいない）
　　你有钱喝酒为什么没钱买书？　Nǐ yǒu qián hē jiǔ wèi shénme méi qián mǎi shū？
　　（あなたは酒を飲むお金があるのにどうして本を買うお金がないの）

２．"巧了" qiǎo le

「いやあ，それは偶然だね」というのが"巧了"です。このように単音節の形容詞や動詞の後に"了"をつけて，短いしかもよく使う語があります。
　たとえば「あっそうだ」と何かを思い出した時に使うのが"对了"です。
　　对了，你明天来吗？　Duì le, nǐ míngtiān lái ma？
　　（そうだ，あなた明日来る？）
「やめなさい」と人を制止するなら"好了"です。
　　好了，你们别吵了。　Hǎo le, nǐmen bié chǎo le.
　　（よしよし，言い争いはやめて）
「分かった，分かった，結構，やめにする」と断る時には"算了"が使われます。
　　算了，不买了。　Suàn le, bù mǎi le.（いいよ，買うのはやめた）
人にお茶や食事をどうぞと誘われて断るには"不了"です。
　　不了，我今天有点儿事儿，下次吧。
　　Bù le, wǒ jīntiān yǒu diǎnr shìr, xià cì ba.
　　（いや，今日は用事がありますので次にしましょう）
「いいよ，OK」と言うなら"行了"でしょう。
　　行了，快上来吧。　Xíng le, kuài shànglai ba.
　　（いいよ，早く上がってきて）

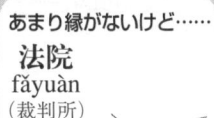

あまり縁がないけど……
法院
fǎyuàn
（裁判所）

悠 三郎の文字なぞ

日中の文字の違いを思い出させる問題もあります。

　　十一　点　进　厂。
　　Shíyī diǎn jìn chǎng.
　　（十一時に工場に入る）
"十一点"の"点"もお見逃しなく。

ことばの道草

映画を見る

デートでどこへ行きましょうか。

中国でも"**看电影**" kàn diànyǐng 映画を見に行くのが定番の一つです。チケットを買って映画に誘う。もちろん，誘ったほうがチケットを2枚用意します。

映画館もいろいろですが，人気が高いのが"**立体声电影院**" lìtǐshēng diànyǐngyuàn，音声をステレオで聞くことができるところです。

朝までぶっとおしで上映という映画館もあります。"**通宵电影**" tōngxiāo diànyǐng と言います。私も若いころ，中村錦之助の『宮本武蔵』一挙上映などを徹夜で見ました。

朝までとはいかなくても4作か5作を入れ替えなしで上映するところもあります。"**连场电影**" liánchǎng diànyǐng と呼ばれます。こういうのは，しかし，どちらもデートには向きませんね。

チケットは日本と同じで，ふつうのもあれば指定のもあり，後者は"**贵宾票**" guìbīnpiào と言います。日本の指定席よりもロマンス・ボックスといったふうで，大抵2階にあります。"**优惠票**" yōuhuìpiào は優待券で，女性は半額とかいうものです。また，子供には"**儿童票**" értóngpiào があります。

映画をどこが制作したかによって，"**国产片**" guóchǎnpiàn と"**外国电影**" wàiguó diànyǐng とに分かれます。外国と言っても香港や台湾は特別ですから，"**港台电影**" Gǎng-Tái diànyǐng という分類もします。日中合作なら"**中日合拍**" Zhōng-Rì hépāi です。

日本ではアニメ"**动画片**" dònghuàpiàn が盛んですが，中国では最近はあまり作られていません。

压 yā　　"厂"の中に"十一点"を入れればよい。"压"の字は日本語より点が一つ多いのに注意。

❖ ここほれ中級 ❖

♣ "不~不~"

このパターンはよく出てきます。大きく分けて3種類あります。

第1は，本文に出てきたものです。「もし~ならば，~」という仮定・条件を表すもの。

  不见不散 bú jiàn bú sàn （会えなければ会えるまで待つ）
  不破不立 bú pò bú lì （古いのを壊さなければ新しいのは生まれない）
  不塞不流 bú sè bù liú （流れをせき止めなければ新しい流れは生まれない）

第2は，"不"の後に意味の近い語がおかれ，否定を強調するもの。

  不干不净 bù gān bú jìng （きたない）
  不慌不忙 bù huāng bù máng （あわてず騒がず）
  不知不觉 bù zhī bù jué （知らないうちに）
  不明不白 bù míng bù bái （まったく知らない）

第3は，"不"の後に意味が反対の語がきて，「Aでもないし，Bでもない→ちょうどよい」という意味を表すもの。

  不大不小 bú dà bù xiǎo （大きくもなく小さくもなく手ごろ）
  不冷不热 bù lěng bú rè （寒くもなく暑くもなく快適）
  不早不晚 bù zǎo bù wǎn （早くもなく遅くもなくタイムリー）
  不咸不淡 bù xián bú dàn （塩からくもなく薄くもなくよい味）

第34話

そわそわ どぎまぎ

（学校の食堂，田村が食事をしている）

CD2-53

刘欣欣：哎， 好惠。
Liú Xīnxīn: Āi, Hǎohuì.

田村：是 欣欣 啊。 来， 坐。
Tiáncūn: Shì Xīnxīn a. Lái, zuò.

刘欣欣：哎， 今晚 有 个 讲座， 去 听 吗？
　　　　Āi, jīnwǎn yǒu ge jiǎngzuò, qù tīng ma?

田村：是 吗？ 可惜 我 有 事儿， 不 能 去。
　　　Shì ma? Kěxī wǒ yǒu shìr, bù néng qù.

刘欣欣：有 事儿？
　　　　Yǒu shìr?

　　　　我 刚才 看见 你 和 江 旭 说了 半天
　　　　Wǒ gāngcái kànjian nǐ hé Jiāng Xù shuōle bàntiān

　　　　话，………
　　　　huà, ……

劉：（食事を運んでやってくる）あ，好恵。
田村：ああ，欣欣。どうぞ，かけて。
劉：（田村の向かいに座り，食べながら話す）ねえ，今晩講義があるんだけど，聞きに行く？
田村：そう？　残念だけど用事があるから，行けない。
劉：用事？
（しばらくして，突然何かを思いつき，からかうようにたずねる）
今さっきあなたと江旭が長いこと話しているのを見たんだけど，……

単語

讲座　jiǎngzuò　［名］講義。講座。
可惜　kěxī　［形］残念だ。惜しい。
有事儿　yǒu shìr　［組］用事がある。
刚才　gāngcái　［名］今しがた。たった今。
说半天话　shuō bàntiān huà　［組］長話をする。"半天"は「しばらく，長い間」。

田村：欣欣，你想到哪儿去了？
Xīnxīn, nǐ xiǎngdao nǎr qù le?

他是跟我说写论文的事儿。
Tā shì gēn wǒ shuō xiě lùnwén de shìr.

刘欣欣：我觉得你和江旭有点儿……那个。
Wǒ juéde nǐ hé Jiāng Xù yǒudiǎnr…… nèige.

田村："那个"？"那个"是什么意思？
"Nèige"? "Nèige" shì shénme yìsi?

刘欣欣：意思嘛，就是你有意思，他也有
Yìsi ma, jiù shì nǐ yǒu yìsi, tā yě yǒu

意思啊。
yìsi a.

田村：欣欣，你可不要瞎猜啊。
Xīnxīn, nǐ kě búyào xiā cāi a.

刘欣欣：瞎猜？
Xiā cāi?

田村：哎，欣欣，对不起。
Āi, Xīnxīn, duìbuqǐ.

时间不早了，我该走了。
Shíjiān bù zǎo le, wǒ gāi zǒu le.

你慢慢吃。明天见。
Nǐ mànmàn chī. Míngtiān jiàn.

刘欣欣：好，明天见。
Hǎo, míngtiān jiàn.

"时间不早了"？
"Shíjiān bù zǎo le"?

田村：欣欣，何考えてるの？
　　　彼は私に論文の話をしてたんだよ。
　劉：私，あなたと江旭はちょっと……あれだと思うんだよね。
田村：「あれ」？　「あれ」ってどういう意味？
　劉：意味ねえ，まあ，あなたにも，彼にも思いがあるってこと。
田村：欣欣，でたらめ言うのやめてよ。
　劉：でたらめ？
田村：(時計を見て，慌てて) あ，欣欣，ごめん。
　　　こんな時間だ，行かなくちゃ。ゆっくり食べて。また明日。
　劉：うん，また明日。
　　　(田村を見送り，独り言を言う)「こんな時間」？

単語

你想到哪儿去了？　nǐ xiǎngdao nǎr qu le？［組］考えてどこに到達するのか→何を考えているのか。

那个　nèige［代］あれ。(言いにくいことの代わりに使う)

什么意思　shénme yìsi［組］どういう意味。"意思"の詳しい意味と用法については「ここほれ中級」参照。

瞎猜　xiā cāi［組］でたらめにあれこれ推測する。

你慢慢吃　nǐ mànmàn chī［組］ごゆっくり食べてください。

Key Sentence

CD2-54

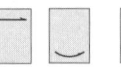

时间 不 早 了, 我 该 走 了。
Shíjiān bù zǎo le, wǒ gāi zǒu le.

もうこんな時間だ，行かなくては

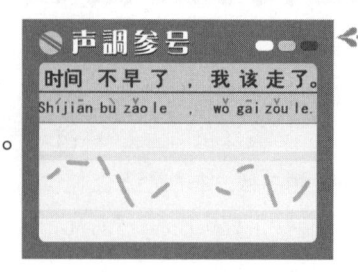

　人と話をしていて，「おやもうこんな時間だ，行かなくては」という状況で使います。

　"时间不早了"は直訳すれば「時間は早くないという状況になった」すなわち「もうこんな時間になった」です。文末に"了"leがあり，新たな状況の発生を表しています。

　時間はまだ早いから大丈夫だと思っていたら，結構な時間"不早"bù zǎoになっていた（"了"＝変化）わけです。単に"晚了"というより，"不早了"とすることによって，まだ早いと思っていたら，そうでなくなっていたという変化への気づきを表しています。

　同じような例です。

　　头已经不疼了。　Tóu yǐjing bù téng le.
　　（頭痛はもうなおった）

　後半の"我该走了"は「私はこの場を離れなければならない事態になった」，すなわち「行かなくては。失礼します」ということ。"该"gāi（～するべきだ）の意味，"走"zǒu（この場を離れる）の意味，最後の"了"le（そういう事態になった）の意味，それぞれ確認してください。

●はじめの"时间"shíjiān はアクセントパターンは◎●（中重）です。後ろが強く、かつ発音の時間的長さも後ろの"间"がはるかに長いことを確認してください。

"不早了"bù zǎo le のところでは"走"が短いこと。それからどんどん下がって行く"早"、もうこのへんでよいだろうと"早"の発音が終わると、そのエネルギーが次の"了"に伝わり、"了"がやや上昇ぎみに発音されます。

この現象は文末の"走了"zǒu le のところでも全く同様に観察されます。エネルギーが解放された"了"は軽声とは言え、上り調子でしかもかなりハッキリしています。"时"や"我"と見比べてみてください。

◆ 活用 Key Sentence　　　　　　　　　　　　　　CD2-55

この場を立ち去る時の言葉です。ただ時計をちらりと見て一言。

　　我该走了。　Wǒ gāi zǒu le.（行かなくては）

でもいいのですが、この前にいろいろな理由をつけてみましょう。

已经　九　点　了			
Yǐjing　jiǔ　diǎn　le			
（もう9時だ）			
下午　我　有　课	,	我　该　走　了。
Xiàwǔ　wǒ　yǒu　kè	,	wǒ　gāi　zǒu　le.
（午後に授業があるから）		
我　还　有　点儿　事儿		
Wǒ　hái　yǒu　diǎnr　shìr		
（もうひとつ用事があるので）		

～文法レッスン～

◆婉曲な言い方

◇アレ——"那个"nèige

ちょっと言いにくいことってありますよね。そのものズバリがはばかられるような。そういう時，日本語では「アレだよなあ」とか「ちょっとナニじゃない？」などと言います。指示詞を使い間接的に指すわけです。

中国語でこれに相当するのが"那个"です。今日のスキットでも劉さんが，好恵さんと江旭の関係をこう言っていました。

> **我觉得你和江旭有点儿……那个。**
> Wǒ juéde nǐ hé Jiāng Xù yǒudiǎnr …… nèige.
> （思うんだけど，あなたと江旭ってちょっと……アレじゃない）

ここでは"那个"はちょっと仲がよいということでしょう。"那个"が何を指すかは具体的な文脈からたいていは想像がつきます。

> **他这么干是不是太那个了？**
> Tā zhème gàn shì bú shì tài nèige le ?
> （彼のやり方はあまりにあれじゃないか）

やりすぎを非難しているわけでしょう。

> **你这个人什么都好，就是脾气有点儿那个。**
> Nǐ zhèige rén shénme dōu hǎo, jiù shì píqi yǒudiǎnr nèige.
> （あなたって人は非の打ちどころがない人だけど，ただ気性があれよね）

ここでは気性がきつい，激しいと言いたいわけですね。

> **他们俩是不是那个关系呀？** Tāmen liǎ shì bú shì nèige guānxi ya ?

単語6姉妹
CD2-56

[子供のころの遊び]

猜谜语 cāi míyǔ（なぞなぞを当てる）

看小人儿书 kàn xiǎorénrshū（絵本を見る）

捉迷藏 zhuō mícáng（鬼ごっこをする）

放风筝 fàng fēngzheng（凧上げをする）

踢毽子 tī jiànzi（羽根蹴りをする）

跳绳 tiàoshéng（縄跳びをする）

（あの二人はそういう関係じゃないの）

どういう関係なのでしょうか。いずれにしてもちょっと言いにくい関係なわけです。

◇**スマートですね。**
　"那个"を使わずとも，そのものズバリの表現を避ける言い方はあります。
　婉曲表現と呼ばれるものがそれです。たとえば，「痩せている」とか「ガリガリだ」などと言えば相手を傷つけます。言うなら「スマートですね」「ほっそりしてますね」がいいでしょう。これなら怒りを買いません。

　　你太苗条了。　Nǐ tài miáotiáo le.（とってもスマートですね）

同じく「太ってますね」も禁句でしょう。こう言います。

　　她长得比较富态。　Tā zhǎngde bǐjiào fùtai.
　　　（彼女はまあふくよかだね）

「トイレに行く」も次のような言い方をよくします。

　　我去方便一下。　Wǒ qù fāngbiàn yíxià.
　　我去一号。　Wǒ qù yīhào.

「死んだ」もはばかられます。"不在了"がよいでしょう。

　　他父亲已经不在了。Tā fùqin yǐjing bú zài le.
　　　（彼のお父さんはもういない）

中国語でもこういう婉曲表現に慣れましょう。

女の子はこれ……
过家家儿
guòjiājiar
（ままごと）

悠三郎の文字なぞ
これは日本人には解きやすい字謎です。
这条狗儿真少有，头上长着两个口。
Zhèi tiáo gǒur zhēn shǎo yǒu,
tóushang zhǎngzhe liǎng ge kǒu.
（この犬は本当に珍しい，頭の上に口二つ）
ヒント：中国語で"狗"というところ，日本語ではどう書きますか。

ことばの道草

おそい

Key Sentence は"时间不早了，我该走了。"でした。時間が"不早"bù zǎo とはおそい，つまり"晚"ということです。ところで「おそい」には二つあります。

時間がおそいは"晚"wǎn，その反対が"早"zǎo です。
速度がおそいは"慢"màn，その反対が"快"kuài です。

速度がおそい，つまり「ゆっくり」はあいさつの中でもよく使われます。

好恵さんがまだ食事中の劉欣欣を残して立ち去る時にこう言いました。

　　你慢慢吃。　Nǐ mànmàn chī.（ゆっくり食べてください）

それから人を見送る時も「どうぞ気をつけてゆっくりお帰りください」という意味でこう言います。

　　好，我不送了，您慢走。　Hǎo, wǒ bú sòng le, nín màn zǒu.
　　（では，ここで失礼しますので，どうか気をつけてお帰りください）

なお"不送了"とは「お見送りするつもりでしたがここでお別れします」ということです。

もう一つ"慢待"màndài という言葉があります。これも人との交際の場面でよく使われます。

　　慢待了，请多包涵。　Màndài le, qǐng duō bāohan .
　　（行き届かぬところはご容赦ください）

"慢待"は「行き届きませんで」ということです。

哭　kū　　"狗"は"犬"である。あとは上に口を二つ載せればよい。

❖ ここほれ中級 ❖

♣ "意思" yìsi の意味

"意思"にはいくつかの意味があります。多義語ということは，よく使われる語だということです。

1) まずそもそもの意味は「言葉の意味」。
   这句话是什么意思？ Zhèi jù huà shì shénme yìsi?
   （この言葉はどういう意味ですか）
   你知道这个词的意思吗？ Nǐ zhīdao zhèige cí de yìsi ma?
   （この単語の意味を知ってますか）

2) さらに「意見，気持ち，考え」
   我理解大家的意思。 Wǒ lǐjiě dàjiā de yìsi.
   （みんなの気持ちは私は分かっている）

3) さらに派生して「思い，好意」という対象へのいとおしさ。
   他好像对你有意思。 Tā hǎoxiàng duì nǐ yǒu yìsi.
   （彼はあなたに気があるようよ）
   他对我有意思，可我对他没意思。 Tā duì wǒ yǒu yìsi, kě wǒ duì tā méi yìsi.
   （彼は私に好意を抱いているが，私は彼を何とも思わない）

4) 「面白さ」。
   你这个人真有意思。 Nǐ zhèige rén zhēn yǒu yìsi.
   （あなたって本当に面白いわね）
   那个电影太没意思了。 Nèige diànyǐng tài méi yìsi le.
   （あの映画は全くつまらない）

5) 「プレゼントなどに托す気持ち，思い」。
   这是我的一点儿小意思。 Zhè shì wǒ de yìdiǎnr xiǎo yìsi.
   （これは私のほんの気持ちです）

6) イディオムとしての用法。これは"不好意思"の形で使われ「恥ずかしい，申し訳ない」。
   让您亲自来接我，真不好意思。 Ràng nín qīnzì lái jiē wǒ, zhēn bù hǎo yìsi.
   （あなたにわざわざお迎えいただき恐縮です）

第35話 デート

(夜，南京路。ある映画館の入り口)

田村：**江 旭！**
Tiáncūn：Jiāng Xù!

对不起，让 你 久 等 了。
Duìbuqǐ, ràng nǐ jiǔ děng le.

江旭：**没 关系，我 也 才 到。那么，咱们**
Jiāng Xù：Méi guānxi, wǒ yě cái dào. Nàme, zánmen

进去 吧。
jìnqu ba.

田村：**请 等 一下。**
Qǐng děng yíxià.

田村：**对不起。**
Duìbuqǐ.

江旭：**没 关系。哎，你 去 退票 了？**
Méi guānxi. Āi, nǐ qù tuìpiào le?

田村：**嗯。**
Ǹg.

田村：(急いでやってくる) 江旭！
　　　ごめん，お待たせしました。
　江：いや，僕も来たばかりだから。じゃあ，入ろうか。
田村：ちょっと待って。
(田村は足早に売り場に向かいチケットの払い戻しをする)
田村：ごめん。
　江：いいよ。ねえ，払い戻しをしたの？
田村：(恥ずかしそうに) うん。

単語

让你久等了 ràng nǐ jiǔ děng le ［組］お待たせしました。

才 cái ［副］～したばかり。"才到" cái dào で「着いたばかり」。

那么 nàme ［接］それじゃ。

进去 jìnqu ［動］(中へ) 入ってゆく。動詞"进"に方向補語"去"がついた形。

退票 tuìpiào ［動］チケットを払い戻す。

江旭：这么 说， 你 买了 同样 的 票？ 道草
　　　Zhème shuō, nǐ mǎile tóngyàng de piào?

　　　你 呀， 怎么 不 早 说 呀？
　　　Nǐ ya, zěnme bù zǎo shuō ya?

　　　哎， 你 怎么 买 这儿 的 票？ 离 学校 文法
　　　Ái, nǐ zěnme mǎi zhèr de piào? Lí xuéxiào

　　　挺 远 的。
　　　tǐng yuǎn de.

田村：那 你 为 什么 也 买 这里 的 票 呢？
　　　Nà nǐ wèi shénme yě mǎi zhèlǐ de piào ne?

方向補語は軽声に

　動詞の後について方向を表す成分を方向補語と呼びます。
以下の細い字のところが方向補語です。ここは一般に軽声に読まれます。
　ただし，"不" や "得" が間に入り可能補語になると直後の方向補語は本来
の声調で読まれます。

　　进去　　　jìnqu　　　　（中に入っていく）
　　走进去　　zǒujinqu　　　（歩いて中に入っていく）
　　走不进去　zǒubujìnqu　　（歩いて中に入っていけない）

　　下来　　　xiàlai　　　　（おりてくる）
　　跑下来　　pǎoxialai　　　（走っておりてくる）
　　跑不下来　pǎobuxiàlai　　（走っておりてこられない）

江：つまり，君も同じチケットを買ったというわけだ？

田村：（恥ずかしそうにうなずく）

江：まったく，どうして早く言わないんだよ？

田村：（何も言わず，笑う）

江：ねえ，なぜここのチケットを買ったんだ？ 学校からはすごく遠いのに。

田村：じゃああなたもどうしてここのチケットを買ったの？

単語

同样 tóngyàng［形］同じ。

怎么不早说 zěnme bù zǎo shuō［組］どうして早く言わないのか。

离 lí［介］〜から。2点間のへだたりを表す。

挺 tǐng［副］かなり，結構。"的"と呼応する。

Key Sentence

CD2-58

让 你 久 等 了。
Ràng nǐ jiǔ děng le.

お待たせしました

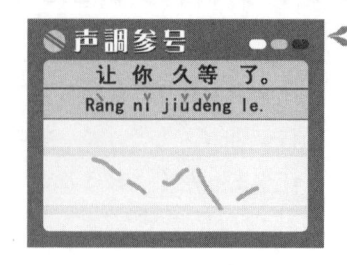

人を長い間待たせてしまった時にこう言います。

本当に「長い間」待たせてしまったのなら，この前に"对不起"（ごめんなさい）をつけておわびすることも必要でしょう。本文の用法です。

对不起，让你久等了。
Duìbuqǐ, ràng nǐ jiǔ děng le.

"让～"は「～させる」という使役です。"让你～"の例はすでに第19話で学んでいます。

让你破费了。 Ràng nǐ pòfèi le.
（あなたに散財させてしまいました）

"让你～"は一般に相手に迷惑をかけた時によく使われます。

让你操心了。 Ràng nǐ cāoxīn le.
（気を遣わせてしまいました）

让你受累了。 Ràng nǐ shòulèi le.（お疲れさまでした）

●はじまりの"让你"ràng nǐ にご注目ください。第4声＋第3声なのですが，まるで一本の線のように下へ下へと下降しています。低く低くおさえるという第3声の特質を確認してください。

それから，この文は"你久等"nǐ jiǔ děng の部分が第3声が三つも連続しています。しかし，"让你"で一つの単位，その後"久等"でまた一つのまとまりですから，"你久等"ní jiú děng のようにはならず，次のようになります。

　　　让你久等了。Ràng ní jiú děng le.

この文でもっともストレスがおかれるのは"等"děng です。ここをしっかり発音し，そのエネルギーを最後の"了"le に反映させることは前回の"时间不早了，我该走了。"と同様です。

活用 Key Sentence　　　　　　　　　　　　　　　　　CD2-59

「あなたに〜させてしまいました」という迷惑をわびる文です。

让你担心了。　　Ràng nǐ dānxīn le.
（ご心配をおかけしました）

让你受苦了。　　Ràng nǐ shòukǔ le.
（ご苦労をおかけしました）

让你白跑了一趟。　　Ràng nǐ bái pǎole yí tàng.
（無駄足をふませてしまいました）

ていねいにわびる時には，前に"对不起"を加えたり，"你"を"您"に変えたりしましょう。

～文法レッスン～

1．"退" tuì と "換" huàn

買ったものやもらったものを要らないと戻すのが"退" tuì です。映画のチケットを戻したり，列車の切符を戻したりするのは"退票" tuìpiào と言います。商品を戻すなら"退货" tuìhuò です。

请问，新干线的票可以退吗？
Qǐngwèn, xīngànxiàn de piào kěyǐ tuì ma?
（すみません，新幹線の切符払い戻しできますか）

如果买回去不喜欢五天之内可以退货。
Rúguǒ mǎihuiqu bù xǐhuan wǔ tiān zhī nèi kěyǐ tuìhuò.
（もしお買い上げ後気に入らなければ5日以内なら返品できます）

戻すのは"退" tuì ですが，気に入らない商品などを取り替えるのは"換" huàn と言います。たとえば上の例は"退"を"換"で置き換えることができます。しかし，下の例は"換"で置き換えられません。

把多找的钱退（×换）给售货员。
Bǎ duō zhǎo de qián tuìgěi shòuhuòyuán.
（おつりが多い時は，店員さんに返しなさい）

典型的な"換"の用例は次のようなものです。

这件衣服有点儿大，可以换一件吗？
Zhèi jiàn yīfu yǒudiǎnr dà, kěyǐ huàn yí jiàn ma?
（この服はちょっと大きいので別のに換えていただけますか）

对不起，您可以换一件别的东西，但是不能退。
Duìbuqǐ, nín kěyǐ huàn yí jiàn bié de dōngxi, dànshì bù néng tuì.
（すみませんが，ほかのと交換はできますが，返品はできません）

単語 6 姉妹
CD2-60

～票
piào

邮票
yóupiào
（切手）

门票
ménpiào
（入場券）

机票
jīpiào
（航空券）

电影票
diànyǐngpiào
（映画のチケット）

车票
chēpiào
（バスの切符）

发票
fāpiào
（領収書）

"换"は要するにチェンジするということですから，お金の両替えの時も"换"を使います。

先生，你要换多少美元？
Xiānsheng, nǐ yào huàn duōshao měiyuán?
（何ドル両替えなさいますか）

最近は人間を取り替えてという要求もあるそうです。

住院期间，如果病人不满意，可以换医生。
Zhùyuàn qījiān, rúguǒ bìngrén bù mǎnyì, kěyǐ huàn yīshēng.
（入院期間中，もし不満なら，担当医を替えることもできます）

2．"离" lí

2点の間のへだたりを表すのが"离"です。次の三つの場合があります。

1）時間的なへだたり

离春节只有十天了。 Lí Chūnjié zhǐ yǒu shí tiān le.
（春節まであとわずか10日だ）

离开学还有三天。 Lí kāixué hái yǒu sān tiān.
（あと3日で学校がはじまる）

2）空間的なへだたり

你家离车站远吗？ Nǐ jiā lí chēzhàn yuǎn ma?
（お宅は駅から遠いの？）

邮局离我家只有100米。 Yóujú lí wǒ jiā zhǐ yǒu yì bǎi mǐ.
（郵便局は家から100メートルしかありません）

3）抽象的なへだたり

你的思想啊，离要求还差得远呢！
Nǐ de sīxiǎng a, lí yāoqiú hái chàde yuǎn ne!
（君の考えはまだまだ遅れている）

旅行に行く時は……
旅行 支票
lǚxíng zhīpiào
（トラベラーズチェック）

悠 三郎の文字なぞ

これも引き算で解く字謎です。

还 有 三 日 是 元旦。
Hái yǒu sān rì shì Yuándàn.
（あと3日で元旦）

あと3日だから，答は28日なんてのはお断り。

ことばの道草

チケット

　映画のチケットは"电影票"diànyǐngpiào です。飛行機のチケット，航空券なら"机票"jīpiào です。バスや地下鉄の切符は"车票"chēpiào と言います。定期券なら"月票"yuèpiào です。
　"票"piào とは何でしょう。
　私の勝手なイメージでは，たいてい四角い紙でできていて，取引きや何かの証拠になるようなものです。
　"邮票"yóupiào は切手ですが，これは郵送料は払い済みということを表しています。
　"门票"ménpiào は公園や博物館などに入る時の入場券を言います。もちろん，料金と引き換えに受け取るものです。
　"发票"fāpiào もそうですね。領収書です。"支票"zhīpiào は小切手です。旅行でお世話になるトラベラーズチェックは"旅行支票"lǚxíng zhīpiào と言います。
　昔は中国では不足がちな物資を買う時には"票"piào が必要でした。小麦粉でできているものなら"面票"miànpiào，穀物なら"粮票"liángpiào，油には"油票"yóupiào，布には"布票"bùpiào などがありました。
　以上の"～票"はすべて名詞ですが，動詞にもなります。

　　退票　　tuìpiào　　チケットを払い戻す。
　　投票　　tóupiào　　投票する。
　　剪票　　jiǎnpiào　　切符をきる。検札する。

こういうのはすべて「逆引き辞典」を引けば簡単に調べられます。

儿 ér　あと三日たつと元旦になる。だから"元旦"から"三日"を引けばよい。まず"元"の棒を二つ引く。あと一つは"旦"から引く。さらに"日"も引いてしまう。これで"元旦—三日"という引き算完了。残ったのは"儿"だ。

❖ ここほれ中級 ❖

♣ やっかいな"才"cái

好恵さんがデートに遅れてきました。

　　对不起，让你久等了。 Duìbuqǐ, ràng nǐ jiǔ děng le.
　　（ごめん，お待たせしました）

key Sentenceですが，これに対する江旭の答えは

　　没关系，我也才到。 Méi guānxi, wǒ yě cái dào.
　　（いや，僕も来たばかりだから）

というものでした。ここに"才"が使われていますね。

　このように，"才"は「後の動作がたった今，ついさっき発生したばかりだ」というものです。

　　我才来。 Wǒ cái lái. （いま来たばかりです）
　　他才走，你快追。 Tā cái zǒu, nǐ kuài zhuī.
　　（彼は出かけたばかりだ，早く追いかけなさい）

また次のように「数量が少ない」ことを表します。

　　才6点你们就吃完晚饭了？ Cái liù diǎn nǐmen jiù chīwán wǎnfàn le ?
　　（まだ6時なのにもう夕ご飯がすんだの？）
　　才吃一碗就不吃了？ Cái chī yì wǎn jiù bù chī le ?
　　（ほんの一膳食べてもう食べないの？）
　　我结婚那年，才25岁。 Wǒ jiéhūn nà nián, cái èrshiwǔ suì.
　　（私が結婚した時，わずか25歳でした）

これらに対して，"才"が「ある時間になってやっと」を表す場合もあります。「発生がおそい」という意味になります。この時はふつう前に数量や時間表現がきます。

　　她11点才来。 Tā shíyī diǎn cái lái.
　　（彼女は11時になってやっと来た）
　　他30岁才结婚。 Tā sānshí suì cái jiéhūn.
　　（彼は30歳になってようやく結婚した）
　　都10点了，人才到齐。 Dōu shí diǎn le, rén cái dàoqí.
　　（もう10時だ，やっと人がそろった）

第36話 南京路

(夜，南京路の步行者天国。田村と江旭は映画を見終わり，歩きながら話をする)

CD2-61

江旭 : **好惠，我 有 一 个 发现。**
Jiāng Xù : Hǎohuì, wǒ yǒu yí ge fāxiàn.

田村 : **什么 发现？**
Tiáncūn : Shénme fāxiàn?

江旭 : **你 挺 容易 动 感情 的。** 文法
Nǐ tǐng róngyì dòng gǎnqíng de.

田村 : **是 吗？**
Shì ma?

江旭 : **是 啊。怪不得 都 说 女人 是 感性 的** 中級
Shì a. Guàibude dōu shuō nǚrén shì gǎnxìng de

动物。
dòngwù.

田村 : **难道 男人 都 缺少 感情 吗？**
Nándào nánrén dōu quēshǎo gǎnqíng ma?

江旭 : **不，不过 男人 更 理性。**
Bù, búguò nánrén gèng lǐxìng.

田村 : **说 实话，你 一点儿 都 没 受 感动 吗？** 文法
Shuō shíhuà, nǐ yìdiǎnr dōu méi shòu gǎndòng ma?

江：好恵，一つ発見したよ。

田村：どんな発見？

江：君がとても感情に左右されやすいっていうこと。

田村：そうかなあ？

江：うん。だからみんな，女性は感性の生き物だって言うんだなあ。

田村：まさか男性はみんな感情がないわけじゃないよね？

江：いや，でも男性はもっと理性的だね。

田村：本当のところ，少しも感動しなかったの？

単語

发现 fāxiàn ［動］発見する。気づく。［名］発見。

容易 róngyì ［形］～しやすい。～しがちである。

动感情 dòng gǎnqíng ［組］感情的になる。

怪不得 guàibude ［副］道理で。～するのも無理はない。

感性 gǎnxìng ［名］感性。↔"理性"lǐxìng

难道 nándào ［動］まさか～ではあるまい。

缺少 quēshǎo ［動］不足する。欠く。

理性 lǐxìng ［名］理性。［形］理性的である。

说实话 shuō shíhuà ［組］本当のところ。

江旭：当然不是，可我看电影不只是
Dāngrán bú shì, kě wǒ kàn diànyǐng bù zhǐshì
为了受感动。
wèile shòu gǎndòng.

田村：还为什么？
Hái wèi shénme?

江旭：看导演和演员用什么办法来感动
Kàn dǎoyǎn hé yǎnyuán yòng shénme bànfǎ lái gǎndòng
我。
wǒ.

田村：是吗？
Shì ma?

江旭：对，其实，不管看电影，艺术欣赏都
Duì, qíshí, bùguǎn kàn diànyǐng, yìshù xīnshǎng dōu
这样。
zhèyàng.

不过，这部电影不错，导演够水平！
Búguò, zhèi bù diànyǐng búcuò, dǎoyǎn gòu shuǐpíng!

田村：我真想再看一次！……跟你。
Wǒ zhēn xiǎng zài kàn yí cì! …… gēn nǐ.

江：もちろんそんなことはない，でも僕が映画を見るのは，感動するためだけじゃないから。

田村：ほかに何のため？

江：監督や俳優がどんな方法で僕を感動させるのかを見る。

田村：そうなんだ？

江：うん。実際，映画だけじゃなくて，芸術鑑賞をする時はいつもそうだ。でも今日の映画よかったなあ，監督はレベルが高いよ。

田村：**ぜひもう一度見たい！**　……あなたと。

単語

导演 dǎoyǎn［名］演出。監督。

其实 qíshí［副］実際のところ，実は。

不管 bùguǎn［接］〜であっても。〜にかかわりなく。

艺术 yìshù［名］芸術。

欣赏 xīnshǎng［動］鑑賞する。

够 gòu［動］（必要な基準に）達する。

Key Sentence

CD2-62

我 真 想 再 看 一 次。
Wǒ zhēn xiǎng zài kàn yí cì.

もう一度見たいなあ

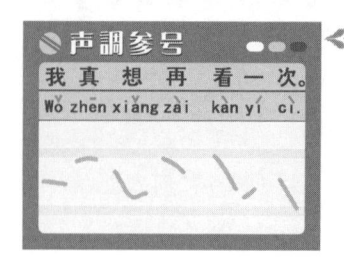

　この文の中心は"想"xiǎng です。「〜したい」という助動詞です。
　この助動詞の前に"真"zhēn があり，後に"再"zài があります。この前後関係は重要です。次のように言うこともあります。

　　我还想再看一次。　Wǒ hái xiǎng zài kàn yí cì.

　意味は「さらにもう一度見たいなあ」。"真"zhēn の代わりに"还"hái が使われています。"真"も"还"も助動詞"想"の前にきます。そして"再"は常に後におかれます。
　もう一つ，"再"の後には数量表現がきます。ここでは"一次"がありますね。次も類例です。

　　请再说一遍。　Qǐng zài shuō yí biàn .
　　再喝一杯。　Zài hē yì bēi.

"一遍"や"一杯"がそうです。なお動詞の重ね型も一種の数量表現ですから，次のような言い方もよくされます。

　　我真想再尝尝。　Wǒ zhēn xiǎng zài chángchang.
　　（もう一度食べてみたいなあ）

●この文は"我真想"という前半と"再看一次"の後半とに分かれます。
　前半はここをすばやく言うようにします。そのため"真"がいつもより短くなっています。
　また同じ第3声でもはじめの"我"と"想"はずいぶん調型が異なっていることが観察されます。"我"は半3声の形です。
　後半では"再看"が強く，"一次"は付け足しのようなものですから，高さもそれほどではありません。
　"一"は声調変化を起こし，第2声になりますが，"看"の後ろで低くはじまっています。かつ短く終わっていますから次の"次"も低いスタートです。全体に"一次"は軽いことが見て取れます。

◆ 活用 *Key Sentence*　　　　　　　　　　　　　　　　CD2-63

動詞を変えたり，量詞を変えたりして言ってみましょう。

　　我真想再吃一个。　Wǒ zhēn xiǎng zài chī yí ge.
　　（もう一つ食べたいなあ）

　　我真想再去一趟。　Wǒ zhēn xiǎng zài qù yí tàng.
　　（もう一度行きたいなあ）

　　我真想再看他一眼。　Wǒ zhēn xiǎng zài kàn tā yì yǎn.
　　（もう一度彼に会いたいなあ）

～文法レッスン～

◆感動する話

　映画を見ての帰り道。二人であれこれ感想を言い合います。好きな人といっしょの映画鑑賞なら，見るのも楽し，その後のおしゃべりも楽しいですね。
　好恵さんと江旭，二人の間で話題になったのは「感動」についてでした。
　感動する，中国語では"感动"gǎndòng です。
　　看到这儿我感动得流下了热泪。 Kàndao zhèr wǒ gǎndòngde liúxiale rèlèi.
　　（ここまで読んで私は感動のあまり涙を流した）
　日本語では「感動する」ですが，「感動する」とは実は「何かに感動させられる」ということ。中国語ではそこを明確にして，"令人感动" lìng rén gǎndòng （人をして感動せしむ）という言い方をよく見かけます。"令人高兴" lìng rén gāoxìng （人をして喜ばしむ）と同じつくりです。使役です。
　　那个青年舍己救人的行为十分令人感动。
　　Nèige qīngnián shě jǐ jiù rén de xíngwéi shífēn lìng rén gǎndòng.
　　（あの青年の己を捨て人を救う行為には本当に感動させられた）
　また"受感动"shòu gǎndòng という形でもよく使われます。「感動を受ける」という構造です。これも前に"使我"shǐ wǒ がありますから，使役の構文です。
　　他的一番话使我深受感动。 Tā de yì fān huà shǐ wǒ shēn shòu gǎndòng.
　　（彼の話は私をいたく感動させた）
　もう一つは"被"bèi を使って受け身表現にします。
　　你是不是被感动了？ Nǐ shì bú shì bèi gǎndòng le?
　　（あなた感動したんでしょ）
　最後は「感動させる」という他動詞の用法です。
　　那个青年的行为感动了大家。 Nèige qīngnián de xíngwéi gǎndòngle dàjiā.
　　（その青年の行為は人々を感動させた）

単語6姉妹
CD2-64

映画大好き

导演 dǎoyǎn （監督）

演员 yǎnyuán （俳優）
主角 zhǔjué （主役）
观众 guānzhòng （観客）
售票处 shòupiàochù （チケット売り場）
贺岁片 hèsuìpiàn （正月映画）

那个人是铁石心肠，你说什么也感动不了他。
Nèige rén shì tiěshí xīncháng, nǐ shuō shénme yě gǎndòngbuliǎo tā.
（あの人は石のような人だから，何を言っても彼の心を動かせないよ）

いずれにしろ，中国語は何が感動させるのか，だれが感動させられるのか，力関係を明確にしていると言えます。

◇**感情的になる**

"感动"のほかに"感情"gǎnqíng という言葉も出てきました。これは名詞として使います。「感情」です。「男性は感情がないの？」と好恵さんが言っていました。

难道男人都缺少感情吗？　Nándào nánrén dōu quēshǎo gǎnqíng ma？
（まさか男性はみんな感情がないというんじゃないでしょう）

他们两个人的感情很好。　Tāmen liǎng ge rén de gǎnqíng hěn hǎo.
（二人の気持ちはぴったりだ）

"动感情"dòng gǎnqíng と言えば「感情を動かす」ことですから，「感動する，感情的になる」ということです。

"感情"で覚えてほしいのは"感情用事"gǎnqíng yòngshì という熟語です。カッと感情的になる。冷静さを欠き，前後の見境もなく物事を行うことをこう言います。

处理问题要冷静，不能感情用事。
Chǔlǐ wèntí yào lěngjìng, bù néng gǎnqíng yòngshì.
（物事を処理するには冷静でなくては，カッと感情的になってはならない）

もう一つ"感激"gǎnjī を加えておきましょう。これは「感激する」ではありません。よく次のようによく使われます。

感激你给我的帮助。　Gǎnjī nǐ gěi wǒ de bāngzhù.
（あなたの援助に感謝します）

「感謝する」という意味です。しかも内心の感激をふくむ感謝です。ですから"感谢"gǎnxiè より重々しい気持ちが込められます。

日本でよく見ます
动画片儿
dònghuàpiānr
（アニメ）

您三郎の文字なぞ

新年用ならこんなのがあります。

元旦
Yuándàn

元旦とは"一月一日"Yīyuè yī rì です。"月"が一つと"日"が一つ。これではやさしすぎるので，もう一つ答をお考えください。

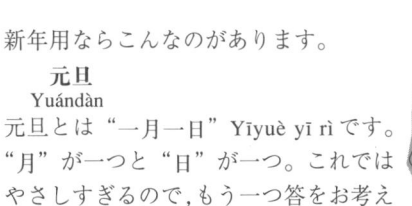

ことばの道草

"够～" gòu～

映画監督はなかなかのレベルだ。江旭がいま見終わった映画の監督を評してこう言います。

导演够水平。 Dǎoyǎn gòu shuǐpíng.

ここで使われている"够"は覚えたい語の一つです。もともとは「足りる，十分な量がある」ということです。たとえば，

时间不够。 Shíjiān bú gòu.

と言えば「時間が足りない，十分でない」。そこから派生して「あるレベルに達している」という意味を表します。まず後ろに名詞がくる用法です。

够水平	gòu shuǐpíng	レベルに達している
够朋友	gòu péngyou	友達がいがある
够条件	gòu tiáojiàn	十分条件をみたしている
够资格	gòu zīgé	十分資格がある
够意思	gòu yìsi	とても面白い
够味儿	gòu wèir	なかなか味がある

次は後に形容詞がくるものです。最後は"的"で締めます。これは語気詞の"的"で"挺好的"などと同じものです。

够坏的	gòu huài de	かなり悪い
够甜的	gòu tián de	けっこう甘い
够高的	gòu gāo de	十分に高い
够矮的	gòu ǎi de	ひどく丈が低い
够咸的	gòu xián de	かなり塩辛い

まだまだ用法はありますが，とりあえずこのぐらいを覚えましょう。

明/胆 míng/dǎn

"月"が一つと"日"が一つはすぐに分かります。"明"です。もう一つは"月"が一つに，"一日"を"旦"として，これを"月"と組み合わせる。すると"胆"ができます。

ここほれ中級

♣ "怪不得" guàibude ——～なのも道理だ。

"怪不得"は本来"怪"することができない。つまり「責められない」という意味です。後にくるのは名詞です。

> 这件事怪不得小王。 Zhèi jiàn shì guàibude Xiǎo-Wáng.
> （この件については王君を責めるわけにはいかない）
>
> 他来晚了，这怪不得他，因为开会的时间通知错了。
> Tā láiwǎn le, zhè guàibude tā, yīnwei kāi huì de shíjiān tōngzhīcuò le.
> （彼は遅れてきたが，彼を責められない，というのは会議の時間を間違って知らせたのだ）
>
> 她是新来的，不太熟悉情况，也怪不得她。
> Tā shì xīn lái de, bú tài shúxī qíngkuàng, yě guàibude tā.
> （彼女は新人で，状況が分からないのだから，彼女を責めてはいけない）

スキットで出てきたのはこの用法ではありません。原因が分かり，なるほどと納得する副詞用法です。「なるほど～なのも道理だ」などと訳します。

"怪不得"の後には，〈合点が行かなかった現象〉がきます。そして今やそれが不思議でも何でもなくなった，その理由が明かされます。

> 怪不得他那么高兴，原来他儿子考上大学了。
> Guàibude tā nàme gāoxìng, yuánlái tā érzi kǎoshang dàxué le.
> （彼が喜ぶのも無理はない，息子が大学に合格したのだから）
>
> 怪不得这么冷，原来窗户开着呢。
> Guàibude zhème lěng, yuánlái chuānghu kāizhe ne.
> （寒いはずだ，窓があいているんだから）
>
> 他病了？ 怪不得他今天没来呢。
> Tā bìng le? Guàibude tā jīntiān méi lái ne.
> （彼が病気だって。道理で今日欠席したわけだ）

第37話 バレンタインデー

（とあるバーで。田村と江旭が話しながらバンドの演奏を聴いている）　CD2-65

田村：这　乐队　怎么样？
Tiáncūn：Zhè yuèduì zěnmeyàng?

江旭：不错，有　味儿。
Jiāng Xù：Búcuò, yǒu wèir.

田村：你　好像　特别　喜欢　音乐。
Nǐ hǎoxiàng tèbié xǐhuan yīnyuè.

江旭：我　从　小　就　特别　爱　唱　歌儿，听　音乐。
Wǒ cóng xiǎo jiù tèbié ài chàng gēr, tīng yīnyuè.

田村：你　唱歌　唱得　很　好。
Nǐ chànggē chàngde hěn hǎo.

江旭：你　过奖　了。
Nǐ guòjiǎng le.

田村：看来，你　对　自己　的　要求　还　挺　高。
Kànlái, nǐ duì zìjǐ de yāoqiú hái tǐng gāo.

江旭：越　学习，越　觉得　自己　还　差得　远　呢。
Yuè xuéxí, yuè juéde zìjǐ hái chàde yuǎn ne.

田村：このバンドどう？

江：いいね，味がある。

田村：**あなたすごく音楽が好きみたいね。**

江：小さい時から歌を歌ったり，音楽を聴いたりするのがとても好きだったんだ。

田村：歌がとても上手よね。

江：とんでもない。

田村：自分に対してとても厳しいのね。

江：やればやるほど，自分はまだだめだなって思う。

単語

乐队 yuèduì ［名］バンド。楽団。

有味儿 yǒu wèir ［形］味わいがある。

好像 hǎoxiàng ［副］〜のようだ（推測を表す）。

从小 cóng xiǎo ［組］小さい時から。子供のころから。

过奖 guòjiǎng ［動］ほめすぎる。

看来 kànlái ［副］見たところ，どうやら。

越〜越〜 yuè 〜 yuè 〜 ［組］〜すればするほど〜になる。

差得远 chàde yuǎn ［組］はるかに及ばない。

田村：**江 旭， 给 你。**
　　　Jiāng Xù, gěi nǐ.

江旭：**巧克力？ 为 什么？**
　　　Qiǎokèlì? Wèi shénme?

田村：**节日 礼物 啊。**
　　　Jiérì lǐwù a.

江旭：**节日？ 什么 节日？**
　　　Jiérì? Shénme jiérì?

田村：**今天 是 情人节 呀。** [文法][道草]
　　　Jīntiān shì Qíngrénjié ya.

江旭：**噢， 谢谢！**
　　　Ō, xièxie!

江旭：**好惠， 这 是 我 给 你 的。**
　　　Hǎohuì, zhè shì wǒ gěi nǐ de.

田村：**啊！ 玫瑰花！ 谢谢！**
　　　Ā! Méiguihuā! Xièxie!

発音のポイント　………… "花" huā は「ホワ」

hu は「フー」ですが，hua は「ホワ」です。まるで hoa のように発音します。これは後ろに a があるためです。
　　花　huā
"花" huā に限りません。u の後ろに a があるものはみなこうなります。
　　喜欢 xǐhuan　　黄 huáng　　坏 huài
後ろに e が隠れている "会" huì も少し o の感じがでます。
　　会　huì　（≒ huèi）
以上のほかは o には発音されません。
　　呼 hū　　火 huǒ　　婚 hūn

（二人は黙り，音楽だけが聴こえてくる）

田村：（チョコレートの箱を取り出し）江旭，はい。

　江：（チョコレートを受け取り）チョコレート？　なぜ？

田村：記念日のプレゼント。

　江：（分からないふりをして）記念日？　何の記念日？

田村：（笑って）今日はバレンタインデーよ。

　江：ああ，ありがとう。

（江旭は手品のように一本の赤いバラを出す）

　江：好恵，これは僕からあなたに。

田村：あ，バラの花！　ありがとう！

単語

巧克力 qiǎokèlì ［名］チョコレート。

节日 jiérì ［名］記念日。祭日。

礼物 lǐwù ［名］プレゼント。贈り物。

情人节 Qíngrénjié ［名］バレンタインデー。

玫瑰 méigui ［名］バラ。

Key Sentence

CD2-66

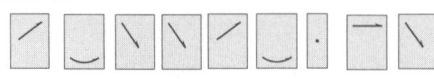

你 好像 特別 喜欢 音乐。
Nǐ hǎoxiàng tèbié xǐhuan yīnyuè.

あなたはとっても音楽が好きなようですね

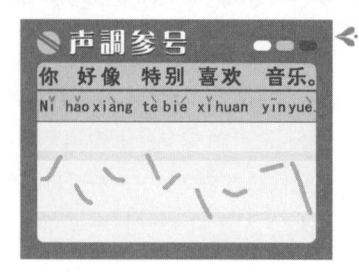

　この文の中心は"好像"hǎoxiàng という語です。「～ようです」という意味です。「あまり自信はないが，どうも～のような気がする」といった推測を表します。
　これは否定形がありません。つまり"不好像"とは言いません。否定の"不"は"好像"の内側にきます。

　　他好像不知道这件事。 Tā hǎoxiàng bù zhīdào zhèi jiàn shì.
　　　（彼はこの件を知らないようだ）

　もう一つは動詞"喜欢"xǐhuan についてです。これはすでに学んだように，直接名詞目的語をとらないことが多いのでした。動詞を加えます。

　　喜欢喝咖啡 xǐhuan hē kāfēi
　　喜欢看电影 xǐhuan kàn diànyǐng

　ところが，ここではいきなり"音乐"が目的語になっています。動詞の"听"は入っていません。

　　喜欢音乐 ⟷ **喜欢听音乐**
　　xǐhuan yīnyuè　　xǐhuan tīng yīnyuè

　これは江旭が単に「音楽を聴くこと」だけが好きなのではなく，音楽全体が好きだということを言いたいのです。次のような場合と同じと考えてください。

　　喜欢中国 xǐhuan Zhōngguó　（中国が好き）
　　喜欢夏天 xǐhuan xiàtiān　（夏が好き）

●まず"你好像"のところですが，"你"の変調はよいとして，"好像"の"像"が最後ちょっと上がりぎみになっています。これは次の"特別"が高く始まることを先取りして，"像"までもが最後が高くなっているのでしょう。次の準備をしているわけです。"好像"は副詞ですから，ここでポーズをおくわけにはいきません，次に修飾語としてかかっていくわけです。

また，"特別"は強調語としてここでは強く発音されています。

後半では"喜欢"にご注目ください。"喜"は第3声ですが，低く低く下がります。そして軽声の"欢"は結構上がります。しかし全体としては低い位置にあることを確認してください。

最後の"音乐"。◎●（中重）というアクセントパターンです。

活用 Key Sentence

CD2-67

"好像"を活用しましょう。

她好像不是日本人。
Tā hǎoxiàng bú shì Rìběnrén.
　　（彼女は日本人ではないようだ）

明天好像有雨。
Míngtiān hǎoxiàng yǒu yǔ.
　　（明日は雨になりそうだ）

这个人我好像在哪儿见过。
Zhèige rén wǒ hǎoxiàng zài nǎr jiànguo.
　　（この人，どこかで会ったような）

以上は，「どうも〜のような気がする」という「自信のない推測」でした。"好像"にはもう一つ，「まるで〜のよう」という比喩の用法もあります。

在这儿就好像在自己家一样。
Zài zhèr jiù hǎoxiàng zài zìjǐ jiā yíyàng.

～文法レッスン～

1．"越～越～" yuè ～ yuè ～

これは「～すればするほど，それにつれて，ますます～になる」という意味の，変わった構文です。

例をごらんください。

我越看越喜欢。 Wǒ yuè kàn yuè xǐhuan.
（見れば見るほど好きになる）

雨越下越大。 Yǔ yuè xià yuè dà.
（雨はますますひどくなる）

汉语越学越难。 Hànyǔ yuè xué yuè nán.
（中国語は学べば学ぶほどむずかしくなる）

你越劝他，他越不听。 Nǐ yuè quàn tā, tā yuè bù tīng.
（彼に忠告すればするほど，彼はますます聞く耳をもたなくなる）

"越来越～"という形もあります。こちらは「時間の経過とともにますます～になる」という意味を表します。

天气越来越冷了。 Tiānqì yuè lái yuè lěng le.
（ますます寒くなってきた）

她长得越来越漂亮。 Tā zhǎngde yuè lái yuè piàoliang.
（彼女はますます美しくなってきた）

你的汉语说得越来越好了。 Nǐ de Hànyǔ shuōde yuè lái yuè hǎo le.
（あなたの中国語の話し方はますますよくなってきた）

単語 6 姉妹
CD2-68

いろいろな祭日・催し

愚人节 Yúrénjié（エイプリルフール）

爱鸟周 Àiniǎozhōu（バードウィーク）

黄金周 huángjīnzhōu（ゴールデンウィーク）

母亲节 Mǔqinjié（母の日）

父亲节 Fùqinjié（父の日）

圣诞节 Shèngdànjié（クリスマス）

2．中国の祝祭日，記念日

＜伝統的なもの＞

春节	Chūnjié	（旧暦の正月元日）
元宵节	Yuánxiāojié	（旧暦の正月15日）"灯节"Dēngjié とも言う。縁日の灯籠をながめたり，なぞなぞを当てたりする。"元宵"を食べる。
清明节	Qīngmíngjié	（4月5日ごろ）お墓参りに行く。
端五节	Duānwǔjié	（旧暦の5月5日）"粽子"zòngzi を食べる。
中秋节	Zhōngqiūjié	（旧暦の8月15日）"月饼"yuèbing を食べ，一家団らんでお月見をする。
重阳节	Chóngyángjié	（旧暦の9月9日）高いところに登る。
腊八节	Làbājié	（旧暦の12月8日）"腊八粥"làbāzhōu というお粥を食べ，"腊八蒜"làbāsuàn というニンニクを漬ける。

＜最近のもの＞

教师节	Jiàoshījié	（9月10日）教師の日。
母亲节	Mǔqinjié	（5月の第2日曜日）母の日。
父亲节	Fùqinjié	（6月の第3日曜日）父の日。
圣诞节	Shèngdànjié	（12月25日）クリスマス。
植树节	Zhíshùjié	（3月12日）植樹の日。
爱鸟周	Àiniǎozhōu	（4月末から5月初）愛鳥週間。

先生も大変だから…
教师节
Jiàoshījié
（教師の日）

🈁 三郎の文字なぞ

これはよくあるパターンの問題です。

地没有天有，妻没有夫有，
Dì méiyou tiān yǒu, qī méiyou fū yǒu,
我没有你有，狗没有猴有。
wǒ méiyou nǐ yǒu, gǒu méiyou hóu yǒu.

（"地"になくて"天"にある，"妻"になくて"夫"にある，"我"になくて"你"にある，"狗"になくて"猴"にある）

これぐらいはノーヒントでできなくては。

ことばの道草

バレンタインデー

　中国でも若い人たちの間ではバレンタインデーが流行のきざしをみせています。中国語では"情人节"と言います。やはり2月14日です。カタカナで言うより，漢字のほうが何か秘密っぽいですね。"情人"ですよ。

　日本と違うのは，必ずしも女性から男性に贈り物をするとは限らないこと。男性からもします。お互いに贈り合うようです。

　したがって，1か月後のホワイトデーなるものはありません。商業的にはつまらないかもしれませんね。

　贈り物もチョコレートとは限りません。好恵さんは日本人ということでチョコレートをあげていましたが，むしろバラなどの花を贈るのがふつうのようです。花以外のものをあげてもかまいません。チョコレート業界の独占とはいかなかったわけです。

　こうしてみると，中国の"情人节"はまともな恋人同士のイベントのようです。

　ということは「義理チョコ」がないわけです。あたりまえといえばあたりまえですが，これではおじさんとしては寂しい。おじさんが寂しいばかりではなく，軽い気持ちでとりあえず数打ちゃ当たるかなと，散弾チョコをばらまく女の子の愉しみもないわけです。

　やっぱりバレンタインデーは日本に限りますね。

人 rén　　"天，夫，你，猴"に共通するものを探せばよい。すると"人"になる。"你"と"猴"にはいずれも「にんべん」がある。これも"人"。

ここほれ中級

♣ ほめられて

好恵さんに歌がうまいとほめられて，江旭は，

　　你过奖了。 Nǐ guòjiǎng le.（ほめすぎです）

と言っていました。人からほめられたら何か返事をしましょう。黙っていてはおかしいですね。一番すなおなのはこれ。「ありがとう！」です。

　　你的字写得真漂亮。　Nǐ de zì xiěde zhēn piàoliang.
　　　（字が上手ですね）
　　——谢谢！　Xièxie !

最近はこう言う人が増えてきました。正直な反応です。

次によく使うのは"你过奖了。"とならんで"哪里哪里。" Nǎli nǎli. でしょう。「どういたしまして，そんなことはありません」，けんそんの表現です。

　　你的日语说得真好。　Nǐ de Rìyǔ shuōde zhēn hǎo.
　　　（日本語がお上手ですね）
　　——哪里哪里，还差得远呢。　Nǎli nǎli, hái chàde yuǎn ne.
　　　（どういたしまして，まだまだです）

"哪儿的话" Nǎr de huà. は"哪里哪里。"と似た言い方ですが，ほめられた時には使いません。

もう少し大袈裟な感じのするのが"不敢当。" Bù gǎndāng. です。相手から示された賞賛，感謝，恩恵などに対して，「当たらない，とんでもない，恐縮です」とけんそんするものです。

　　你简直就是我的大救星。　Nǐ jiǎnzhí jiù shì wǒ de dà jiùxīng.
　　　（あなたは私の救いの神ですよ）
　　——不敢当。　Bù gǎndāng.（とんでもありません）

あまりにほめちぎられてかえって恥ずかしい時があります。そういう時は「やめてくれ！」と言いましょう。恥ずかしくて穴があったら入りたい。中国語でも同じような表現をします。

　　您别说了，您再说我要钻地缝儿里去了。
　　　Nín bié shuō le, nín zài shuō wǒ yào zuān dìfèngr li qu le.
　　　（やめてくださいよ，それ以上言われたら穴にでも入りたい）

第38話

江旭の秘密

（学校近くの通りで）

刘欣欣：**你‐们‐好！**
Liú Xīnxīn: Nǐ - men - hǎo!

田村、江旭：**是 你？**
Tiáncūn、Jiāng Xù: Shì nǐ?

刘欣欣：**对，是 我。**
Dùi, shì wǒ.

田村：**你 什么 时侯 来 的？**
Nǐ shénme shíhou lái de?

刘欣欣：**刚 来。放心，我 没 听见 你们 说 什么。**
Gāng lái. Fàngxīn, wǒ méi tīngjian nǐmen shuō shénme.

田村：**你 真 坏。**
Nǐ zhēn huài.

江旭：**对，她 可 坏 了。**
Dùi, tā kě huài le.

刘欣欣：**对 呀，你们 俩 一块儿 来 对付 我，啊？**
Dùi ya, nǐmen liǎ yíkuàir lái duìfu wǒ, a?

田村：**别 闹 啦。**
Bié nào la.

劉：こ・ん・に・ち・は！

田村・江：あなただったの？（君か！）

　劉：（おどけて）そう，わたし。

田村：**いつ来たの？**

　劉：今よ。大丈夫，何を話してたか聞いてないから。

田村：いじわる。

　江：そうそう，彼女は本当に悪い。

　劉：ほら，そうやって二人して私をいじめるんだから。

田村：もう，ふくれないで。

単語

放心　fàngxīn［動］安心する。

坏　huài［形］悪い。

对付　duìfu［動］当たる。あしらう。"你们俩一块儿来对付我" nǐmen liǎ yíkuàir lái duìfu wǒ で「二人がかりで自分に当たる」。

闹　nào［動］騒ぐ。不満を言う。ここでは「すねる，ふくれる」の意。

女孩儿：**江 旭，你 好！请 你 签 个 名，好 吗？**
nǚháir : Jiāng Xù, nǐ hǎo! Qǐng nǐ qiān ge míng, hǎo ma?

刘欣欣：**你们 干吗 让 他 签名？**
Nǐmen gànmá ràng tā qiānmíng?

女孩儿：**他 是 歌星 呀。**
Tā shì gēxīng ya.

発音のポイント ……………地名で覚える声調組合わせパターン

地名・国名で16の声調パターンを練習しましょう。

	1	2	3	4
1	Dōngjīng 东京	Zhōngguó 中国	Xiānggǎng 香港	Shēnzhèn 深圳
2	Nánjīng 南京	Chángqí 长崎	Héběi 河北	Fújiàn 福建
3	Běijīng 北京	Měiguó 美国	Guǎngdǎo 广岛	Wǔhàn 武汉
4	Sìchuān 四川	Guìlín 桂林	Rìběn 日本	Yìndù 印度

美国＝アメリカ
广岛＝広島
武汉＝武漢

（三人で話しながら散歩する。道で数人の少女がこちらを指差しながら話をしている。突然，その少女たちが近づいてきて，江旭をとりかこむ）

少女：江旭，こんにちは！ サインしていただけますか？

　江：（すばやくサインする）

田村・劉：（顔を見合わせ，驚き，分からないといった表情）

　劉：（そっと一人の少女にたずねる）あなたたちどうして彼にサインをもらうの？

少女：彼，歌手でしょ。

単語

签名 qiānmíng ［動］サインする。

干吗 gànmá ［副］なぜ。どうして。

歌星 gēxīng ［名］歌手。

Key Sentence

你 什么 时候 来 的？
Nǐ shénme shíhou lái de?

あなたはいつ来たのですか

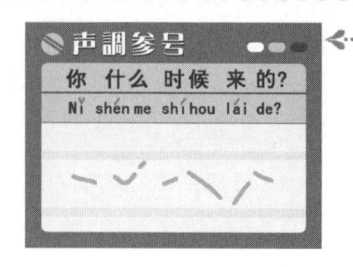

これは相手が目の前にいます。目の前にいるのですから，もうどこからかここに来たのは自明のこと。その上でいつ来たのか，それを聞くのがこの文です。

この文には"是"を補うことができます。

　　你是什么时候来的？　　Nǐ shì shénme shíhou lái de?

ご存じの"是〜的"構文です。

これはある動作がすでに実現済みで，その動作にかかわる「いつ，だれが，どこで，どうやって」などを特に取り立てて説明する構文です。

ここではもちろん「いつ」と時間を取り立てているわけです。

文末の"的"のかわりに"了"を使うと，

　　你什么时候来了？　（いつ来たの？）

相手がいるのに今気づいて驚いた質問になります。

文末に何もつけなければ，

　　你什么时候来？　（いつ来るの？）

これは未来のことを聞く質問です。ちょっとの違いですが，大きな意味変化が生じます。

●すでに学んだことですが疑問詞"**什么**"について思い出してください。2音節疑問詞ですから，shénme という「第2声＋軽声」の形ではありません。

それから"**时候**"shíhou ですが，"**时**"のほうが短いという点，要注意です。これは"**时间**"shíjiān の発音でも"**时**"が極端に短かったことと一致しています。

文末の"**来的**"lái de は自然に発音すればこのように"**的**"de は高くなるでしょう。

活用 Key Sentence

CD2-71

「いつ～したのですか？」を聞いてみましょう。

他是什么时候走的？
Tā shì shénme shíhou zǒu de ?
　（彼はいつ出かけたのですか）

这是什么时候买的？
Zhè shì shénme shíhou mǎi de ?
　（これはいつ買ったのですか）

你是什么时候来上海的？
Nǐ shì shénme shíhou lái Shànghǎi de ?
　（あなたはいつ上海に来たのですか）

那个公园是什么时候建的？
Nèige gōngyuán shì shénme shíhou jiàn de ?
　（あの公園はいつ造られたのですか）

～文法レッスン～

1．"是～的"構文

Key Sentence は"你什么时候来的？"，つまり"(是)～的"構文がテーマでした。この文型は疑問文ばかりでなく，ふつうの文でもよく現れます。

強調されるのはたいてい"是"の直後にきます。

1）まずだれという行為者が強調されるもの。

　　是谁教你的？　Shì shéi jiāo nǐ de ?（だれがあなたに教えたのですか）
　　这本小说是我朋友写的。　Zhèi běn xiǎoshuō shì wǒ péngyou xiě de.
　　（この小説は私の友人が書いたのです）

2）次は場所を強調するもの。

　　你们是在哪儿认识的？　Nǐmen shì zài nǎr rènshi de ?
　　（君たちはどこで知り合ったのだ？）

　　这是在东京照的。　Zhè shì zài Dōngjīng zhào de.
　　（これは東京で撮ったのです）

3）どうやってという方式が強調されているもの。

　　这个菜怎么做的？　Zhèige cài zěnme zuò de ?
　　（この料理はどうやって作るのですか）

　　你是怎么想的？　Nǐ shì zěnme xiǎng de ?
　　（あなたはどうお考えですか）

4）最後は時間を強調するものです。

　　你是哪一年出生的？　Nǐ shì nǎ yì nián chūshēng de ?
　　（あなたは何年生まれですか）

　　我是昨天刚到的。　Wǒ shì zuótiān gāng dào de.
　　（私は昨日着いたばかりです）

単語6姉妹
CD2-72

[好きな果物類]

咬　苹果 yǎo píngguǒ （りんごをかじる）

| 啃　玉米 kěn yùmǐ （とうもろこしをかじる） | 削　梨子 xiāo lízi （なしをむく） | 剥　香蕉 bāo xiāngjiāo （バナナをむく） | 切　西瓜 qiē xīguā （西瓜を切る） | 吃　柿子 chī shìzi （柿を食べる） |

2．あなたって本当に～。

親しい人になら"你真～"Nǐ zhēn ～という構文を使って「あなたって本当に～」と言うことができます。形容詞が大活躍です。

你真好。	hǎo	（よい人）
你真棒。	bàng	（すごい，大したものだ）
你真行。	xíng	（すごい，できる）
你真坏。	huài	（悪い）
你真损。	sǔn	（ひどい）
你真狠。	hěn	（むごい）
你真有意思。	yǒu yìsi	（おもしろい）
你真糊涂。	hútu	（まぬけだ）
你真傻。	shǎ	（おろかだ）
你真没劲。	méijìn	（つまらない）
你真厉害。	lìhai	（きつい）
你真能干。	nénggàn	（仕事ができる）
你真帅。	shuài	（かっこいい）
你真结实。	jiēshi	（丈夫だ）
你真瘦。	shòu	（痩せている）
你真酷。	kù	（クールでかっこいい）
你真贫。	pín	（くどくどうるさい）

相手に面と向かって言うわけですから，本当に親しくないと"坏"や"损"などを言うことはできませんね。日本でも「あんたってバカね」などと言い合っているのは恋人同士に限られます。中国語の"你真傻。"も同じです。

これも大好き……
洗 葡萄
xǐ pútao
（ぶどうを洗う）

悠三郎の文字なぞ

今日の字謎はこんな問題です。

加一笔不好，加一倍不少。
Jiā yì bǐ bù hǎo, jiā yí bèi bù shǎo.
（一筆を加えるとよくない，倍にすると少なくない）

字謎から言っても，試される中国語の力から言っても中級レベルの良問です。

ことばの道草

スター

　ついに江旭の正体が明かされました。女の子にサインを求められていましたが，彼は歌手で，かなりの有名人。その一方で大学で勉強や研究にもはげんでいるようです。

　歌手，昔は"歌唱家"gēchàngjiā と言っていましたが，スキットの中では"歌星"gēxīng でした。こちらのほうがわれわれのイメージする歌手に近い言葉です。

　"星"のついたこういう単語は最近たくさん登場するようになりました。

　一般的にスターというなら"明星"míngxīng です。昔日本で，『平凡』とか『明星』というスターの話題が載っている雑誌があったことを覚えています。

　映画スターなら"影星"yǐngxīng です。

　"笑星"xiàoxīng という言い方もあります。これはお笑いスター。人気のある"相声"xiàngsheng（漫才）の芸人をこう呼びます。

　サッカーなどのスポーツスターなら"球星"qiúxīng です。

　ダンスや踊りのスターは"舞星"wǔxīng です。こういうふうに簡単に単語が生まれるところが漢字の造語力のすごさです。

　新人スターというなら"新星"xīnxīng ですし，子役スターなら"童星"tóngxīng です。

　こういう単語はいずれも「逆引き辞典」には見当たりませんでした。やはり新しい語なんですね。

夕 xī　第2句目がヒントになる。倍にすると「少なくない＝"多"duō」だ。したがって"多"の半分で，"夕"が答え。これに一筆を加えると"歹"dǎi になる。言うまでもなく「よくない，悪い」という意味の形容詞だ。

❖ ここほれ中級 ❖

♣ "别～了"構文

好恵さんと江旭が仲よくなって，それをちょっとからかっている劉欣欣さん。本文では，すねているふうの欣欣さんにこう言います。

   别闹啦。 Bié nào la. （すねないでよ）

これが"别～了"構文です。この"啦"la は"了"le と"啊"a の合音です。
"别"は「～するな」と禁止を表しますが，二つのタイプがあります。

1) 今している行為について「～するな」と禁止する。

  别哭了。   Bié kū le.   （泣くな）
  你别再说了。   Nǐ bié zài shuō le. （もう話すな）
  别笑了。   Bié xiào le.   （笑っていないで）
  别睡了，起来吧。 Bié shuì le, qǐlai ba. （眠らないで，起きて）
  别唱了。   Bié chàng le.   （歌うのはやめて）
  别跑了，车已经开了。 Bié pǎo le, chē yǐjing kāi le.
        （走るな，もうバスは行っちゃったよ）
  别干了，休息吧。 Bié gàn le, xiūxi ba. （やめて，休みましょう）

これらはいずれも"别"にストレスをおいて言います。

2) まだしていない行為，未来の行為について「～するな」と言うもの。

  别忘了，八点见。 Bié wàng le, bā diǎn jiàn.
   （忘れないでね，8時に会いましょう）
  下雨了，你别出去了。 Xià yǔ le, nǐ bié chūqu le.
   （雨だから外出はやめなさい）
  这件事你可别说出去了。 Zhèi jiàn shì nǐ kě bié shuōchuqu le.
   （この件は口外してはならぬ）
  别喝多了。 Bié hēduō le. （飲みすぎないように）
  别写错了。 Bié xiěcuò le. （書き間違えないように）

こちらは動詞のほうにストレスがおかれます。

第39話

こうしてはいられない

（田村は宿舎でテレビを見ている）

田村：哎，这不是江旭吗？
Tiáncūn: Ái, zhè bú shì Jiāng Xù ma?

田村：请问，江旭在吗？不在。去图书馆了。
Qǐngwèn, Jiāng Xù zài ma? Bú zài. Qù túshūguǎn le.

没什么事儿，谢谢！
Méi shénme shìr, xièxie!

去图书馆了。
Qù túshūguǎn le.

对！
Duì!

田村：喂，我是田村。对，找欣欣。什么，她
Wéi, wǒ shì Tiáncūn. Duì, zhǎo Xīnxīn. Shénme, tā

去教室了？
qù jiàoshì le?

好，谢谢！没什么事儿。
Hǎo, xièxie! Méi shénme shìr.

田村：あれ，これ江旭じゃない？

（江旭に電話をかける）

田村：すみません，江旭いますか？　いませんか。図書館に行ったんですね。何でもありません，ありがとうございました。

（独り言）図書館へ行ったのか。

（突然思いついて）そうだ！

（田村は劉欣欣に電話をかける）

田村：もしもし，田村と言います。はい，欣欣をお願いします。えっ，教室に行ったんですか？　ええ，ありがとうございます。大したことではありませんから。

単語

没什么事儿　méi shénme shìr　［組］大したことではない。

找　zhǎo　［動］さがす。たずねる。電話で使うと「～さんをお願いします」の意味。

教室　jiàoshì　［名］教室。

田村：**人家** 都 在 **用功** 呢。
　　　Rénjia dōu zài yònggōng ne.

　　　　　　＊　＊　＊

田村：**大爷**。
　　　Dàye.

大爷：**是 田村 哪。你 没 课 呀？**
dàye：Shì Tiáncūn na. Nǐ méi kè ya?

田村：没 课。大爷，你 **在** 写 什么 呢？
　　　Méi kè. Dàye, nǐ zài xiě shénme ne?

大爷：新生 的 情况。更 好 地 为 你们
　　　Xīnshēng de qíngkuàng. Gèng hǎo de wèi nǐmen

　　　服务 呀。
　　　fúwù ya.

田村：我 也 不 能 浪费 时间 了！
　　　Wǒ yě bù néng làngfèi shíjiān le!

究極の聞き分け —— ci, ce, cu

この三組が聞き分けられ，発音し分けられれば発音もそろそろ卒業。

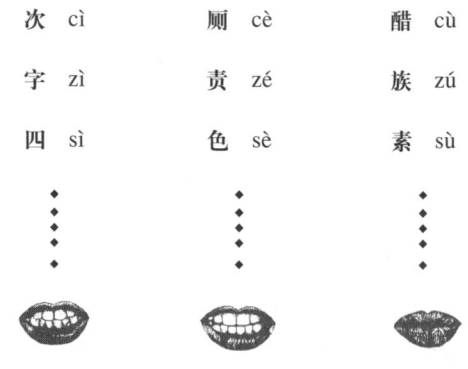

次 cì	厕 cè	醋 cù
字 zì	责 zé	族 zú
四 sì	色 sè	素 sù

口を横にひく　　ぼんやりあける　　丸くつき出す

422

（田村は電話をおき，興奮が徐々に冷めていく）

　　田村：（独り言）みんな勉強しているんだ。

（田村は管理人さんのところに行く）

　　田村：おじさん。

おじさん：田村さんか。授業はないの？

　　田村：ないんです。おじさん，**何を書いてるんですか？**

おじさん：新入生の状況だよ。君たちにもっとよくしてあげられるようにね。

　　田村：私ももう時間を無駄にできない！

単語

人家　rénjia　［名］人様。他人。

用功　yònggōng　［動］一生懸命に勉強する。

新生　xīnshēng　［名］新入生。

服务　fúwù　［動］サービスする。奉仕する。

浪费　làngfèi　［動］浪費する。むだにする。

Key Sentence

CD2-74

˘ ＼ ˘ ／ ・ ・

你　在　写　什么　呢？
Nǐ　zài　xiě　shénme　ne？

何を書いているんですか

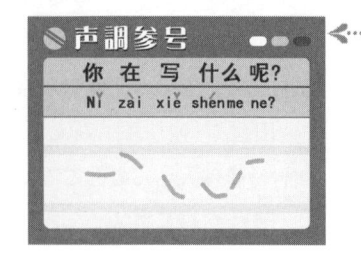

　　"在"はいくつかの用法がありますが、ここでは「動詞フレーズの前に使われて、動作の進行を表す」とされるもの。品詞は副詞です。

　　他在开会。　Tā zài kāihuì.（彼は会議中です）

"在"の直後には必ず動詞がこなければならないというものではありません。次は"不停地"bùtíng de という副詞性の連用修飾語がきています。

　　风在不停地刮。　Fēng zài bùtíng de guā.
　　（風がひっきりなしに吹いている）

文末にはよく"呢"がつきます。これも進行を表す語気助詞です。

　　你在听什么歌呢？　Nǐ zài tīng shénme gē ne？
　　（何の歌を聴いているの？）

同じく進行ですから"在"と相性がよいわけです。

●前回述べた2音節疑問詞の"什么"shénmeの調型に注意する以外は大きな問題はない文です。

　文頭の"你"nǐは自然な発音でいいでしょう。次の"在"zàiは「〜している」を表すもので文法的にも重要ですが，発音上でもストレスをおいて読まれています。

　同じく次の"写"xiěもきちんと発音しましょう。前後にも空白がありますが，これは"写"がきちんと余裕をもって発音されていることを表しています。

　"写"が済めばあとはあっさり"什么呢"shénme neを発音します。

✦ 活用 *Key Sentence*　　　　　　　　　　　　　　　　　　　CD2-75

動詞を入れ換えて言ってみましょう。

你　在　　干 gàn　　什么　呢？　（何をしているの？）
Nǐ　zài　　看 kàn　　shénme ne?　（何を見ているの？）
　　　　　　吃 chī　　　　　　　　（何を食べてるの？）
　　　　　　想 xiǎng　　　　　　　（何を考えてるの？）

〜文法レッスン〜

1.「何をしているの？」と聞かれたら……

　　你在做什么呢？　Nǐ zài zuò shénme ne?　（何をしているのですか）
　　你在干什么呢？　Nǐ zài gàn shénme ne?　（何をしているのですか）
　答えはいろいろありそうです。以下，"我在〜"の形で例文を並べておきますが，話し言葉では"我在"を省いてしまうことが多いようです。
　　我在等一个朋友。　　Wǒ zài děng yí ge péngyou.
　　　（友達を待っています）
　　我在给朋友写信呢。　Wǒ zài gěi péngyou xiě xìn ne.
　　　（友達に手紙を書いています）
　　我在看电视呢。　Wǒ zài kàn diànshì ne.　（テレビを見ています）
　　我在做饭呢。　　Wǒ zài zuò fàn ne.　　（食事の支度をしています）
　主語が"我"でないものも並べておきましょう。
　　他在洗澡呢。　　Tā zài xǐzǎo ne.　　　　（彼は風呂に入っています）
　　他在打电话呢。　Tā zài dǎ diànhuà ne.　（彼は電話をしています）
　　外边儿在下雨呢。　Wàibianr zài xià yǔ ne.　（外は雨が降っています）

2."用功"yònggōng など「学習する」動詞

　"用功"yònggōng は「努力して勉強する」こと。一生懸命に勉強するという雰囲気があります。ただ「勉強する」というのなら"学习"xuéxí でよいわけです。
　次のような例は"学习"で置き換えることができます。
　　他在图书馆用功呢。　Tā zài túshūguǎn yònggōng ne.　　　　（○学习）
　　　（彼は図書館で勉強しています）

単語 6 姉妹
CD2-76

［朝起きてから］

伸 懒腰　shēn lǎnyāo　（伸びをする）

梳 头发	洗 脸	擦 脸	刷 牙	拉开 窗帘
shū tóufa	xǐ liǎn	cā liǎn	shuā yá	lākai chuānglián
（髪をとかす）	（顔を洗う）	（顔を拭く）	（歯を磨く）	（カーテンをあける）

哥哥不怎么用功。　Gēge bù zěnme yònggōng.　　　　　（○学习）
　　（兄はろくに勉強もしない）

她每天用功到半夜。　Tā měitiān yònggōngdào bànyè.　　（○学习）
　　（彼女は毎日夜中まで勉強をしている）

しかし，次のような例は前に程度を表す副詞の"很"や"最"がついていますから，"学习"で置き換えることはできません。

他学习很用功。　Tā xuéxí hěn yònggōng.　　　　　　　（×学习）
　　（彼は勉強をとても頑張っている）

我们班她最用功。　Wǒmen bān tā zuì yònggōng.　　　　（×学习）
　　（私たちのクラスでは彼女が一番勉強している）

一方，"学习"のほうは後に目的語をとることができますが，"用功"は目的語をとることができません。

我想学习电脑。　Wǒ xiǎng xuéxí diànnǎo.　　　　　　　（×用功）
　　（私はコンピュータの勉強をしたい）

次のような例も"用功"では置き換えられません。

最近学习很紧张。　Zuìjìn xuéxí hěn jǐnzhāng.　　　　　（×用功）
　　（最近勉強が忙しい）

大学など学校に在学して勉強するという時には特に"念书"が使われます。

她在北京大学念书。　Tā zài Běijīng dàxué niànshū.
　　（彼女は北京大学で学んでいる）

次のような文脈なら"念"だけでもその意味を表すことができます。

我现在念大二。　Wǒ xiànzài niàn dà'èr.
　　（私は今大学2年に在学しています）

この世の一番の
しあわせ……

再 睡 一会儿
zài shuì　yíhuìr
（もう一眠り）

您 三郎の文字なぞ

林字多一半，别当森字猜。
　Lín zì duō yí bàn, bié dāng sēn zì cāi.

"林"の字"多一半"という。普通に読めば，"林"の字の半分を増やすのだから"森"という字になる。しかしそれはダメと予防線をはられている。"多一半"のもう一つの解釈は何か。

ことばの道草

新しいもの

新しい年は"新年"Xīnnián です。ところで中国語で"新年"と言えば太陽暦のほうの新年，つまり1月1日元旦のほうです。ですからこの時言う「明けましておめでとう」は"新年好！"Xīnnián hǎo！ でした。そして旧暦のほうの新年は"春节"Chūnjié と言います。この時の「おめでとう」は"春节好！"Chūnjié hǎo！ とか"过年好！"Guònián hǎo！ですね。もう学びました。

いずれにしろ年が改まると新しい人や事物が現れます。

管理人のおじさんは新しく来る新入生のために忙しそうでしたが，新入生は"新生"xīnshēng と言います。大学一年の新入生は"大一新生"dàyī xīnshēng です。

新入社員は"新人"xīnrén と言います。たとえば

公司来了几个新人。 Gōngsī láile jǐ ge xīnrén.
（会社に新入社員が何人か入った）

のように使います。この"新人"には「新郎新婦」という意味もあります。"一对新人"yí duì xīnrén などと言ったらこの意味です。

まだ仕事に慣れていない人，そういう意味での新人，つまり新米ですが，これは"新手"xīnshǒu と言います。

新しい恋人は"新欢"xīnhuān です。「新しい歓び」とは何とも巧みな造語です。

有了新欢，忘了旧人。 Yǒule xīnhuān, wàngle jiùrén.
（新しい恋人ができると古いほうは忘れてしまう）

という例文が中国の辞書に載っていました。

梦 mèng "多一半"のところを「"多"の半分」と考える。つまり"夕"だ。これを"林"と組み合わせる。すると"梦"の字ができあがる。これは「夢」の簡体字。

❖ ここほれ中級 ❖

♣ "人家" rénjia

"人家"はrénjiāと読めば「人家，家庭」の意味ですが，スキットの"人家"はrénjiaと後ろを軽声に読みます。

意味は大きく二つに分かれます。

一つは「他人，人様，彼」。つまり話をしている私やあなた以外の人を指します。

　　人家都在用功呢。 　Rénjia dōu zài yònggōng ne.
　　（人はみんな勉強しているんだ）

　　人家都走了，咱们也走吧。 　Rénjia dōu zǒu le, zánmen yě zǒu ba.
　　（みんな出かけたから，私たちも行こう）

　　听听人家的意见。 　Tīngting rénjia de yìjian.
　　（人の意見に耳を傾けよう）

　　我没有人家跑得快。 　Wǒ méiyou rénjia pǎode kuài.
　　（私は人様ほど速くは走れない）

　　人家小王早就知道了。 　Rénjia Xiǎo-Wáng zǎojiù zhīdao le.
　　（王君はとっくに知っていた）

　　你应该好好儿向人家学习。 　Nǐ yīnggāi hǎohāor xiàng rénjia xuéxí.
　　（君はよく人を見習うべきだよ）

もう一つは話し手自身を指すものです。つまり「私」です。不満があって，それをちょっと甘えて相手に訴えるような場面でよく使われます。

　　妈，人家已经不是小孩子了。 　Mā, rénjia yǐjing bú shì xiǎo háizi le.
　　（お母さん，私もう子供じゃないのよ）

　　人家不是故意的嘛，别生气啦。 　Rénjia bú shì gùyì de ma, bié shēngqì la.
　　（わざとじゃないんだから，怒らないでよ）

　　人家不想去嘛。 　Rénjia bù xiǎng qù ma. 　（私行きたくないんだってば）

　　人家等了都一个多小时了，你才来。
　　Rénjia děngle dōu yí ge duō xiǎoshí le, nǐ cái lái.
　　（もう1時間以上も待ったのよ，今ごろ現れて）

第40話 将来

（田村，劉欣欣，江旭が，黄浦江の遊覧船に乗っている） CD2-77

田村：啊，前边儿好壮观呀！
Tiáncūn: Ā, qiánbianr hǎo zhuàngguān ya!

刘欣欣：那边就是长江口。
Liú Xīnxīn: Nèibiān jiù shì Chángjiāng kǒu.

田村：真壮观！
Zhēn zhuàngguān!

刘欣欣：是啊。好惠，我感觉到一种冲动！
Shì a. Hǎohuì, wǒ gǎnjuédao yì zhǒng chōngdòng!

田村：什么冲动？
Shénme chōngdòng?

刘欣欣：我真想为这个世界做点儿什么。
Wǒ zhēn xiǎng wèi zhèige shìjiè zuò diǎnr shénme.

田村：うわあ，向こうのほうはなんて壮観なんだろう！
　劉：あれが長江の河口。
田村：ほんとうに壮観！
　劉：ほんと。好恵，私なんかこう突き上げてくるものを感じる。
田村：どんな思い？
　劉：心の底からこの世界のために何かしたいと思う。

単語

好 hǎo ［副］（後に形容詞がきて）とても。
壮观 zhuàngguān ［形］壮観である。
长江口 Chángjiāng kǒu ［組］長江の河口。
冲动 chōngdòng ［名］衝動。突き動かされるような思い。
真想～ zhēn xiǎng ～［組］本当に～したい。
为 wèi ［介］～のために。
世界 shìjiè ［名］世界。

田村： 欣欣，还 记得 咱们 在 文庙 时 许愿
　　　Xīnxīn, hái jìde zánmen zài Wénmiào shí xǔyuàn

　　　的 事儿 吗？
　　　de shìr ma?

刘欣欣： 记得。
　　　　Jìde.

田村： 我 想 我 已经 找到 答案 了！
　　　Wǒ xiǎng wǒ yǐjing zhǎodao dá'àn le!

刘欣欣： 是 吗？ 快 告诉 我。 答案 是 什么？
　　　　Shì ma? Kuài gàosu wǒ. Dá'àn shì shénme?

田村： 我 要 继续 学习， 回 国 后 报考 研究生。
　　　Wǒ yào jìxù xuéxí, huí guó hòu bàokǎo yánjiūshēng.

刘欣欣： 太 好 了！
　　　　Tài hǎo le!

発音のポイント "啊" a の変身

文の最後によく出てくる"啊"a。いろいろな語気を表しますが，前にどのような音がくるかにより音色が変わります。

ただ前の音に続けて自然に，なめらかに発音すればよいので，あまり気にすることはありません。

好啊！　Hǎo a!　⇨ Hǎo wa!（哇）
对啊！　Duì a!　⇨ Duì ya!（呀）
小心啊！Xiǎoxīn a!　⇨ Xiǎoxīn na!（哪）
是啊！　Shì a!　⇨ Shì ra!（啊）

変化した音を表す文字は（　）内に示したように書くのがふつうです。Shì a! の a の前の i はそり舌の i。zhi, chi, shi, ri の i ですね。そのそり舌の形が残ったまま a と言うので，ra という音になり，Shì ra! と書き表しました。「中国語基本音節表」にはない音ですが，そのように発音しているということで，音節表に現れない音がいろいろあるということです。

漢字はそのまま変わりません。

田村：（やや沈黙して）欣欣，私たちが文廟で願い事をした時のことを覚えてる？

劉：覚えてる。

田村：私，答えを見つけた！

劉：ほんと？　早く教えて。答えは何？

田村：私勉強を続ける。帰国したら大学院を受験する。

劉：それはいいね！

（江旭もうれしそうに田村を見ている）

単語

记得 jìde［動］覚えている。

文庙 Wénmiào［名］学問の神様孔子がまつられている廟。

许愿 xǔyuàn［動］願い事をする。

答案 dá'àn［名］答え。答案。

继续 jìxù［動］続ける。やり続ける。

报考 bàokǎo［動］試験を申し込む。受験の出願をする。

研究生 yánjiūshēng［名］大学院生。

Key Sentence

CD2-78

快　告诉　我。
Kuài　gàosu　wǒ.

早く私に教えて

　"快" kuài は「はやい」という形容詞ですが、ここでは連用修飾語として「はやく」の意味で使われています。

　次の動詞 "告诉" gàosu は日本人がうまく使いこなせないものの一つです。

　人に情報を伝え知らせることですが、「告げる」や「知らせる」「言う」のほかにこの Key Sentence のように「教える」にも相当します。

　　告诉你们一个好消息。　Gàosu nǐmen yí ge hǎo xiāoxi.
　　（よい知らせを教えてあげよう）

　また、上の例のように二重目的語構文をとることでもよく知られています。

　もう一つ、"告诉" はだれに情報を伝えるかが大事です。つまりふつうは人を表す目的語をとります。

●　"快" kuài はそう強く発音されていません。次の "告诉" gàosu がメインです。しかも "告诉" が第4声で高い始まりですから，"快" も同じ第4声ながら下まで下がり切ってはいません。"快" をあっさり発音し，次の "告诉" をきちんと発音するのがポイントです。

　　"告诉" gàosu は後ろが軽声です。第4声の後ですから "诉" su は自然と下がり調子になっています。

　　その流れのままに最後の "我" wǒ へとつながっていきます。

◆ 活用 Key Sentence　　　　　　　　　　　　　　　　CD2-79

「早く～して」という言い方です。

　　　　快帮帮我。　　Kuài bāngbang wǒ.　　（早く私を手伝ってください）

　　　　快教教她。　　Kuài jiāojiao tā.　　（早く彼女に教えてあげて）

　　　　快救救他吧。　Kuài jiùjiu tā ba.　　（早く彼を助けてください）

動詞の重ね型が使われていますが，ていねいに人に頼んでいるからです。重ね型を使わなくても大丈夫ですが，表現はよりストレートな感じになります。

　　　　快交给老师。　Kuài jiāogěi lǎoshī.　　（早く先生に渡して）

　　　　快放开我。　　Kuài fàngkāi wǒ.　　（早く私を放して）

～文法レッスン～

1．"那边就是长江口。"――あれが長江の河口。

「あれが＜つまり，ほかでもない＞長江の河口だよ」。このように「ほかでもない（そのものだ）」と強調する時に"就是"jiù shì が使われます。

　　这就是我们大学。　Zhè jiù shì wǒmen dàxué.
　　　（これがほかでもない私たちの大学です）

実際の訳文では「つまり」とか「ほかでもない」とまでは訳出しません。

　　这就是你写的那本书吗？　Zhè jiù shì nǐ xiě de nèi běn shū ma?
　　　（これが君が書いたあの本かい？）
　　这就是他送给我的那块手表。　Zhè jiù shì tā sònggěi wǒ de nèi kuài shǒubiǎo.
　　　（これが彼が僕にプレゼントしてくれた例の時計だよ）

"就是"で文が終わってしまう，次のような用法もあります。

　　请问，王先生在吗？　Qǐngwèn, Wáng xiānsheng zài ma?
　　――我就是。　Wǒ jiù shì.
　　　（王さんはいらっしゃいますか？
　　　　―私ですが）
　　请问，车站在哪儿？　Qǐngwèn, chēzhàn zài nǎr?
　　――往前走100米就是。　Wǎng qián zǒu yìbǎi mǐ jiù shì.
　　　（すみません，バス停はどこでしょうか？
　　　　―この先100メートル行くとそこです）

単語⑥姉妹
CD2-80

[大学院]

研究生院
yánjiūshēngyuàn
（大学院）

研究生
yánjiūshēng
（大学院生）

导师
dǎoshī
（指導教官）

奖学金
jiǎngxuéjīn
（奨学金）

硕士 论文
shuòshì lùnwén
（修士論文）

博士 论文
bóshì lùnwén
（博士論文）

2．"为" wèi——ために

"为"は介詞として「～のために」と訳されます。いくつか用法があります。

1) 原因を表す。

大家都为这件事高兴。 Dàjiā dōu wèi zhèi jiàn shì gāoxìng.
（みんなはこのことで喜んだ）

她正在为没考上大学哭呢。 Tā zhèngzài wèi méi kǎoshang dàxué kū ne.
（彼女は今大学に受からなかったために泣いているところだ）

2) 目的を表す。＝"为了" wèile

为中日友好干杯！ Wèi Zhōng-Rì yǒuhǎo gānbēi！
（日中友好のために乾杯！）

我们要为世界和平作出贡献。 Wǒmen yào wèi shìjiè hépíng zuòchu gòngxiàn.
（世界平和のために貢献しなくてはならない）

　この時は"为了"で置き換えてもかまいません。

为了让他专心学习不开电视。 Wèile ràng tā zhuānxīn xuéxí bù kāi diànshì.
（彼に集中して勉強させるためにテレビをつけない）

为了学好汉语去中国留学。 Wèile xuéhǎo Hànyǔ qù Zhōngguó liúxué.
（中国語をマスターするために中国に留学する）

3) 奉仕の対象を導く。

妈妈为儿子洗衣服呢。 Māma wèi érzi xǐ yīfu ne.
（おかあさんは息子のために洗濯をしている）

为朋友出力。 Wèi péngyou chūlì.
（友人のためにひとはだ脱ぐ）

为人民服务。 Wèi rénmín fúwù.
（人民に奉仕する）

芸術系だと……
毕业 创作
bìyè chuàngzuò
（卒業制作）

🉠 三郎の文字なぞ

あの中国で、字谜は毎日だれかが作っている，というところがすごいですね。

鸡　进　村中　鸟　飞去。
Jī　jìn　cūnzhōng　niǎo　fēiqu.
（鶏が村の中に入り鳥が飛び去った）

字谜に親しんできた方なら物足りないくらいのレベルでしょう。

ことばの道草

大学院

好恵さんのこれから。それはもう一度大学で勉強を続けるというものでした。

いったん社会に出て，大学院を受験する人が増えてきました。そういう方のほうが，学部からすんなり院に入った人よりよく勉強します。再び学校に戻るということは，勉強の大切さを痛感したからでしょう。心構えと意気込みが違います。

大学院，中国語では"研究生院"yánjiūshēngyuàn と言います。そして大学院生は"研究生"yánjiūshēng です。日本の「研究生」と紛れやすいですね。日本では，学部を卒業してなお勉強を続けたい人や大学院の受験準備をしたい人が研究生になるのがふつうです。よく間違えるので，中国語で話す時は"就是日语的研究生"（つまり日本語のほうの研究生）などとわざわざ区別します。

修士の院生，博士の院生，そしてポストドクター，それぞれ次のように言います。

硕士研究生 shuòshì yánjiūshēng **博士研究生** bóshì yánjiūshēng
博士后 bóshìhòu

中国ではどの大学にも大学院が認められているわけではありません。教員スタッフ，大学院生が一定のレベルと数量を満たしていないと"研究生院"という呼称は使えません。

もう一つ，中国には"在职研究生"zàizhí yánjiūshēng という院生がいます。大学院に所属し勉強しながら一方で教員として教えている人です。講師を2，3年やりながら修士論文を書くわけです。優秀な人は卒業後すぐに先生として採用され，仕事をしながら一方で大学院で勉強も続けます。

树 shù

"鸡"が"村"の中に入り込みます。その上で，そこから"鸟"だけ飛び去ります。すると"树"という字ができあがりました。素直な問題です。

♣ ここほれ中級 ♣

♣覚えている？

「まだ覚えている？」，中国語でなら"你还记得吗？"Nǐ hái jìde ma？です。"记得"jìde はこれで一つの単語。辞書にも項目として出ています。"得"は単語の一部，語の構成成分です。以下は"记得"の仲間です。

  认得 rènde、　　晓得 xiǎode、　　觉得 juéde、　　显得 xiǎnde、

  值得 zhíde、　　省得 shěngde、　　免得 miǎnde、　　懒得 lǎnde

否定はふつうの動詞や形容詞と同じく，前に"不"をおきます。(ただし"省得、免得、懒得"の三つは否定形がありません)

  你认得路吗？ Nǐ rènde lù ma？　(あなたは道を知ってますか)

  我不晓得。 Wǒ bù xiǎode.　(私は分かりません)

  我懒得理他。 Wǒ lǎnde lǐ tā.　(彼にかまうのは面倒で嫌だ)

  她显得很年轻。 Tā xiǎnde hěn niánqīng.　(彼女は若く見える)

これに対して，動詞の後に用い「可能」や「許可」(〜できる，許される)を表す"得"があります。

  用得 yòngde、　　吃得 chīde、　　穿得 chuānde

形は似ていますが，意味が違います。

  这件衣服他还穿得吗？　Zhèi jiàn yīfu tā hái chuānde ma?

  (この服彼はまだ着られるか)

  这种野菜吃得，那种吃不得。 Zhèi zhǒng yěcài chīde, nèi zhǒng chībude.

  (この野草は食べられるが，あれは食べられない)

否定形も異なります。動詞と"得"の間に"不"を入れるのです。

  书包里有电脑，压不得。　Shūbāo li yǒu diànnǎo, yābude.

  (かばんの中にパソコンが入っているから押してはいけない)

  我舍不得离开这里。　Wǒ shěbude líkāi zhèlǐ.

  (私はここから離れたくない)

このほかにも〈様態補語を導く"得"〉や〈可能補語の"得"〉などいろいろあります。

  说得很清楚。 Shuōde hěn qīngchu.　(はっきりと話す)

  你拿得动吗？ Nǐ nádedòng ma？　(あなた持てますか)

第41話 もうすぐ帰国

（校内で。劉欣欣と田村が話しながら歩いてくる）　　　　　　　CD2-81

劉欣欣 / Liú Xīnxīn： 是 吗？这么 快 就 要 回 国 了？
Shì ma? Zhème kuài jiù yào huí guó le?

田村 / Tiáncūn： 是 呀，我 也 觉得 时间 过得 太 快 了。
Shì ya, wǒ yě juéde shíjiān guòde tài kuài le.

劉欣欣、田村： 王 老师！
Wáng lǎoshī!

王老师 / Wáng lǎoshī： 哟，是 你们 俩 呀。田村，你 回 国
Yō, shì nǐmen liǎ ya. Tiáncūn, nǐ huí guó

的 票 订好 了 吗？
de piào dìnghǎo le ma?

田村： 我 已经 买了 下 星期三 的 票 了。
Wǒ yǐjing mǎile xià xīngqīsān de piào le.

大爷 / dàye： 王 老师，正 好，有 一 封 您 的 信
Wáng lǎoshī, zhèng hǎo, yǒu yì fēng nín de xìn

寄到 留学生楼 了。我 正 要 给 您
jìdao liúxuéshēnglóu le. Wǒ zhèng yào gěi nín

送去。田村，你 也 有 一 封 信。
sòngqu. Tiáncūn, nǐ yě yǒu yì fēng xìn.

440

劉：そうなの？　そんなにすぐ帰国するの？
　　田村：うん，時間がたつのはあっという間だね。
（王先生が前から歩いてくる）
劉・田村：王先生！
　　王先生：おお，君たちか。田村さん，帰国のチケットは予約したかい？
　　田村：もう来週水曜日の航空券を買いました。
（江旭とおじさんがやってくる）
おじさん：王先生，ちょうどよかった，留学生寮に先生宛の手紙が来ておりました。ちょうど届けにいくところだったんですよ。田村さんにも手紙が来ていたよ。

単語

这么快　zhème kuài　［組］そんなにすぐ。こんなにはやく。

就要〜了　jiù yào 〜 le　［組］間もなく〜する。

时间过得太快了　shíjiān guòde tài kuài le　［組］時間のたつのがとてもはやい。

票　piào　［名］チケット。

订　dìng　［動］予約する。

下星期三　xià xīngqīsān　［組］来週の水曜日。

正好　zhèng hǎo　［組］ちょうどよい。

留学生楼　liúxuéshēnglóu　［名］留学生寮。

送去　sòngqu　［動］届けに行く。

田村：大爷，我 要 回 国 了。
　　　Dàye, wǒ yào huí guó le.

大爷：你 要 回 国 啦？留学生 早晚 都 有
　　　Nǐ yào huí guó la? Liúxuéshēng zǎowǎn dōu yǒu

　　　这 一 天。
　　　zhèi yì tiān.

　　　嗐，我 不 知道 送走了 多少 留学生 啦。
　　　Hài, wǒ bù zhīdào sòngzǒule duōshao liúxuéshēng la.

田村：这 半 年 谢谢 您 对 我 的 关照。
　　　Zhè bàn nián xièxie nín duì wǒ de guānzhào.

　　　有 机会 我 一定 回来 看 你们。
　　　Yǒu jīhuì wǒ yídìng huílai kàn nǐmen.

王老师：田村 星期三 走，星期一 咱们 给 她
　　　　Tiáncūn xīngqīsān zǒu, xīngqīyī zánmen gěi tā

　　　　饯行 好 不 好？
　　　　jiànxíng hǎo bù hǎo?

众人：好 啊！
　　　Hǎo a!

田村：おじさん，**私帰国することになりました。**

おじさん：帰国するのかい？　留学生は遅かれ早かれこの日が来るからね。やれやれ，もう何人の留学生を見送ったことか。

田村：この半年間いろいろお世話いただき，どうもありがとうございました。機会があったら，必ず会いにきます。

王先生：田村さんは水曜日に出発だから，月曜日にみんなで送別会をやりませんか？

一同：はい！

単語

要～了　yào～le　［組］間もなく～する。

早晚　zǎowǎn　［副］遅かれ早かれ。いずれは。

嗐　hài　［感］やれやれ。ああ。気落ち，残念，後悔などの気分を表す。

关照　guānzhào　［動］世話をする。面倒をみる。

机会　jīhuì　［名］機会。チャンス。

饯行　jiànxíng　［動］送別会をする。

Key Sentence

CD2-82

˘ ˋ ˊ ˊ ˙

我 要 回 国 了。
Wǒ yào huí guó le.

私帰国することになりました

間もなくあることが起ころうとすることを表す構文"要～了"です。

"回国"とは「帰国する」。つまり，間もなく帰国することになりました，ということです。

"要～了"の間には動詞または動詞フレーズが現れます。

　　要下雨了。　Yào xià yǔ le.　（雨になりそうだ）

　　要上课了。　Yào shàng kè le.　（間もなく授業が始まる）

"下雨"や"上课"はもちろんまだ未実現なのですが，もう実現態勢にはいっているわけです。つまり「雨が間もなく降る」という事態に立ち至ったというのです。ですから，これらの文の否定には"不"ではなく"没有"が使われます。

また次のように文頭に"又"がつくことも珍しくありません。

　　又要考试了。　Yòu yào kǎoshì le.　（また試験がある）

●はじめの"我"wǒ は典型的な半3声です。低く低くおさえられています。
　次の"要"yào は直後の"回国"huí guó を意識しています。"要"と"回国"がスムーズにつながっていることをご覧ください。
　"回国"では hui の発音が＜消える e ＞で huei のようになることを確認すること。もう一つは"回"は典型的な第2声の調型ですが，"国"のほうはあまり第2声の形をしていないことにご注意ください。
　その影響もあり，文末の"了"le のほうが高くなっています。"要〜了"の形で，この"了"の大切さも確認してください。

◆ 活用 *Key Sentence*　　　　　　　　　　　　　　CD2-83

「もうすぐ〜する」「間もなく〜だ」という言い方です。

这本书要读完了。　　Zhèi běn shū yào dúwán le.
（この本はもうすぐ読み終わる）

飞机要起飞了。　　Fēijī yào qǐfēi le.
（飛行機は間もなく離陸する）

他要上中学了。　　Tā yào shàng zhōngxué le.
（彼はもうすぐ中学に上がる）

天要黑了。　　Tiān yào hēi le.
（間もなく日が暮れる）

〜文法レッスン〜

◆「間もなく〜する」

"要〜了"がスキットに出てきましたが,"就要〜了"という言い方もあります。"快（要）〜了"という言い方もあります。
簡単に比較しておきましょう。

1) 状況を観察して「どうやら〜だ」と推測する時には"要〜了"yào 〜 le を使います。

看样子要下雨了。 Kàn yàngzi yào xià yǔ le.
（どうやら雨になりそうだ）

"快〜了"や"快要〜了","就要〜了"などはほとんど使われません。

* **看样子快下雨了。**
* **看样子快要下雨了。**
* **看样子就要下雨了。**

2) "要〜了"などにくらべて"就要〜了"jiù yào 〜 le のほうが「間もなく起こる」という切迫性があります。

学生时代要结束了。 Xuésheng shídài yào jiéshù le.
（学生時代が終わろうとしている）

学生时代就要结束了。 Xuésheng shídài jiù yào jiéshù le.
（学生時代が間もなく終わる）

他快结婚了。 Tā kuài jiéhūn le.
（彼は結婚する）

他就要结婚了。 Tā jiù yào jiéhūn le.
（彼はもうすぐ結婚する）

3) 「いまにも〜するところだった」ということを表す時には,よく"差点儿" chàdiǎnr や"几乎" jīhū "都" dōu が現れます。

単語6姉妹
CD2-84

[里帰り]

決定日期
juédìng rìqī
（日にちを決める）

收拾行李
shōushi xíngli
（荷物をまとめる）

订机票
dìng jīpiào
（チケットを予約する）

准备钱
zhǔnbèi qián
（お金の用意をする）

买礼物
mǎi lǐwù
（お土産を買う）

打扫房间
dǎsǎo fángjiān
（部屋の掃除をする）

我差点儿就要喊出来了。　Wǒ chàdiǎnr jiù yào hǎnchulai le.
　　（私はもう少しで叫ぶところだった）

　　她几乎要晕过去了。　Tā jīhū yào yūnguoqu le.
　　（彼女は気を失うところだった）

　　我撑得肚子都快要爆了。　Wǒ chēngde dùzi dōu kuài yào bào le.
　　（お腹がいっぱいでもうはちきれそうだ）

4） 前に時間を表す語句がある時には"就要～了"jiù yào ～ le を用います。

　　还有三个月他就要回国了。　Hái yǒu sān ge yuè tā jiù yào huí guó le.
　　（あと3ヶ月で彼は帰国する）

　　＊还有三个月他快（要）回国了。

　　再过五天就要到春节了。　Zài guò wǔ tiān jiù yào dào Chūnjié le.
　　（あと5日で春節だ）

　　＊再过五天快（要）到春节了。

　　飞机马上就要在北京机场降落了。
　　Fēijī mǎshàng jiù yào zài Běijīng jīchǎng jiàngluò le.
　　（飛行機は間もなく北京空港に着陸する）

　　＊飞机马上快在北京机场降落了。

5） 述語が数量を表す時は"快～了"kuài ～ le を用い，"快要～了"kuài yào ～ le はあまり使われません。

　　快十点了。　Kuài shí diǎn le.
　　（もうすぐ10時だ）

　　他快21岁了。　Tā kuài èrshiyī suì le.
　　（彼はもうすぐ21歳だ）

ただし，後に文が続く時は"快要～了"が使われます。

　　快要十点了，你快点儿！　Kuài yào shí diǎn le, nǐ kuàidiǎnr !
　　（もうすぐ10時だ，急いで）

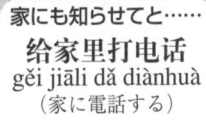

家にも知らせてと……
给家里打电话
gěi jiāli dǎ diànhuà
（家に電話する）

悠 三郎の文字なぞ

一見やさしい問題ですが——。
　　一　口　咬掉　牛　尾巴。
　　Yì　kǒu　yǎodiào　niú　wěiba.
　　（一口で牛のしっぽを食いちぎる）
牛のしっぽを食べる，これは簡単だが，それだけでは字にならない。一工夫要る。

447

ことばの道草

ゆく人，くる人

好恵さんが間もなく帰国すると聞いて，管理人のおじさんの一言，
嗐，我不知道送走了多少留学生啦。
　　（やれやれ，もう何人の留学生を見送ったことか）
　会うは別れのはじめと言いますが，出会った人とはいつか別れがやってきます。別れの会，それが"欢送会"huānsònghuì です。日本語でも「歓送会」と言いますね。"饯行"jiànxíng（遠くに行く人を送別する）という動詞を使うと次のような構文になります。
　我们给她饯行吧。　　Wǒmen gěi tā jiànxíng ba.
　"给"gěi のかわりに"为"wèi を使うこともできます。
　しかし，一方で人生には新しい出会いもあります。人を迎えるほうは"欢迎会"huānyínghuì です。日本語でも「歓迎会」と言いますね。こちらは"接风"jiēfēng（遠来の客を歓迎する）という動詞を使い，次のような構文になります。
　我们给他接风吧。　　Wǒmen gěi tā jiēfēng ba.
　こちらも"给"のかわりに"为"を使ってもかまいません。
　こんな言葉を聞いたことがあります。
　迎客饺子，送客面。　　Yíng kè jiǎozi, sòng kè miàn.
「お客を迎える時には餃子を食べ，人を見送る時は麺を食べる」。どうしてか，理由は聞くのを忘れました。
　送るとか迎えるとか関係なく，ともかく集まって楽しもう，というなら"联欢会"liánhuānhuì とか"新年晚会"Xīnnián wǎnhuì，"春节晚会"Chūnjié wǎnhuì などです。

告 gào　"牛"のしっぽを取るだけでは字にならない。そこに"口"を加える。この問題は意外にできない。

❖ ここほれ中級 ❖

♣ 遅かれ早かれ

「遅い」と「早い」を合わせて「遅かれ早かれ」と言います。「いずれにしろ，どちらにしろ」という意味になります。

中国語にも同じような"早晩"zǎowǎn があります。"早"と"晩"という正反対の２語を組み合わせて「遅かれ早かれ，早晩，いずれにしろ」という意味の副詞ができあがります。

面白いことに，このようにしてできている語がいくつかあります。しかも，意味もみな似ています。

【早晩】
　早晩得做，早做完就没事了。
　Zǎowǎn děi zuò, zǎo zuòwán jiù méi shì le.
　（早晩やらねばならぬことだから，早くやってしまえば何でもない）

【反正】
　反正我不让你走。　Fǎnzheng wǒ bú ràng nǐ zǒu.
　（いずれにしろ私はお前を行かせはしない）

【横竖】
　横竖他看不上人家。　Héngshu tā kànbushàng rénjia.
　（いずれにしても彼は人を見下しているよ）

【好歹】
　好歹你也是个大学生，做这点儿事是应该的。
　Hǎodǎi nǐ yě shì ge dàxuéshēng, zuò zhèi diǎnr shì shì yīnggāi de.
　（どうであれ君も大学生なのだから，これぐらいのことをするのは当然だ）

以上の例は次のような場合とは全く別の意味ですね。

　早晩天凉，要多加衣服。　Zǎowǎn tiān liáng, yào duō jiā yīfu.
　（朝晩は冷えるから多めに服を着なさい）

　不知好歹。　Bù zhī hǎodǎi.（ものの善悪を知らない）

第42話

いつもの3人

(キャンパスで。劉欣欣は，江旭と田村が歩きながら話しているのを見て，こっそり近づいていって驚かせる)

CD2-85

刘欣欣: 你们俩约会呢？
Liú Xīnxīn: Nǐmen liǎ yuēhuì ne?

江旭: 你说什么呢！
Jiāng Xù: Nǐ shuō shénme ne!

我在路上碰见好惠，她说要去
Wǒ zài lùshang pèngjian Hǎohuì, tā shuō yào qù

买回国的礼物，非让给当参谋。
mǎi huí guó de lǐwù, fēi ràng gěi dāng cānmóu.

田村: 要是你没事儿也跟我们一起去
Tiáncūn: Yàoshi nǐ méi shìr yě gēn wǒmen yìqǐ qù

吧？
ba?

刘欣欣: 我去算什么？当电灯泡啊？
Wǒ qù suàn shénme? Dāng diàndēngpào a?

江旭: 看你说的。走吧，一起去吧。
Kàn nǐ shuō de. Zǒu ba, yìqǐ qù ba.

有些东西我也不懂，还得你来。
Yǒuxiē dōngxi wǒ yě bù dǒng, hái děi nǐ lái.

刘欣欣: 好吧。愿意为二位效劳。
Hǎo ba. Yuànyi wèi èr wèi xiàoláo.

劉：デート中？

江：何言ってんだよ！
　　道で好恵に会ったら，日本へのお土産を買いにいくから，ぜひ一緒にって頼まれたんだ。

田村：もし時間があるなら，あなたも一緒に行かない？

劉：私が行ってどうするの？　おじゃま虫になるだけでしょ？

江：またそんなこと言って。行こう，一緒に行こう。何がいいのか僕には分からないのもあるから，君にも来てほしいんだ。

劉：分かった，お二人の力になりましょう。

単語

约会　yuēhuì　[名]　デート。

说什么呢　shuō shénme ne　[組]　何だよ。何言っているんだ。

碰见　pèngjian　[動]　出会う。ばったり会う。

非让给当参谋　fēi ràng gěi dāng cānmóu　[組]　ぜひとも参謀になってもらわなければならない。→ぜひ相談にのってほしい。"非让我给她当参谋不可"という文を話し言葉で省略した言い方。

要是　yàoshi　[接]　もしも。

没事儿　méi shìr　[組]　用がない。暇である。

我去算什么?　wǒ qù suàn shénme?　[組]　私が行ってどうするの？

当电灯泡　dāng diàndēngpào　[組]　電球になる。恋人たちは暗いところでひそかに愛を語り合いたい。第三者が人のデートについていくと，まるで電球のように二人を照らす。人のデートについていく，余計なおじゃま虫のたとえ。

看你说的　kàn nǐ shuō de　[組]　まったくそんなこと言って（しょうがない）。

得　děi　[助動]　必要である。要する。

效劳　xiàoláo　[動]　力を尽くす。骨を折る。

江旭：**这 件 怎么样？**
　　　Zhèi jiàn zěnmeyàng?

田村：**好 是 好， 是 不 是 有点儿 花 了？**
　　　Hǎo shì hǎo, shì bú shì yǒudiǎnr huā le?

刘欣欣：**不 花。 挺 好看 的。 你 去 试试。**
　　　　Bù huā. Tǐng hǎokàn de. Nǐ qù shìshi.

江旭：**女人 怎么 都 这么 喜欢 买 东西 呢？**
　　　Nǚrén zěnme dōu zhème xǐhuan mǎi dōngxi ne?

　　　　　　* * *

江旭：**好惠， 你 干脆 把 商场 搬回去 得了。**
　　　Hǎohuì, nǐ gāncuì bǎ shāngchǎng bānhuiqu déle.

田村：**对不起， 对不起。**
　　　Duìbuqǐ, duìbuqǐ.

（三人がデパートに到着。江旭がチーパオを手に）
　江：これはどう？
田村：いいにはいいけど，ちょっと派手じゃない？
　劉：派手じゃないよ。すごくきれい。着てみたら。
（しばらくして，江旭がいくつか袋を提げて，女性二人の後ろに従う）
　江：女の人ってどうしてこんなに買い物が好きなんだろう？
（田村がまた何か買ってくる）
　江：好恵，いっそお店ごと持って帰れば。
田村：ごめん，ごめん。
（そう言いながら劉欣欣と田村は江旭の手からいくつか袋を取り，また別のものを見にいく）

単語

好是好 hǎo shì hǎo ［組］よいことはよいが。
花 huā ［形］派手である。
干脆 gāncuì ［副］いっそのこと。思い切って。
商場 shāngchǎng ［名］ショッピングセンター。デパート。
搬回去 bānhuiqu ［動］運んで持ち帰る。
得了 déle ［助］〜すればそれでいい。

Key Sentence

CD2-86

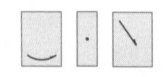

　＼　　＼　　⌣ ・ ＼
　这　　件　　怎么样？
　Zhèi　jiàn　zěnmeyàng?

これはどうですか

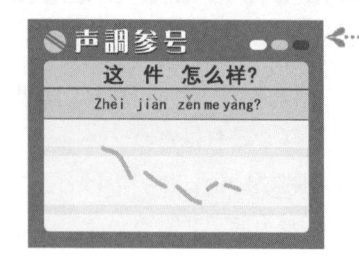

　　この文は江旭がチャイナドレスを手にして言うものです。ドレスなど服を数える時の量詞は"件"です。手に持って示しているので"这件"で十分です。わざわざ"衣服"yīfu とか"旗袍"qípáo などとつけ加える必要はありません。
　　また逆に，中国語はこのように量詞が必要ですから，場面がなくても，"这"＋量詞のみで何を指しているのか，ある程度の予測がつきます。
　　たとえば次は量詞が"张"zhāng ですから，「写真」か「机」か「ベッド」などについて言っているのだろうと予測可能です。

　　这张怎么样？　Zhèi zhāng zěnmeyàng?（これはどうですか）

日本語で「これどう？」は何についてたずねているのか，文脈や場面がなければ見当がつきません。量詞の力です。
　　"怎么样"は「どうですか，いかがですか」とたずねる疑問詞です。この場合は相手の評価を聞いています。よいですか，悪いですか，気に入りましたかということです。
　　また「意向」を問う場合もあります。

　　明天怎么样？　Míngtiān zěnmeyàng?（明日はいかがですか）

都合がよいかを聞いているわけです。「状況」を聞く時もあります。

　　最近怎么样？　Zuìjìn zěnmeyàng?（最近はいかがですか）

●はじめの"这"の発音ですが，ここはすでに学んだように，直後に量詞がきていますから話し言葉では zhèi と発音されることが多いようです。もちろん zhè でもかまいません。

　手に服を持って"这件"（これ）と言っている場面です。ほかならぬ「これは」どうかと言うのです。"这件"にストレスが置かれます。

　これと対照的に，この後の"怎么样"zěnmeyàng のほうはあっさりと流している発音です。"怎么样"全体が低くまとまっていることが見てとれます。

✦ 活用 *Key Sentence*　　　　　　　　　　　　　　　CD2-87

まず指示詞＋量詞で「これ，あれ」と指しましょう。

这双	Zhèi shuāng	怎么样？ zěnmeyàng ?	（靴，はしなど）
那本	Nèi běn		（本類）
那条	Nèi tiáo		（スカート，ズボンなど）

次に状況をたずねてみましょう。

身体	Shēntǐ	怎么样？ zěnmeyàng ?	（体調）
工作	Gōngzuò		（仕事）
味道	Wèidao		（味）

最後に，相手の意向を聞きましょう。

星期天	Xīngqītiān	怎么样？ zěnmeyàng ?	（日曜日はどう？）
晚上吃面条	Wǎnshang chī miàntiáo		（晩ご飯はうどんでどう？）

～文法レッスン～

1．"非～不可" fēi～bùkě ――是非とも～

スキットで次のような文が出てきました。

　　非让给当参谋。 Fēi ràng gěi dāng cānmóu.

これは話し言葉での省略の多い言い方でした。正しくは,

　　非让我给她当参谋不可。 Fēi ràng wǒ gěi tā dāng cānmóu bùkě.

　　　（私が彼女のために参謀＝相談役にならなければ承知しない）

のようになります。

　さて, 大きく見れば, この文は"非～不可" fēi～bùkě 構文です。
"非～不可"構文の特徴は最後の"不可"がよく省かれるということです。

　　她非叫我一起去。 Tā fēi jiào wǒ yìqǐ qù.

　　　（彼女は私に一緒に行こうと言ってきかない）

　　他非让我再说一遍。 Tā fēi ràng wǒ zài shuō yíbiàn.

　　　（彼は私にどうしてももう一度話せと迫る）

　　我说别买, 可他非要买。 Wǒ shuō bié mǎi, kě tā fēi yào mǎi.

　　　（私は買うなと言うのだが, 彼はどうしても買うと言ってきかない）

　　这件事我非问问他不可！ Zhèi jiàn shì wǒ fēi wènwen tā bùkě！

　　　（この件はどうしても彼にたずねなければ）

　　我非学会不可！ Wǒ fēi xuéhuì bùkě！

　　　（私はどうしてもマスターしなければ）

　以上は「決心」や「決意」を表すものです。もう一つ, この構文は「推測」を表すこともできます。「～に違いない」というものです。

単語6姉妹　CD2-88　［最近買った物］

| 帽子 màozi（帽子） |
| 手套 shǒutào（手袋） |
| 围巾 wéijīn（マフラー） |
| 锤子 chuízi（トンカチ） |
| 香皂 xiāngzào（せっけん） |
| 画册 huàcè（画集） |

喝这么多你非醉了不可。　Hē zhème duō nǐ fēi zuì le bùkě.
　　（こんなに飲んだら酔っぱらっちゃうわよ）

他非生气不可。　Tā fēi shēngqì bùkě.
　　（彼は怒るに違いない）

你非后悔不可。　Tā fēi hòuhuǐ bùkě.
　　（あなたきっと後悔するよ）

再不走非迟到不可。　Zài bù zǒu fēi chídào bùkě.
　　（もう出かけないときっと遅刻するよ）

2．"好是好" hǎo shì hǎo ── よいことはよいが

"是"の前後に同じ語句をおき，「AであることはAである」といったん事実として認めた上ですぐに「しかし～」と逆接に転じる構文です。逆接を表すには"就是" jiù shì や"不过" búguò "可是" kěshì などが使われます。

好是好就是太贵了。　Hǎo shì hǎo jiù shì tài guì le.
　　（よいことはよいがただひどく高い）

累是累，不过玩儿得很高兴。　Lèi shì lèi, búguò wánrde hěn gāoxìng.
　　（疲れたけれど，とても楽しかった）

学过是学过，可是都忘了。　Xuéguo shì xuéguo, kěshì dōu wàng le.
　　（学んだことは学んだのだけれどみんな忘れてしまった）

次は"是"の前後がまったく同じではありません。後ろの要素には助動詞がついているタイプです。

这种车开是会开，就是不太熟练。
Zhèi zhǒng chē kāi shì huì kāi, jiù shì bú tài shúliàn.
　　（この車は運転できるけれど，あまり慣れていない）

去是想去，就是有点儿远。　Qù shì xiǎng qù, jiù shì yǒudiǎnr yuǎn.
　　（行きたいことは行きたいがただちょっと遠い）

勉強の本も買ってるよ……

中日词典
Zhōng-Rì cídiǎn
（中日辞典）

您 三郎の文字なぞ

文字当てクイズも終盤戦です。今回は少し難問です。

啤酒厂　出酒。
Píjiǔchǎng chū jiǔ.
（ビール工場から酒が出荷される）

やさしそうですが，"啤"と"厂"で1字にするところが悩ましい。

ことばの道草

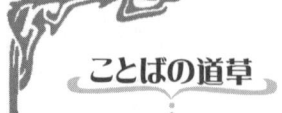

恋はたのし

　恋人同士は二人きりになりたいもの。第三者がわりこめば，おじゃま虫です。中国語でなら"电灯泡"diàndēngpào（電気の球）と言います。なぜ"电灯泡"なのでしょう。

　電球はこうこうと明るいもの。明るく二人を照らし出します。これでは暗いところでひっそり恋を語り合いたい恋人達の思惑に反します。こういう使い方をします。

　　我可不去给你们当电灯泡。
　　　Wǒ kě bú qù gěi nǐmen dāng diàndēngpào.
　　　（お二人のおじゃまになるから私はご遠慮します）

　「二またをかける」は"脚踩两只船"と言います。文字どおり「どちらの船にも乗れるように二またかけている」わけです。

　　她发现自己的男朋友脚踩两只船，就跟他分手了。
　　　Tā fāxiàn zìjǐ de nánpéngyou jiǎo cǎi liǎng zhī chuán, jiù gēn tā fēnshǒu le.
　　　（彼女は彼が二またをかけていたことを知るとすぐに別れた）

　一目惚れという言葉があります。相手に会った瞬間「ビビッ」としびれる感覚，中国語にも同じような表現があり，"触电的感觉"chùdiàn de gǎnjué と言います。電気に触れてビリビリするのです。

　　我一见他就有一种触电的感觉。
　　　Wǒ yí jiàn tā jiù yǒu yì zhǒng chùdiàn de gǎnjué.
　　　（彼に会った瞬間ビビッときた）

　あんなのがいいかねえ，と他人が思おうとも本人同士がよければすべてよしというのが恋で，こういうのを「あばたもえくぼ」と言います。

　　情人眼里出西施。 Qíngrén yǎnli chū Xīshī.
　　　（恋人の目には相手はあの美人の西施に見える）

　西施とは春秋時代の人で，美女の代名詞。

碑 bēi　"厂"を小さくして"口"と組み合わせ"石"偏にする。大きさを変えるというところが思いつかない。

♣ ここほれ中級 ♣

♣ おんな・女性・女子……

女性を表す語はけっこうあります。しかし，その使い分けとなるとやっかいです。

【女的】ふつうの会話の中で，その年令と関係なく使われる。

　　会场上女的不多。　Huìchǎng shang nǚ de bù duō.
　　（会場には女の人は少ない）

　　我们的老师是女的。　Wǒmen de lǎoshī shì nǚ de.
　　（私たちの先生は女性です）

【女士】大人の女性に対する敬意をこめた呼び方。

　　前边那位女士，请等一下。　Qiánbian nèi wèi nǚshì, qǐng děng yíxià.
　　（そちらの女性の方，ちょっとお待ちください）

　　女士们，先生们，晚上好！　Nǚshìmen, xiānshengmen, wǎnshang hǎo！
　　（淑女，紳士のみなさま，今晩は）

【女人】大人の女性の，とくに性別を意識した言い方。

　　漂亮的女人　piàoliang de nǚrén　（きれいな女性）

　　一个大男人怎么像女人一样爱计较。
　　Yí ge dà nánrén zěnme xiàng nǚrén yíyàng ài jìjiào.
　　（大の男がどうして女みたいにこまかなことをうるさく言えようか）

【妇女】一般に成人した女性を指し，正式な場面で多く用いられる。

　　妇女杂志　fùnǚ zázhì　（女性雑誌）

　　保护妇女和儿童的权益　bǎohù fùnǚ hé értóng de quányì
　　（女性と児童の権益を守る）

　　世界妇女代表大会　shìjiè fùnǚ dàibiǎo dàhuì　（世界女性代表大会）

【女性】女性を，男性に伍して生きている，社会の一員として見る時に用いることが多い。敬意が含まれる。また広い地域の女性を指す時にも用いる。

　　职业女性　zhíyè nǚxìng　（働く女性）

　　女性地位的提高　nǚxìng dìwèi de tígāo　（女性の地位の向上）

　　中国女性　Zhōngguó nǚxìng　（中国の女性）

第43話 送别会

（レストランで。田村のための歓送会を開いている）　CD2-89

众人： **干杯！**
Gānbēi!

王老师： **田村，你也说几句吧。**
Wáng lǎoshī: Tiáncūn, nǐ yě shuō jǐ jù ba.

田村： **今天大家在百忙之中特意来为**
Tiáncūn: Jīntiān dàjiā zài bǎi máng zhī zhōng tèyì lái wèi
我开欢送会，非常感谢！
wǒ kāi huānsònghuì, fēicháng gǎnxiè!
我这次来中国留学收获很大。
Wǒ zhèi cì lái Zhōngguó liúxué shōuhuò hěn dà.
学到了很多东西。……
Xuédaole hěn duō dōngxi. ……

江旭： **对，前天你也买了很多东西。**
Jiāng Xù: Duì, qiántiān nǐ yě mǎile hěn duō dōngxi.

江旭： **菜都来了，快！长话短说，我**
Cài dōu lái le, kuài! Cháng huà duǎn shuō, wǒ
要坚持不住了。
yào jiānchíbuzhù le.

一同：乾杯！

王先生：田村さん，一言お願いします。

　田村：今日は皆さんお忙しい中，わざわざ私のために歓送会を開いてくださって，本当にありがとうございました。今回の中国留学では，たくさんの収穫がありました。いろんなことを勉強しました。……

　　　江：そうそう，おとといは買い物もたくさんしたしね。

（一同聞いて笑う）

　　　江：料理もそろったし，早く！　手短に頼むよ，もう待ち切れない。

（また笑いが起こる。その後みんなが食べ始める）

単語

说几句　shuō jǐ jù　［組］二言三言話す。少し話をする。

在百忙之中　zài bǎi máng zhī zhōng　［組］お忙しい中。

特意　tèyì　［副］わざわざ。

欢送会　huānsònghuì　［名］歓送会。

收获　shōuhuò　［名］収穫。

前天　qiántiān　［名］おととい。

长话短说　cháng huà duǎn shuō　［組］手短に話す。

坚持不住　jiānchíbuzhù　［動］こらえ切れない。我慢できない。

王老师：田村，这个送给你作个纪念吧。
　　　　Tiáncūn, zhèige sònggěi nǐ zuò ge jìniàn ba.

刘欣欣：这是我的一点儿心意。
Liú Xīnxīn : Zhè shì wǒ de yìdiǎnr xīnyì.

江旭：这是我的。
　　　Zhè shì wǒ de.

大爷：这是我的。
dàye : Zhè shì wǒ de.

田村：谢谢。谢谢你们！我一辈子也忘不了
　　　Xièxie. Xièxie nǐmen! Wǒ yíbèizi yě wàngbuliǎo

大家。
dàjiā.

江旭：相信我们还会再见面的。
　　　Xiāngxìn wǒmen hái huì zài jiànmiàn de.

刘欣欣：就是。有缘千里来相会嘛。
　　　　Jiù shì, Yǒu yuán qiānlǐ lái xiāng huì ma.

王老师：来，大家在一起照张相吧！
　　　　Lái, dàjiā zài yìqǐ zhào zhāng xiàng ba!

江旭：准备好了吗？一……二……
　　　Zhǔnbèihǎo le ma? Yī …… èr ……

众人：茄子！
　　　Qiézi!

462

王先生：田村さん，これをあなたに，記念にしてください。

劉：**これは私のほんの気持ちです。**

江：これは僕からだ。

おじさん：これは私から。

田村：ありがとう。みんな，ありがとう！

　　　私，一生皆さんのことを忘れません。

江：また会えると信じてるよ。

劉：そうよ。縁があればどんなに離れていてもまた会える。

王先生：さあ，みんなで一緒に写真を撮ろう！

江：準備はいいですか？　一……二……

一同：チーズ！

単語

送给　sònggěi　［動］〜に贈る。〜にあげる。

纪念　jìniàn　［名］記念。

心意　xīnyì　［名］気持ち。

一辈子　yíbèizi　［名］一生。

忘不了　wàngbuliǎo　［動］忘れられない。

就是　jiù shì　［動］そのとおり。（同意を表す）

有缘千里来相会　yǒu yuán qiānlǐ lái xiāng huì　［組］縁があればどんなに離れていてもまた会える。

茄子　qiézi　［名］（写真を撮る時に言う）チーズ。"茄子"と発音すると口が笑った形になることから。

Key Sentence

CD2-90

这 是 我 的 一点儿 心意。
Zhè shì wǒ de yìdiǎnr xīnyì.

これは私のほんの気持ちです

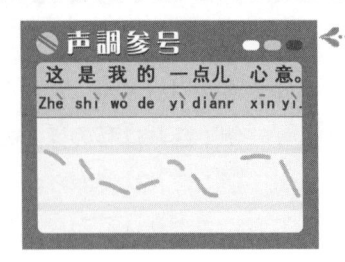

人に何かをプレゼントする時にこう言います。"一点儿心意"とは少しの気持ちということです。"心意"のかわりに"意思"yìsi とか"小意思"xiǎo yìsi と言ってもかまいません。

这是我的一点儿小意思。 Zhè shì wǒ de yìdiǎnr xiǎo yìsi.

いずれにしてもへりくだった表現です。このほかにも次のようにへりくだった，けんそんした表現に使われます。

这只是我个人的一点儿意见。
Zhè zhǐ shì wǒ gèrén de yìdiǎnr yìjian.
（これは私の個人的な意見にすぎません）

自分の意見，多くは人と異なる意見などですが，それを述べた後でこのようにつけ加えます。"只"を使ったり"个人"を加えたりして，けんそんの度を高めていることが分かります。

●手にプレゼントなどを持って「これは」と言うものです。はじめの"这"zhè も十分な強さがあります。

それから"我的"wǒ de は場合によりますが，何人かがそれぞれプレゼントをあげる場面では，これは「わたしの」ですとハッキリ言うことになります。声調参号では強調されていませんが，こういうところは具体的な場面によって臨機応変に発音し分けることになります。

"一点儿"yìdiǎnr ははじめの"一"のほうを明瞭に発音します。

最後の"心意"xīnyì はきちんと第1声＋第4声に発音しましょう。心を込める感じを出しましょう。

◆ 活用 Key Sentence　　　　　　　　　　　　　　CD2-91

"心意"のところを，いろいろと入れ替えてみましょう。

这	是	我	的	一点儿
Zhè	shì	wǒ	de	yìdiǎnr

想法 xiǎngfa （これは私のちょっとした思いつきです）

感想 gǎnxiǎng （これは私のただの感想です）

尝试 chángshì （これは私のほんの試みです）

いずれもへりくだった物言いです。

～文法レッスン～

1．一生忘れない

私，一生皆さんのことを忘れません。好恵さんの歓送会でのせりふです。

　　我一辈子也忘不了大家。　Wǒ yíbèizi yě wàngbuliǎo dàjiā.

この文の特徴は"一辈子"という数量表現が述語の前にあることです。そして後ろには必ず否定の言葉がきます。ここでは"忘不了"ですね。数量表現と否定辞の間に"也"があるのも特徴です。

以下，すべて同じ構文です。

　　我一次也没去过国外。　Wǒ yí cì yě méi qùguo guówài.
　　（私は一度も外国に行ったことがありません）

　　这些书我一本也没看过。　Zhèxiē shū wǒ yì běn yě méi kànguo.
　　（これらの本は私は一冊も読んだことがありません）

　　现在的电影我一个也没兴趣。 Xiànzài de diànyǐng wǒ yí ge yě méi xìngqù.
　　（今の映画には私は全然興味を覚えません）

　　他一口茶也没喝就走了。　Tā yì kǒu chá yě méi hē jiù zǒu le.
　　（彼は一口もお茶を飲まずに出かけました）

　　中国歌儿我一首也不会唱。　Zhōngguó gēr wǒ yì shǒu yě bú huì chàng.
　　（中国の歌は私は一曲も歌えません）

　　你怎么一句话也不说？　Nǐ zěnme yí jù huà yě bù shuō？
　　（君はどうして一言も口をきかないのかね）

数量は必ず"一"プラス量詞でした。日本語とも共通することですから，理解しやすいでしょう。

単語6姉妹
CD2-92

怒りの6面相

瞪 眼睛
dèng yǎnjing
（にらみつける）

皱 眉头
zhòu méitóu
（眉をしかめる）

噘嘴
juēzuǐ
（口をとがらす）

鼓起腮帮子
gǔqi sāibāngzi
（ふくれる）

叉腰
chāyāo
（仁王立ちになる）

哇哇 大哭
wāwā dàkū
（大泣きする）

2．"大家在一起照张相吧！"——一緒に写真を撮ろう！

「写真を撮ろう」は"照张相"zhào zhāng xiàng と表現されています。ここでも量詞が現れています。"照"と"相"の間にある"张"がそうです。

このような量詞は，数詞の"一"yī が省かれているため，私たちはややもすると見逃しがちです。

晩上给我来个电话！　Wǎnshang gěi wǒ lái ge diànhuà !
（夜，僕に電話をかけてくれ）

您喝杯茶。　Nín hē bēi chá.
（お茶をどうぞ）

来，吃块糖。　Lái, chī kuài táng.
（キャンデーをお一つどうぞ）

大家一起唱首歌儿吧。　Dàjiā yìqǐ chàng shǒu gēr ba.
（みんなで一曲歌おうよ）

到了那儿来封信！　Dàole nàr lái fēng xìn !
（向こうに着いたら手紙をくれよ）

以上の例，相手に何かを頼む場面ばかりです。

こういう場合ばかりでなく，動詞と目的語名詞の間に量詞が出現することはよく観察されるのですが，人に何かしてくれるよう頼む場合が多いということも知っておくべきでしょう。つまり，この量詞の挿入によって，やはり「ちょっとという軽い感じ」が生まれ，それが，相手の負担軽減，軽くすすめる，ていねいにお願いするといった働きをしているのです。

でも甘いものをもらえば……
笑眯眯
xiàomīmī
（ニコニコする）

您三郎の文字なぞ

典型的な字谜の一つ。頭のトレーニングにもいい。

加上一直，减少一点。
Jiāshang yì zhí, jiǎnshǎo yì diǎn.
（一本直線を加え，一つ点を減らす）

さてどこに加え，どこから減らすのか。それが分かれば解けます。

ことばの道草

決まり文句

好恵さんの歓送会が始まりました。

こういう時には何か一言求められます。ふだんはきゃぴきゃぴ言葉を話している人も、いざとなると「本日はお忙しいところ……」とかしこまった文句を並べます。まあ、こういった月並みな決まり文句もいくつかは心得ておく必要がありそうです。

乾杯の音頭もたいていワンパターンですね。

祝大家身体健康，工作順利，干杯！
Zhù dàjiā shēntǐ jiànkāng, gōngzuò shùnlì, gānbēi!
（皆さんのご健康とお仕事の発展を祈って、乾杯！）

いくつか聞いたことのある、決まり文句、並べておきましょう。

能有机会参加今天的晚会，我感到非常荣幸！
Néng yǒu jīhuì cānjiā jīntiān de wǎnhuì, wǒ gǎndào fēicháng róngxìng!
（本日のパーティにお招きいただきまして大変光栄に存じます）

我代表本公司的全体职员，热烈欢迎各位的到来。
Wǒ dàibiǎo běn gōngsī de quántǐ zhíyuán, rèliè huānyíng gè wèi de dàolái.
（我が社の全職員を代表し皆様のおいでを心より歓迎いたします）

感谢大家出席今天的晚会。
Gǎnxiè dàjiā chūxí jīntiān de wǎnhuì.
（今日のパーティにご出席いただきまして本当にありがとうございます）

宴たけなわで名刺の交換などをしながら、こう言います。

久仰久仰！ Jiǔyǎng jiǔyǎng!
（お名前はかねがね）

初対面ではありますがご高名は伺っております、ということです。

步 bù　"上"に一つ直線を加え、"少"から一つ点を減らす。日本語の「歩」と違い、下の「少」の点がないことに注意。

ここほれ中級

♣ "忘不了"

"忘不了" wàngbuliǎo のように「動詞＋"不了"」は，その動作ができないことを表します。すなわち，「忘れることができない」「忘れられない」です。
　いくつか例を挙げましょう。

腿坏了，走不了了。　　Tuǐ huài le, zǒubuliǎo le.
（足がダメになった，歩けない）

没电了，手机用不了。　Méi diàn le, shǒujī yòngbuliǎo.
（電気が切れた，携帯が使えない）

明天有事，来不了。　　Míngtiān yǒu shì, láibuliǎo.
（明日は用事があって来られない）

这件事现在还定不了。　Zhèi jiàn shì xiànzài hái dìngbuliǎo.
（この件は今まだ決められない）

　もう一つの用法は，「～し切れない」というもの。量が多くて食べ切れないとか，量が多くて覚え切れないとか，距離が遠くてそこまで到達できないとか，動作の対象の量が多くて，「完成し切れない，やりおおせない」というものです。

腿不好，走不了那么远。　Tuǐ bù hǎo, zǒubuliǎo nàme yuǎn.
（足の具合が悪いので，そんなに遠くまで行けない）

记不了那么多生词。　　Jìbuliǎo nàme duō shēngcí.
（そんなにたくさんの単語を覚え切れない）

菜太多了，吃不了。　　Cài tài duō le, chībuliǎo.
（料理が多すぎて食べ切れない）

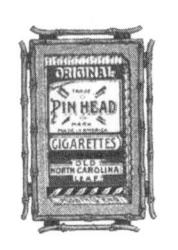

第44話

「再見！」

（空港で。田村が劉欣欣と一緒に車で先に到着。ロビーに入ると，田村はあたりを見回し，何かを探している様子）

CD2-93

刘欣欣：**托运 行李 好像 是 在 那边。**
Liú Xīnxīn： Tuōyùn xíngli hǎoxiàng shì zài nèibiān.

田村：**我 看见 了。江 旭 怎么 还 没 来？**
Tiáncūn： Wǒ kànjian le. Jiāng Xù zěnme hái méi lái?

刘欣欣：**就 是 的。男 主角 不 到，下面 的 戏 怎么 演 呀？**
Jiù shì de. Nán zhǔjué bú dào, xiàmian de xì zěnme yǎn ya?

田村：**你 尽 开 玩笑！我 先 去 办 托运 行李 的 手续 了。**
Nǐ jìn kāi wánxiào! Wǒ xiān qù bàn tuōyùn xíngli de shǒuxù le.

江旭：**嘿，刘 欣欣，好惠 呢？**
Jiāng xù： Hēi, Liú Xīnxīn, Hǎohuì ne?

刘欣欣：**你 可 来 了。她 已经 走 了。**
Nǐ kě lái le. Tā yǐjing zǒu le.

江旭：**别 骗 我 了！**
Bié piàn wǒ le!

劉：手荷物を預けるのはあそこみたい。

田村：分かった。江旭はどうしてまだ来ないのかな？

劉：まったく。主役が来ないんじゃ，このあとのお芝居が続けられないよね？

田村：冗談ばっかり。じゃあ，先に手荷物の手続きを済ませてくる。

（そう言って立ち去る。この時，江旭が走ってくる）

江：ああ，劉欣欣，好恵は？

劉：やっと来たね。もう行っちゃったよ。（冗談を言う）

江：うそつくなよ！

単語

托运 tuōyùn ［動］（荷物を）預ける。託送する。

行李 xíngli ［名］荷物。

就是的 jiù shì de ［組］そうだね。まったく。

主角 zhǔjué ［名］主演。主役。

戏 xì ［名］芝居。劇。

尽开玩笑 jìn kāi wánxiào ［組］冗談ばかり言う。"尽"は「ことごとく，～ばかり」。

手续 shǒuxù ［名］手続き。

骗 piàn ［動］うそをつく。だます。

471

田村：江旭，你来了。
　　　Jiāng Xù, nǐ lái le.

江旭：手续都办好了？
　　　Shǒuxù dōu bànhǎo le?

田村：办好了。
　　　Bànhǎo le.

江旭：这个给你，我灌的CD，准备下个月发行。
　　　Zhèige gěi nǐ, wǒ guàn de CD, zhǔnbèi xià ge yuè fāxíng.

田村：谢谢，我一定会好好儿保存。
　　　Xièxie, wǒ yídìng huì hǎohāor bǎocún.

刘欣欣：祝你一路平安！再见。
　　　Zhù nǐ yílù píng'ān! Zàijiàn.

田村：谢谢！我走了。再见。
　　　Xièxie! Wǒ zǒu le. Zàijiàn.

江旭：后会有期！
　　　Hòu huì yǒu qī!

田村：再见！
　　　Zàijiàn!

（田村が手続を済ませて戻ってくる。江旭を見て喜ぶ）

田村：江旭，来てくれたんだね。

江：手続きはもう全部済んだの？

田村：済んだ。

江：これあげる，僕の吹き込んだCDなんだけど，来月発売になるから。

田村：ありがとう，いつまでも大事にする。

（アナウンス：東京行き中日航空245便は，ただいまから搭乗を開始します）

劉：**気をつけて！　またね！**

田村：ありがとう。それじゃ。さようなら。

江：また会えるよ！

田村：さようなら！

〈終〉

単語

灌　guàn　［動］注ぎ込む。吹き込む。録音する。

发行　fāxíng　［動］発行する。

保存　bǎocún　［動］保存する。とっておく。

一路平安　yílù píng'ān　［成］旅立つ人に，旅行の安全を祈って贈る言葉。道中ご無事で。お気をつけて！

后会有期　hòu huì yǒu qī　［成］また会う機会がある。また会える。ふつうは"再见"と言うが，取り立てて「また会える」ことを強調したい時に用いる。

Key Sentence
CD2-94

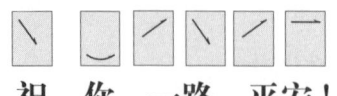

祝　你　一路　平安！
Zhù nǐ yílù píng'ān !

気をつけて，よい旅を

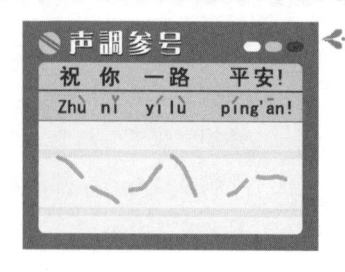

　これから旅立つ人に，どうぞ気をつけてと，旅の安全，無事を祈って贈る言葉です。よく「道中ご無事で」などと訳しますが，実際はもっとあっさりと「じゃあ，気をつけて」などと言っていますね。
　"祝"を使ったこの文型はすでに学びました。

　　祝大家春节愉快！　Zhù dàjiā Chūnjié yúkuài !

春節の時の「明けましておめでとうございます」でした。また年賀状に書くといえば次もそうです。

　　祝你万事如意！　Zhù nǐ wànshì rúyì !

　　　（何事もうまくいきますように）

誕生日のお祝いにも使われます。

　　祝你生日快乐！　Zhù nǐ shēngri kuàilè !

　　　（お誕生日おめでとう）

次は手紙の末尾などにも使われます。

　　祝你身体健康，工作顺利！　Zhù nǐ shēntǐ jiànkāng, gōngzuò shùnlì !

　　　（ご健康とお仕事の順調ならんことをお祈りいたします）

　"一路平安"とは「旅のあいだ中，無事安全で」という意味ですが，"平安"のみ使われ，これを類義語の"安全"ānquánなどで置き換えることはできません。

●はじめの"祝你"zhù nǐ はひたすら下がり続けます。"你"はただ低く低くすればよいということです。

次の"一路"yílù，そして"平安"píng'ān，いずれもそれぞれの声調の形がきちんと出ています。

それでも同じ第2声ですが，"一"yí と"平"píng をくらべると，"一"のほうがはっきりとした調型です。これは"一"が母音のみの韻母ですから引っぱり上げやすいのに対し，"平"は鼻音韻母であることがかかわっているのでしょう。

最後の"安"ān も十分に上がり切らない"平"の後を受ける形で始まっています。

"安"は声母（つまり頭子音）がゼロですが，むしろ「ゼロ声母」が存在するように発音します。具体的にはのどをきゅっとしめつけて（専門的にはグロッタルストップと言います），a をきちんと出します。

◆ 活用 *Key Sentence*　　　　　　　　　　　CD2-95

旅立つ人に贈る言い方，あと二つ覚えましょう。

祝你旅途愉快！　Zhù nǐ lǚtú yúkuài !

これはこれから楽しい旅に出る人に言います。

次は，旅行や仕事などが順調にと言うものです。

祝你一路顺风！　Zhù nǐ yílù shùnfēng !

外国に行って，ビジネスや勉強を頑張ろうとしている人なら，こう言ってもかまいません。

祝你成功！　Zhù nǐ chénggōng !（成功を祈ります）

475

～文法レッスン～

◆別れの言葉

　日本語の「さようなら」を言うと，本当に長い長い別れになりそうです。それにくらべ，中国語の

　　　再见！　Zàijiàn！

は明るく言えます。"再见"は「また会いましょう」だからです。

　それをちょっと重々しく言えば，江旭の言葉：

　　　后会有期。　Hòu huì yǒu qī.

になります。今後，われわれはまた会う機会がある，という四字成語です。

　しばらくしてまた会おう，つまり「またあとで」というなら，

　　　回头见！　Huítóu jiàn！
　　　待会儿见！　Dāi huìr jiàn！

です。「明日会おう」なら

　　　明天见！　Míngtiān jiàn！

と言えばよいのでした。

　最近は英語の *bye-bye* から来た"拜拜"をよく耳にします。ちゃんとした成人もおじさん，おばさんも盛んにこれを使います。

　　　拜拜！　Báibái！

発音はちょっと第2声のように言います。

　もう少し長い，別れのセリフも言えるようになりましょう。

　　　希望能有机会再见。　Xīwàng néng yǒu jīhuì zàijiàn.
　　　（またお会いできる機会のあることを願っています）

単語6姉妹 CD2-96	中国土産には	手绢 shǒujuàn（ハンカチ）	
电影的VCD diànyǐng de VCD（映画のVCD）	信封、信笺 xìnfēng、xìnjiān（封筒、便せん）	中国的杂志 Zhōngguó de zázhì（中国の雑誌）	印泥 yìnní（朱肉）	小古董 xiǎogǔdǒng（小さな骨董）

この"再见"はまさに「再び会う」ですね。このセリフは去るほう，見送るほう，どちらが言ってもかまいません。

見送るほう専用のセリフなら，これです。

  欢迎您以后再来。 Huānyíng nín yǐhòu zài lái.
  （またどうぞおいでください）

これに対して，去るほうはこう返します。

  以后有机会，我一定再来看您。 Yǐhòu yǒu jīhuì, wǒ yídìng zài lái kàn nín.
  （折があれば，またきっと会いに参ります）

さらに，別れた後，連絡を取り合いましょうと約束します。

  以后常来信。 Yǐhòu cháng láixìn.（これからはお手紙をください）

最近は，手紙じゃなくて，電子メールですね。

  以后我们用伊妹儿常联系吧。 Yǐhòu wǒmen yòng yīmèir cháng liánxì ba.
  （これからメールでちょくちょく連絡を取り合いましょう）

そうこうしているうちに，別れの時刻が近づいてきます。

  这次来给你添麻烦了。 Zhèi cì lái gěi nǐ tiān máfan le.
  （この度はご面倒をおかけしました）

駅や空港まで見送りに来てくれた人には，わざわざ足を運んでくれたことのお礼も言います。

  谢谢您特意来送我。 Xièxie nín tèyì lái sòng wǒ.
  （わざわざお見送りありがとうございます）

接待したほうが「行き届きませんでした」と言うなら，こちらです。

  招待不周，请多原谅。 Zhāodài bù zhōu, qǐng duō yuánliàng.
  （行き届きませんで，お許しください）

そして最後はやはり"再见！"と言い合って別れます。

子供にはこれ……

熊猫娃娃
xióngmāo wáwa
（パンダのぬいぐるみ）

您三郎の文字なぞ

最後はわたしのお気に入りの字謎です。
小勺儿，炒豆儿，炒了仨，蹦了俩。
Xiǎo sháo'ér, chǎo dòu'ér, chǎole sā, bèngle liǎ.
（小さなシャクシで,豆をいる,三ついったら,二つがとび出た）

このとおりにやってみてください。マメはそれらしく描いてください。

ことばの道草

組合わせ連語

CDを吹き込む。中国語では"灌"guànを使います。"灌CD"です。"灌"とは本来「水をかける，水を注ぐ」ということです。考えてみれば日本語の「吹き込む」だって，気体を吹き入れること，これが「録音する」という意味で使われているわけですから不思議ですよね。

このように各言語ごとに，「動詞＋目的語」の組合わせで，習慣的に決まった言い方があります。私たちは「テレビを消す」と言います。文字どおりとれば手品みたいでしょう。テレビを消し去ってしまうのですから。中国語なら"关电视"guān diànshìです。電流の通路を遮断する"关"guānを使います。日本の「辞書は引く」もの，中国では"查词典"chá cídiǎn，調べるものです。「電話はかける」ものと思ったら，中国では"打电话"dǎ diànhuà，打つものでした。

外国語を学ぶということは，こういう組合わせをたくさん覚えることでもあるのです。

なぞなぞを当てる	猜谜语	cāi míyǔ
料理を注文する	点菜	diǎn cài
電話に出る	接电话	jiē diànhuà
手続きをする	办手续	bàn shǒuxù
ファックスを送る	发传真	fā chuánzhēn
大学院を受ける	考研究生	kǎo yánjiūshēng
アルバイトをする	打工	dǎ gōng
インターネットをする	上网	shàng wǎng
恋をする	谈恋爱	tán liàn'ài

心 xīn　まずシャクシを描き，真中に豆(点)を描く。それから右と左に一つずつ飛び出した点を描く。

❖ ここほれ中級 ❖

♣ **そうなんです。——同意の"就是","就是的"**

あなたの言うとおり，と相手の言うことに同意する。それが"就是" jiù shì です。

这儿的菜真不错。 Zhèr de cài zhēn búcuò.（ここの料理おいしいね）

——就是，我介绍的还能错!? Jiù shì, wǒ jièshào de hái néng cuò!?
（でしょ，わたしの紹介にハズレなしよ）

咱们应该给他买个礼物吧? Zánmen yīnggāi gěi tā mǎi ge lǐwù ba?
（彼に何か手土産を買って行ったほうがいいよね）

——就是，我也这么想。 Jiù shì, wǒ yě zhème xiǎng.
（うん，わたしもそう思う）

ところで今日のスキットに出てきたのは，こんなやりとりでした。

江旭怎么还没来? （江旭どうしてまだ来ないんだろう）

——就是的。（まったく）

ここでは"就是的"と"的"がついています。"的"がつくと同意するには違いないのですが，「不満なこと」について同意する時に用いられます。上のやりとりも江旭が来ないことに対して「まったくしょうがない」と不満を抱いているわけです。一方，"的"のない"就是"のほうは不満の有無にかかわらず，両方に用いられます。

这也太贵了! Zhè yě tài guì le!（これも高いわね）

——就是（的）。谁买得起呀!? Jiù shì (de). Shéi mǎideqǐ ya!?
（まったく。だれが買うんだろう）

今天的饺子可真咸。 Jīntiān de jiǎozi kě zhēn xián.
（今日のギョーザ，塩からいね）

——就是（的）。都是爸爸，放了那么多盐。
Jiù shì (de). Dōu shì bàba, fàngle nàme duō yán.
（ほんと，お父さんが塩入れすぎ）

这盘录像好像看过了。 Zhèi pán lùxiàng hǎoxiàng kànguo le.
（このビデオ見たんじゃない）

——就是（的）。我说别借这盘嘛。 Jiù shì (de). Wǒ shuō bié jiè zhèi pán ma.
（そうよ。だから借りるのやめとこうと言ったでしょ）

Key Sentence の おさらい
全44フレーズ

1
我 是 田村 好惠。
Wǒ shì Tiáncūn Hǎohuì.

私は田村好惠です

2
对不起。
Duìbuqǐ.

すみません

3
你 来 了!
Nǐ lái le!

いらっしゃい！

4
这 是 谁 的 书?
Zhè shì shéi de shū?

これはだれの本ですか

5
厕所 在 哪儿?
Cèsuǒ zài nǎr?

トイレはどこですか

6
还 要 别 的 吗?
Hái yào bié de ma?

他にも何か要りますか

7
你 喜欢 喝 咖啡 吗?
Nǐ xǐhuan hē kāfēi ma?

あなたはコーヒーが好きですか

8
那个 汤 真 好喝。
Nèige tāng zhēn hǎohē.

あのスープは本当においしかった

9
"下海" 是 什么 意思?
"Xiàhǎi" shì shénme yìsi?

「下海」ってどういう意味ですか

10 麻烦 您 了!
Máfan nín le!

ご面倒をおかけします

11 请问, 去 徐家汇 怎么 走?
Qǐngwèn, qù Xújiāhuì zěnme zǒu?

すみません,徐家匯へはどう行きますか

12 一共 多少 钱?
Yígòng duōshao qián?

全部でいくらですか

13 不 知道。
Bù zhīdào.

知りません

14 我 来 帮 你。
Wǒ lái bāng nǐ.

私が手伝いましょう

15 为 什么?
Wèi shénme?

なぜですか

16 他 唱得 真 好。
Tā chàngde zhēn hǎo.

彼は歌が本当にうまいね

17 您 找 谁?
Nín zhǎo shéi?

どなたをお訪ねですか

18 你 想 吃 什么 就 点 什么。
Nǐ xiǎng chī shénme jiù diǎn shénme.

何でも食べたいものを注文すればいい

19 让 你 破费 了。
Ràng nǐ pòfèi le.

散財させてしまいました

20 你 去过 日本 吗?
Nǐ qùguo Rìběn ma?

日本に行ったことがありますか

要 多 长 时间?
Yào duō cháng shíjiān?

どれぐらい時間がかかりますか

21

22 这里 有 空 房间 吗?
Zhèlǐ yǒu kòng fángjiān ma?

こちらに空き部屋はありますか

我 的 相机 丢 了。
Wǒ de xiàngjī diū le.

私のカメラがないんです

23

24 你们 现在 在 哪儿 呢?
Nǐmen xiànzài zài nǎr ne?

あなたたちは今どこにいますか

25 太贵了，便宜点儿行不行？
Tài guì le, piányi diǎnr xíng bù xíng?

高い，少し安くなりませんか

给我看看。
Gěi wǒ kànkan.

ちょっと見せてください

26

27 我有点儿不舒服。
Wǒ yǒudiǎnr bù shūfu.

私ちょっと気分が悪いんです

咱们一起去听音乐会，
Zánmen yìqǐ qù tīng yīnyuèhuì,
好不好？
hǎo bù hǎo?

一緒にコンサートに行かない？

28

29 对不起，我来晚了。
Duìbuqǐ, wǒ láiwǎn le.

ごめんなさい，遅刻して

30

快 里边儿 坐。
Kuài lǐbianr zuò.

さあ，中へどうぞ

31

原来 是 这样。
Yuánlái shì zhèyàng.

そういうことだったの

32

你 是 不 是 喜欢上 他 了?
Nǐ shì bú shì xǐhuanshang tā le?

彼のことが好きになったんでしょう

33

不 见 不 散!
Bú jiàn bú sàn!

会えるまで待ってるよ

34

时间 不 早 了，我 该 走 了。
Shíjiān bù zǎo le, wǒ gāi zǒu le.

もうこんな時間だ，行かなくては

35

让 你 久 等 了。
Ràng nǐ jiǔ děng le.

お待たせしました

36

我 真 想 再 看 一 次!
Wǒ zhēn xiǎng zài kàn yí cì!

もう一度見たいなあ

37

你 好像 特别 喜欢 音乐。
Nǐ hǎoxiàng tèbié xǐhuan yīnyuè.

あなたはとっても音楽が好きみたいね

38

你 什么 时候 来 的?
Nǐ shénme shíhou lái de?

いつ来たの?

39

你 在 写 什么 呢?
Nǐ zài xiě shénme ne?

何を書いているんですか

快 告诉 我。
Kuài gàosu wǒ.

早く教えて

我 要 回 国 了。
Wǒ yào huí guó le.

私帰国することになりました

这 件 怎么样?
Zhèi jiàn zěnmeyàng?

これはどう？

这 是 我 的 一点儿 心意。
Zhè shì wǒ de yìdiǎnr xīnyì.

これは私のほんの気持ちです

祝 你 一路 平安!
Zhù nǐ yílù píng'ān!

気をつけて，よい旅を！

『ときめきの上海』コーナー別索引

●各コーナーごとに分かれた索引です。[ ]内の数字は第何話であるかを示します。[H1]は「発音1」を[5]は「第5話」を示します。

これから学ぶ中国語

- [H1] だれが音を見たでしょう／中国式ローマ字表記「ピンイン」 15
- [H2] 「共通語」を学ぶ／漢字は「簡体字」／どこが違う？ 21
- [H3] 簡体字 27
- [H4] 中国語　漢語　普通話　北京語　33
- [1] 日中同形語 45
- [2] 日本語と中国語——くらべてみれば 55
- [3] 訓読と中国語 65
- [4] 品詞一覧表 75

発音のポイント

- [5] 無気音と有気音と声調 80
- [6] 日本人の苦手な母音3つ 92
- [7] 第3声の連続——3音節以上の時 102
- [8] 軽声の発音 112
- [11] "姐姐" jiějie と "小姐" xiǎojie 142
- [12] "这"の発音——zhè と zhèi 152
- [13] 舌を立てよう　zhi chi shi ri 162
- [14] -n か -ng か 172
- [15] u（ユー，あなた）と i（アイ，私）の間——そこには何かが隠れている 182
- [16] 3つのe 192
- [17] おなかとウサギ——無気音と有気音 202
- [18] i（アイ，私）と u（ユー，あなた）の間——そこにも何かが隠れている 212
- [19] 目とメガネ——軽声 222
- [21] i と n にはさまれた a——何も言えん（ian） 242
- [22] "先" xiān と "西安" Xī'ān 252
- [23] 二つ以上読み方のある漢字 262
- [25] 声調符号はどこにつける？ 282
- [27] "有点儿" yǒudiǎnr の謎 302
- [28] 3音節の単語 312
- [35] 方向補語は軽声に 382
- [37] "花" huā は「ホワ」 402
- [38] 地名で覚える声調組合わせパターン 412
- [39] 究極の聞き分け——ci, ce, cu 422
- [40] "啊" a の変身 432

文法レッスン

［1］1.固有名詞が見知らぬ音に 42／2.漢字は目で見るエスペラント 42／3.nǐ wǒ tā〔你 我 他〕——人称代詞 43／4."是" shì「～である」——話し手の判断を表す 44

［2］1."这" zhè と"那" nà 52／2."姓" xìng は動詞 53／3."听懂" tīngdǒng——「聞ク・ワカル」 54

［3］1.目的語を二つとる動詞 62／2."好" hǎo をつかって単語をふやそう 63

［4］1."的" de の話 72／2."这本书" zhèi běn shū 72／3."我把书忘在这儿了"——"把" bǎ 構文 73

［5］1.三つの"在" zài 84／2."公里" gōnglǐ はキロメートル 85

［6］1.文末の"了" le 96／2."五香豆" wǔxiāngdòu——五つの味 97

［7］1.便利な"～呢？"~ne？ 106／2."我也喜欢" wǒ yě xǐhuan の読み方——第3声の連続（その2） 107

［8］"亮晶晶" liàngjīngjīng——ABB型形容詞 116

［9］1.動詞の"上" shàng と"下" xià 126／2.心理的な"上"と"下" 127

［10］1.あいさつもできんようじゃ 136／2.疑問詞かかえ型"吗"疑問文 137

［11］1.「さほど」の"不太" bú tài 146／2.二つの"怎么" zěnme 147

［12］お金に詳しくなろう 156／100元と50元 157

［13］"一年一个样" yì nián yí ge yàng の構造 166

［14］1.呼びかけよう！ 176／2."A 不如 B"は「AよりBのほうがいい」 177

［15］1.程度の高いことを表す"好" hǎo 186／2.何をしたらよいか分からない 187

［16］1."还没～呢" hái méi ~ ne——まだ～していない 196／2.「どこか」——疑問詞が疑問を表さないとき 197

［17］ 動作量,時間量——動詞の後に 206

［18］1.疑問詞呼応構文に慣れよう 216／2.いろいろな"点" diǎn 217

［19］"不～了" bù ~ le の文法 226

［20］1.お口の幸せ 236／2.反語は反対のことが言いたい 237

［21］1.概数の言い方 246／2.起きられない——可能補語 247

［22］1."挺～的" tǐng ~ de 256／2."不好意思" bù hǎoyìsi 256／3."单" dān と"双" shuāng 257

［23］1."这儿景致不错" zhèr jǐngzhì

búcuò——ここは景色がいい。 266／2.わざわざ 267

［24］ 1."多"duōの位置 276／2.介詞"跟"gēn 277

［25］ 1."也"yěは副詞 286／2."便宜点儿"piányi diǎnr——形容詞＋数量 287

［26］ 1."不"bùのつく言葉 296／2.いや，思いもよらなかった。 297

［27］「ちょっと，少し」の表し方 306

［28］ 1.午後7時半と言えない！ 316／2.コンサートに行く——"去听音乐会"qù tīng yīnyuèhuì 317

［29］ 縁起をかつぐ 326／中国語のしゃれ言葉——"歇后语"xiēhòuyǔ 327

［30］ 日本と中国——異文化コミュニケーション 336

［31］ お祝いの言葉 346／"恭喜"gōngxǐ 347

［32］ 助動詞の二つの用法 356

［33］ 1."没人接"méi rén jiē 366／2."巧了"qiǎo le 367

［34］ 婉曲な言い方 376

［35］ 1."退"tuìと"换"huàn 386／2."离"lí 387

［36］ 感動する話 396

［37］ 1."越～越～"yuè～yuè～ 406／2.中国の祝祭日，記念日 407

［38］ 1."是～的"構文 416／2.あなたって本当に～。 417

［39］ 1.「何をしているの？」と聞かれたら…… 426／2."用功"yònggōngなど「学習する」動詞 426

［40］ 1."那边就是长江口"——あれが長江の河口。 436／2."为"wèi——ために 437

［41］「間もなく～する」 446

［42］ 1."非～不可"fēi～bùkě——是非とも～ 456／2."好是好"hǎo shì hǎo——よいことはよいが 457

［43］ 1.一生忘れない 466／2."大家在一起照张相吧!"——一緒に写真を撮ろう！ 467

［44］ 別れの言葉 476

ことばの道草

［1］ はじめの台詞 46
［2］ 便利な"来"lái 56
［3］ 中国でキャンパスライフ 66
［4］「知らない人」を指す 76
［5］ ホームシック 88
［6］ 知っておきたい最近の名数表現 98
［7］ "上"shàngと"下"xià 108
［8］ レストラン 118
［9］ それにつけても… 128

[10] 《新民晚报》Xīnmín Wǎnbào　138
[11] "电车"って「バス」!?　148
[12] "一般"って「ふつう」？　158
[13] まさかの"会"huì　168
[14] "再见"ばかりじゃ　178
[15] 紅い"博士帯"　188
[16] "歌厅"gētīng　198
[17] e-mail　208
[18] 招待されて　218
[19] おごり，おごられ　228
[20] 私の作ったみそ汁　238
[21] 中国の朝　248
[22] ホテルにて　258
[23] はい「チーズ」！　268
[24] 携帯電話　278
[25] お茶の話　288
[26] "别瞎说。"Bié xiāshuō.　298
[27] 風邪を引いたら……　308
[28] テスト　318
[29] 新年のあいさつ　328
[30] お茶を入れる　338
[31] 縦と横　348
[32] 花火と爆竹　358
[33] 映画を見る　368
[34] おそい　378
[35] チケット　388
[36] "够〜"gòu〜　398
[37] バレンタインデー　408
[38] スター　418
[39] 新しいもの　428
[40] 大学院　438
[41] ゆく人，くる人　448
[42] 恋はたのし　458
[43] 決まり文句　468
[44] 組合わせ連語　478

♣ ここほれ中級

[1] 国字／ひらがなの名前　47
[2] "儿"って何　57
[3] "请"を使った表現　67
[4] "的"deが省略できる時／"的"はお金のようなもの　77
[5] トイレの話　89
[6] どう並べるか？　99
[7] "喝"hēと"吃"chī　109
[8] "小心"xiǎoxīnと"注意"zhùyì　119
[9] ビビッとくる　129
[10] "行"と"不行"　139
[11] なぜ？どうして？——"怎么"zěnmeと"为什么"wèi shénme　149
[12] 中国にもローマ字外来語　159
[13] 知っている四態："认识""知道""明白""懂"　169
[14] "帮"bāngと"帮忙"bāngmángと"帮助"bāngzhù　179
[15] 呼応する"的"　189

［16］「～させる」の"让"ràng　199
［17］「ほら！」って言えますか　209
［18］幸せ！　219
［19］三つの"再"zài　229
［20］「経験」の"过"と「終了済み」の"过"　239
［21］"又～又～"yòu～yòu～の文法　249
［22］いろいろな「書く」——"填"tián,"写"xiě,"画"huà,"记"jì　259
［23］"相机忘在亭子里了"　269
［24］「何かあったら…」——条件文　279
［25］"以为"yǐwéi と"认为"rènwéi　289
［26］"很有水平"hěn yǒu shuǐpíng　299
［27］飲めば効く——"一喝就好"yì hē jiù hǎo　309
［28］大学を卒業する　319

［29］禁止表現　329
［30］口の動作——"嗑瓜子儿"　339
［31］元旦と春節　349
［32］友達の話　359
［33］"不～不～"　369
［34］"意思"yìsi の意味　379
［35］やっかいな"才"cái　389
［36］"怪不得"guàibude——～なのも道理だ。　399
［37］ほめられて　409
［38］"别～了"構文　419
［39］"人家"rénjia　429
［40］覚えている？　439
［41］遅かれ早かれ　449
［42］おんな・女性・女子……　459
［43］"忘不了"　469
［44］そうなんです。——同意の"就是","就是的"　479

装　　丁 ● 島田隆
スキット写真 ● 小野成視
本文デザイン ● 福井功（CAMEL STUDIO）／トミタ制作室
イラスト ● 富田淳子

Special thanks

若森幸子

中根綾子

石岡しずね

國民的中國語教本
ときめきの上海

2003年 9月20日　初 版 発 行
2003年11月 1日　第 2 刷発行

著　者　相原茂
発行人　原雅久
発行所　（株）朝日出版社
〒101-0065　東京都千代田区西神田3-3-5
電話03-3263-3321　http://www.asahipress.com

組版　倉敷印刷(株)
印刷　図書印刷(株)
ISBN 4-255-00219-3 C0087　Printed in Japan

乱丁本・落丁本は，小社宛にお送りください．
送料は小社負担にてお取り替えいたします．
本書の無断複写（コピー）は著作権法上での例外を除き，
禁じられています．

お知らせ

スキット「ときめきの上海」を収録したDVDが，NHKソフトウェアから発売されています。本書と合わせて御利用されれば一層の効果が期待できます。

NHK外国語講座　新スタンダード40
すぐ使える基本表現
中国語会話 Vol.1・Vol.2（各税込￥3,990）

問合せ先（株）バップ　TEL 03-3234-5292